LUTZ POHLE

Die Christen und der Staat nach Römer 13

Eine typologische Untersuchung
der neueren deutschsprachigen Schriftauslegung

MATTHIAS-GRÜNEWALD-VERLAG · MAINZ

CIP-Kurztitelaufnahme der Deutschen Bibliothek

Pohle, Lutz:

Die Christen und der Staat nach Römer 13 : e.
typolog. Unters. d. neueren deutschsprachigen
Schriftauslegung / Lutz Pohle. — Mainz :
Matthias-Grünewald-Verlag, 1984.

ISBN 3-7867-1129-1

© 1984 Matthias-Grünewald-Verlag, Mainz
Reihengestaltung: Dieter Gielnik, Wiesbaden
Satz: Satzstudio Gerda Tibbe, Gauting
Druck und Bindung: Weihert, Darmstadt

INHALTSVERZEICHNIS

VORWORT

Das Verhältnis vieler Christen zum Staat ist in unseren Tagen wieder einmal, wie schon oft in der Geschichte, in eine überaus spannungsreiche Phase getreten. Vieles spricht dafür, daß sich hier eine tiefe Krise im Verständnis des Staates, eine grundlegende Ent-Scheidung über diese große gemeinsame Lebensgestalt der Menschen ausdrückt.

Die hier vorgelegte Abhandlung, die sich um eine biblisch begründete Betrachtung bemüht, trifft jedoch eher zufällig auf diese zugespitzte Situation. Die Vorüberlegungen zu dieser Arbeit sind älter als die heutige Auseinandersetzung. Der Staat und der Christ in seinem Verhältnis zu ihm haben mich lange beschäftigt, zunächst von der rechtlichen und von der sozialethischen Seite her, dann auch zunehmend theologisch. Die Arbeit will daher nicht unmittelbar zu einer aktuellen Lage Stellung nehmen, so sehr sie auch — das ist zu hoffen — eine klarere Sicht in den uns heute bewegenden Fragen fördern möge. Es geht hier vielmehr um die tiefer gründende Spannung, wie der Christ, der zuerst Zeuge einer neuen Wirklichkeit ist, Bürger der himmlischen Stadt, zugleich auch Mitbürger in der irdisch verfaßten Polis sein kann.

Daß diese Arbeit, die zunächst bei der Theologischen Fakultät der Albert-Ludwigs-Universität Freiburg als Dissertation eingereicht wurde, entstehen, wachsen und zu einem guten Ende gebracht werden konnte, habe ich Menschen zu verdanken, die mir bereitwillig geholfen und mich in vielfacher Weise unterstützt haben. Ich nenne sie einfach chronologisch der Reihe nach, in der ich ihre Hilfe in Anspruch nehmen durfte: Herrn Pater Werner Löser SJ, der die Arbeit anregte, Herrn Bischof Karl Lehmann, der sie als »Doktorvater« begleitete, Herrn Kardinal Hermann Volk, der mir zu diesem Vorhaben seinen bischöflichen Segen gab, Herrn Pater Joseph Listl SJ, der mir bei der thematischen Abgrenzung half, und Herrn Bischof Ulrich Wilckens, der mir Einblick in das Manuskript des dritten Teils seines Römerbrief-Kommentars gewährte.

Mainz, im Frühjahr 1984   Lutz Pohle

I. EINLEITUNG

Das Verhältnis der Christen zum Staat ist stets der Gegenstand einer besonderen Ortsbestimmung gewesen zwischen der verheißenen zukünftigen Welt, die seine wirkliche Heimat ist (Phil 3,20), und der Bewältigung gegenwärtiger menschlicher Gemeinschaft, in der er mit allen Menschen das gleiche irdische Geschick erfährt, die aber zugleich auch Raum seines besonderen Zeugnisses für die kommende Wirklichkeit ist (Röm 12,1-2). Das Verständnis der Welt und darin das Verständnis des Staates als Ordnungsmacht in der Welt gehört daher zum Konstitutivum christlichen Selbstverständnisses. Erst in der Spannung zwischen dem »Schon« des neuen Lebens und dem »Noch« der Geltung der Gegebenheiten dieser Welt kann der Christ seinen geschichtlich und eschatologisch richtigen Ort finden. Diese »Lokalisierung« vollzieht sich freilich nicht einfach nach dem Schema eines gedachten theoretischen Ideals vom Verhältnis Christ — Staat, sie hängt auch nicht allein vom guten Willen des Christen der Welt und dem Staat gegenüber ab, sondern ist ebenso bedingt von der Einstellung der Welt bzw. des Staates zu ihm, dem Christen, die sein Zeugnis dulden und ermöglichen, vielleicht sogar fördern, oder es abwehren, behindern und unterdrücken.

1. AUSSAGEN DES NEUEN TESTAMENTS ZUM STAAT

Diese Wechselbeziehung zwischen Glaube und weltlicher Wirklichkeit, christlicher Existenz und bürgerlicher Existenz spiegelt sich bereits in den verschiedenen Aussagen des Neuen Testaments. In der Reihe direkter und indirekter Stellungnahmen zum Verhältnis Christ — Staat finden sich gleichermaßen den Staat positiv-bejahende, einschränkende und abwehrende Positionen.[1]

Das Herrenwort in der Zinsgroschengeschichte (Mk 12,13-17 Parr), »Gebt dem Kaiser, was dem Kaiser gehört, und Gott, was Gott gehört«, besteht

---

[1] Im Folgenden werden nur die wichtigsten Äußerungen des Neuen Testaments kurz aufgeführt. Darüber hinaus gibt es zahlreiche andere Stellen, die über die Christen in ihrer nichtchristlich-staatlichen Umwelt Aufschluß geben.

Zu den wichtigsten Stellen (vgl. Literaturverzeichnis): Schlier, Staat I, Staat II; M. Dibelius; Zsifkovits; Schrage, Staat; Aland.

Zum Zinsgroschenwort Jesu (Mk 12,13—17 Parr) besonders Goppelt, Kaisersteuer, Theologie NT 164—166.

Zu Apg 5,29 H. Dörries, Gottesgehorsam und Menschengehorsam bei Luther, in: Ders., Wort und Stunde III, Göttingen 1970, 104—111.

formal aus zwei Satzhälften, die den Eindruck erwecken könnten, Gott und Kaiser seien gleichberechtigt, analog dazu stehe der Christ in einer annähernd gleichwertigen staatsbürgerlichen und religiösen Pflichtenrelation. Die formale Gleichordnung der Satzteile bedeutet freilich nicht inhaltliche Äquivalenz der beiden Sphären. Vielmehr geht es wesentlich und entschieden um den Anspruch Gottes an den Menschen, dem alles andere untergeordnet ist. Dies vorausgesetzt, konstatiert das Wort Jesu allerdings einen Bereich legitimer weltlicher Macht, der als solcher offenbar nicht von vornherein und prinzipiell in Kollision zum Anspruch Gottes steht, wenn er auch von ihm her begrenzt wird.

Eine andere Aussage zu unserem Thema ist die Verhandlung zwischen Jesus und Pilatus (Joh 18,28—19,16), in deren Mitte die Frage nach der endgültigen Wahrheit steht. Der Vertreter der staatlichen Macht muß sie als Frage stehen lassen (18,38); der Staat kann wohl etwas *zu* dieser Wahrheit, aber nichts *über* sie sagen. Bemerkenswert an der Szene bleibt, daß Jesus den Spruch des staatlichen Amtswalters über sich hinnimmt, ihm nicht widersteht oder ausweicht.

Die »clausula Petri« Apg 5,29 entscheidet die Frage, wie der Christ angesichts des Verbots und der Unterdrückung seiner Zeugnisgabe durch die öffentliche Gewalt handeln soll: »Man muß Gott mehr gehorchen als den Menschen.«

Im Kontrast zu diesen, die staatliche Gewaltausübung respektierenden, aber auch begrenzenden Aussagen steht Röm 13,1—7, das einen uneingeschränkten Vorrang des Staates vor dem Einzelnen zu proklamieren scheint: Jedwede obrigkeitliche Gewalt und alle ihre Repräsentanten sind »von Gott eingesetzt«, und deshalb hat sich ihnen »Jedermann«, auch der Christ, »unterzuordnen«. Das wird noch dadurch verschärft, daß es nicht allein um einen äußeren Gehorsam geht, den der Einzelne aus Furcht vor Sanktionen leistet, sondern daß eine Haltung »um des Gewissens willen« gefordert ist (13,5). Zu Röm 13 kommen weitere Stellen, die ähnliches, wenn auch nicht ganz so exponiert, zur Sprache bringen: Die allgemeine Superiorität der staatlichen Gewalten und korrespondierend dazu der stets geforderte Gehorsam des Einzelnen (1 Petr 2,13—17; Tit 3,1); 1 Tim 2,1f empfiehlt den Christen Gebet und Fürbitte »für die Herrscher und alle, die Macht haben«.

Eine innergemeindliche Regelung, die aber auch Grenzmarkierungen gegenüber dem Staat enthält, besagt, Rechtsstreitigkeiten unter den Glaubensbrüdern seien nicht vor den öffentlichen Gerichten auszutragen, sondern sollten durch Schlichtung in den eigenen Reihen beigelegt werden (1 Kor 6,1ff). In Offb 13 wird dem Staat, der für sich selbst letzte und höchste (= göttliche) Geltung beansprucht und dadurch zur satanischen Macht wird, der Kampf angesagt, nicht in Form von Revolution und Gewalt, aber

— das ist das Gegenstück zu Röm 13 — durch Gehorsamsverweigerung bis hin zum Martyrium (13,9f).

2. RÖMER 13 ALS TRADITIONELLER ORT DER DISKUSSION UM EIN CHRISTLICHES STAATSVERSTÄNDNIS

Unter den Aussagen des Neuen Testaments kommt Röm 13,1—7 besondere Bedeutung zu. Die Allgemeinheit seiner Formulierungen, die Schärfe, mit der die Überordnung der staatlichen Gewalt und eine entsprechende Gehorsamsbindung des Einzelnen festgestellt wird, hat diese Aussage frühzeitig zum bevorzugten Ort der Auseinandersetzung um das Verhältnis zwischen Kirche und Staat werden lassen. Der überaus positive Charakter, den Paulus dem Staat zuzusprechen scheint, ist dabei stets ein Problem gewesen. Wie die geschichtliche Situation wechselte, in der sich Kirche und Staat begegneten — Verfolgungszeit und christliches Imperium, Reformation und Säkularisation, Revolution und Demokratie —, gab und gibt es unterschiedliche Auslegungen und Verständnisse unseres Textes, die es nicht leicht machen, seinen zentralen Gedanken zu erfassen.[2]

Sah sich die Kirche der Verfolgungszeit aufgrund einer sich steigernden Feindschaft des Staates genötigt, Röm 13 einschränkend auszulegen und generell dem kritischen Korrektiv Apg 5,29 zu unterstellen, wurde der Staat mit zunehmender Christianisierung des Imperiums in seiner Aufgabe positiv gesehen und die Gehorsamspflicht ihm gegenüber entsprechend eingeschärft. Freilich verband sich mit der neuen Lage nicht die Anerkennung einer absoluten Stellung der politischen Gewalt. Die Kirche beharrte auch nach ihrer Etablierung als offizieller Staatsreligion auf dem Unterschied von Gottesreich und Weltreich und ließ die geforderte Unterwerfung nur dort gelten, wo es nicht um ihr spezifisches Amt in und gegenüber der Welt ging.

Im Mittelalter stand die theologische Qualifizierung des zwar »christlichen«, aber doch auch unrecht handelnden Staates und die Frage der Begründung und Reichweite weltlicher und geistlicher Macht im Raum der einen verchristlichten Gesellschaft zur Entscheidung. Hinsichtlich des Problems des ungerechten Staates kam es zur Bestimmung der Grenzen des Gehorsams durch die Aufgabe, die Gott den »übergeordneten Gewalten« gesetzt hat: das Wachen über Gut und Böse (13,4). Kam die Obrigkeit dem Auftrag Gottes nicht nach, handelte sie selbst ungerecht, disqualifizierte sie

---

[2] Zum Folgenden: W. Bauer; Schelkle, Staat und Kirche; Schulze; Rahner; Scharffenorth; Affeldt; Keienburg; Wilckens, Römer 13, Römerbrief 43—66; Staatslexikon (Hrsg. Görres-Gesellschaft), Art. Kirche und Staat, IV [6]1959, 991—1050.

sich als Gottes Dienerin. Einer solchermaßen illegalen Gewalt durfte nicht gehorcht werden. Gegenüber der an bloßer Bekenntnisfreiheit orientierten altkirchlichen Grenzziehung ist hier der Schritt zu einer inhaltlich gebundenen Machtausübung des Staates vollzogen. Die Frage der Zuordnung geistlicher und weltlicher Macht wurde kirchlicherseits durch den Suprematieanspruch des Papstes über den Kaiser entschieden. Die Schriftauslegung sah nun in den »übergeordneten Gewalten« Röm 13,1 nicht mehr nur die weltliche Obrigkeit, wie dies bisher als selbstverständlich gegolten hatte, sondern ebenso die geistliche. Parallel dazu bekam der Begriff »angeordnet« (von Gott) die Bedeutung einer abstufenden Rangfolge, aus der sich notwendig die Priorität der geistlichen Gewalt als Vertreterin des göttlichen Gebots ergab. Damit war es zur Einheit letztverbindlicher Verantwortung für das religiöse und politische Leben in der gesamten Christenheit gekommen.

Die spätmittelalterliche und besonders die reformatorische Kritik an solch theokratischer Omnipotenz des Papstes führte allmählich zu unterschiedlichen Konzeptionen eines neuen Staatsverständnisses. Luthers Lehre von den zwei Regimenten beschränkte die Kirche auf den Dienst der Verkündigung und wies die politische Gewalt gemäß Röm 13,1 allein den Fürsten zu, die nun sogar für die rechtliche Ordnung der Kirche Zuständigkeit erlangten. Die hier grundgelegte Obrigkeitsfixierung forderte Loyalität selbst für den ungerechten und eidbrüchigen Fürsten und drängte die berechtigte Gehorsamsverweigerung auf den äußersten Fall des Eingriffs in Glauben und Gewissen zurück. Calvin unterschied zwar ebenfalls Bügergemeinde und Christengemeinde, legte aber Röm 13 schon auf eine christliche Obrigkeit hin aus, deren wesentliche Aufgabe es war, das Ideal der Christengemeinde (Gottesverehrung, brüderliche Liebe unter den Bürgern) im Bereich der Bürgergemeinde zu verwirklichen. Die Konsequenzen, die sich hieraus ergaben, lagen weniger in der Sphäre christlicher Loyalität gegenüber der politischen Obrigkeit — ein Obrigkeitsdenken wie im Luthertum gab es hier nicht —, als vielmehr in der Intoleranz gegenüber Andersdenkenden durch die rigide Praxis eines christlich-gesetzlich verwalteten zivilen Alltags.

3. RÖMER 13 UND DER NEUZEITLICHE SÄKULARISIERTE STAAT

Die im reformatorischen Staatsdenken sich anbahnende Wende zur Säkularisation hat seither das Verhältnis von Staat, Kirche und Gesellschaft bestimmt und zur Ausprägung der neuzeitlichen, demokratisch-pluralistischen Staatsformen, aber auch zu totalitären Systemen auf der Grundlage atheistischer Ideologien geführt. Die staatlich-politische Wirklichkeit in Deutschland in diesem Jahrhundert war und ist von den Erfahrungen beider Möglichkeiten geprägt.

Der Zusammenbruch der Monarchie und die Entstehung von Republiken nötigte beide Konfessionen zur Neuorientierung in ihrem Verhältnis zur nun demokratisch legitimierten öffentlichen Gewalt. Für die evangelischen Kirchen bedeutete dieses Ergebnis zudem das Ende des jahrhundertelangen landesherrlichen Regiments über die Kirche (Summepiskopat). An die Stelle traditionell enger Bindungen der Kirche an den Staat trat die Betonung kirchlicher Autonomie. Die Maßnahmen des Nationalsozialismus nötigten zu weiterer Abgrenzung gegenüber dem Staat. Die evangelischen Kirchen waren dabei durch die Ideologie der »Deutschen Christen« besonders gefährdet (Kirchenkampf; Barmer Theologische Erklärung von 1934)[3]. Die gegenwärtige Situation ist sowohl von der Erfahrung der partnerschaftlichen Koordination zwischen Kirche und Staat (Bundesrepublik Deutschland) als auch der faktischen Trennung (Deutsche Demokratische Republik) bestimmt.

Für die aktuell-zeitgeschichtliche Lage im ganzen ist eine tiefe Unsicherheit im Staatsverständnis kennzeichnend. Überkommenen rechtsstaatlich-demokratischen Formen stehen betont emanzipatorische, sozialtechnokratische oder populärdemokratische Vorstellungen der Identität der »Herrschenden« mit den »Beherrschten« gegenüber, die allesamt, wenn auch von recht verschiedenen ideologischen Ausgangspunkten her, auf eine Reduzierung oder gar Beseitigung des Staates als Gegenüber zum Bürger, immer jedoch auf eine beträchtliche Schmälerung seines Verbindlichkeitsanspruchs hinauslaufen. Der Begriff des Staates selbst wird infrage gestellt, Institution einseitig ins Prozeßhafte umgedeutet und so in ihrer inhaltlichen und formalen Bedeutung situativer Verfügbarkeit unterworfen. In eigentümlichem Kontrast zu diesen Bewegungen stehen Tendenzen umfassender Politisierung und Institutionalisierung aller menschlichen Lebensbereiche in der modernen sozialstaatlichen Wirklichkeit, die dem Einzelnen zwar das Risiko der Daseinsvorsorge weitgehend abnimmt, ihn dadurch aber zugleich immer enger an staatliche Verfügungen bindet. Der Staat gewinnt so eine stets sich intensivierende Geltung gegenüber dem Einzelnen.

[3] Einen besonderen Rekurs der Deutschen Christen auf Röm 13,1–7 konnte ich allerdings bis jetzt nicht feststellen; vgl. K.D. Schmidt (Hrsg.), Dokumente des Kirchenkampfs II. Die Zeit des Reichskirchenausschusses 1935–1937, Göttingen 1964 und 1965; K. Scholder, Die Kirchen und das Dritte Reich I (1918–1934), Frankfurt-Berlin-Wien 1977; K. Meier, Die Deutschen Christen. Das Bild einer Bewegung im Kirchenkampf des Dritten Reiches, Göttingen [3]1967; Ders., Der evangelische Kirchenkampf. Gesamtdarstellung in drei Bänden, Göttingen 1976 (1. Der Kampf um die »Reichskirche«, 2.Gescheiterte Neuordnungsversuche im Zeichen staatlicher »Rechtshilfe«).

Die zeitgeschichtliche Situation — sie sollte mit diesem kurzen Aufriß nicht abschließend beschrieben, sondern lediglich angedeutet werden — hat zweifellos auch das theologische Denken beeinflußt. Freilich darf man hinsichtlich der bestehenden Zusammenhänge nicht einfach eine Parallelisierung erwarten. Theologie hat immer und zuerst eine andere Dimension zur Sprache zu bringen, und dies verschiebt den unmittelbaren Vergleichshorizont[4]. Dennoch wird an einigen Beispielen schlaglichtartig ein neues Denken sichtbar. In seinem Römerbriefkommentar (1922) bestürmt Karl Barth geradezu den christlichen Leser, »die große negative Möglichkeit« zwischen Revolution und Reaktion zu wählen: das »Nicht-Handeln« den irdischen Ordnungen gegenüber[5]. Diesen Ordnungen gebührt nur insoweit Beachtung, als sie Gottes Empörung gegenüber dem widerständigen Menschen demonstrieren; im übrigen besitzen sie keinen Eigenwert. Hier äußert sich »dialektische Theologie« im Protest gegenüber dem innerweltlichen Heilsoptimismus der »liberalen Theologie« und der wesentlich von ihr bestimmten protestantisch-politischen Kultur der ausgehenden Zeit des landesherrlichen Staatskirchentums. Dem setzt die »dialektische Theologie« ihr Konzept unverfügbarer Transzendenz Gottes und einer wesentlich eschatologisch erwarteten Heilswirklichkeit entgegen, auch dies nicht ohne Zusammenhang mit dem Versuch eines ganz neuen Anfangs nach dem Ersten Weltkrieg.

In den dreißiger Jahren erhielten die »übergeordneten Gewalten« Röm 13,1, durchaus nicht zufällig, eine eigentümliche Deutung auf Engelmächte hin. Danach standen hinter dem irdisch-erfahrbaren Staat, gewissermaßen als eigentliche Herren des Geschehens, jenseitig-dämonische Kräfte, die die weltliche Obrigkeit als Ausführungsorgan ihrer eigenen, zumeist widergöttlichen Pläne benutzten. Ziel dieser Auslegung war es, den allzu gutgläubigen, aus alter Tradition obrigkeitlich denkenden Christen vor den Gefahren der politischen Gegenwart zu warnen und zu verantwortlicher Unterscheidung der Geister aufzurufen[6].

Aus anderer Warte bestritt gegen Ende der fünfziger Jahre der Bischof von Berlin-Brandenburg, O. Dibelius, grundsätzlich die Geltung von Röm 13 unter den Bedingungen sowohl der totalitär-atheistischen Gesellschaftsordnungen des Ostens als auch der demokratisch-pluralistischen Staatsformen des Westens. Gleichermaßen, wenn auch in unterschiedlicher Wertigkeit,

---

[4] Die ausdrückliche Herausarbeitung von klar bewiesenen Verflechtungen zwischen Zeitgeschichte und Theologie kann im Rahmen dieser Arbeit nicht zusätzlich geleistet werden. Dies wäre eine zweite Stufe der Annäherung an ein zeitnahes Verständnis des Textes Röm 13,1—7, die einer gesonderten Bearbeitung bedürfte.
[5] Barth, Römerbrief 459ff (461).
[6] Z.B. Dehn, Engel; Schweitzer; Barth, Rechtfertigung; Ders., Christengemeinde; Cullmann, Königsherrschaft.

vermißte er hier wie dort das für den Begriff von »Obrigkeit« konstitutive Element sich verdankenden Gottesgnadentums der staatlichen Gewalt, wie es im patriarchalischen Regiment der Landesherren noch anzutreffen gewesen war[7]. Letztlich ging es hier um die noch nicht beendete Auseinandersetzung traditioneller lutherischer Staatsauffassung mit den weltanschaulich neutralen und den atheistisch-totalitären Gesellschaftssystemen der Epoche nach 1918. Die Diskussion, die die Stellungnahme O. Dibelius' weit über den protestantischen Raum hinaus auslöste, machte deutlich, daß die Klärung des Verhältnisses zwischen Kirche und säkularisiertem, nichtchristlichem Staat, ja des neuzeitlichen Staatsverständnisses selbst theologisch und politisch noch keineswegs abgeschlossen war.

Schließlich muß noch der Aufsatz von Käsemann, »Römer 13, 1—7 in unserer Generation« (1959), erwähnt werden, der, zeitlich etwa gleichauf mit O. Dibelius' Obrigkeitsschrift, in völlig anderer Richtung einen Neuansatz paulinischen Staatsverständnisses sucht[8]. Käsemann rechnet zunächst mit den »ontologisch« argumentierenden Auslegungsweisen katholischer, lutherischer und reformierter Provenienz ab, die er für die geschichtlich gescheiterten Autoritätsstrukturen verantwortlich macht, und stellt dem seine eigene, ganz am christlichen Eschaton orientierte, situationsethisch-prozeßhafte Auslegung des Paulustextes gegenüber, die den Staat über eine »zwischenmenschliche Relation« zwischen Bürger und staatlichem Funktionsträger nicht hinauskommen läßt.

4. Divergierende Grundauffassungen im Verständnis des Textes

Die genannten Beispiele theologischer Ortsbestimmung zu Röm 13, so sehr sie zunächst Einzelentwürfe darstellen und nicht einfach repräsentativ für die allgemeine Sicht des »Staatsproblems« sind, markieren Spitzenpunkte im Streit um eine verbindliche Auslegung, der in Deutschland nach 1918 nicht mehr zur Ruhe gekommen ist und zu einer nahezu unüberschaubaren Vielfalt der im Spiel befindlichen exegetischen, systematischen und sozialethischen Gesichtspunkte geführt hat. Die katholische Auslegung ist dabei lange Zeit hindurch in den gleichmäßigeren Bahnen naturrechtlichen Denkens geblieben. Aber auch hier ist es in den letzten Jahrzehnten zu einer stärker schriftbezogenen Modifikation und damit zu größerer Differenzierung im Verständnis des Römertextes gekommen[9].

[7] O. Dibelius, Obrigkeit I 21ff (31f); Ders., Obrigkeit II 11ff (49ff).
[8] Käsemann, Röm 13 316—376.
[9] Z.B. Kuß; Zsifkovitz; Schiwy; Schelkle, Theologie NT 327—343; vgl. auch Schlier, Staat II; Ders., Römerbrief.

Zieht man das ganze Spektrum der Stellungnahmen zu Röm 13,1—7 aus dem deutschsprachigen Bereich seit Ende des Ersten Weltkrieges in Betracht — diese Eingrenzung legt sich aus den bereits deutlich gewordenen Gründen der Rücksicht auf den zeit- und kirchengeschichtlichen Kontext nahe —, lassen sich mehrere Grundaspekte ausmachen, nach denen Röm 13, 1—7 beurteilt wird. Die Schriftstelle kann verstanden werden als:

— der paulinischen Theologie fremd oder durchaus entsprechend;
— inhaltlich durchweg traditonell motiviert, d.h. jüdisch-hellenistisch, nicht christlich geprägt;
— paränetisch, pragmatisch (die gegebene Begründung ist von nur geringer Bedeutung) oder auch grundsätzlich (die Begründung hat volles Gewicht);
— situationsabhängig oder eschatologisch dringlich;
— heilsgeschichtlich bedeutsam oder wesentlich »profan«;
— staatsbetonend oder staatsrelativierend;
— diesseitig-politisch oder auch jenseitig-angelologisch.

Bei der Einordnung und Gewichtung dieser (und anderer) Elemente in der Einzelauslegung fehlt es weithin an Kriterien für die Beurteilung. Häufig kommt es zu einer recht willkürlich anmutenden Komposition inhaltlicher und formaler Motive, deren Einheitspunkt weithin nur noch in der vom theologisch-systematischen und zeitgeschichtlichen Horizont bestimmten Auslegungsabsicht eines Interpreten gegeben scheint. Käsemann

Die verschiedenen konfessionell determinierten Voraussetzungen des Verständnisses von Röm 13,1—7 sind in dieser Arbeit nicht eigens untersucht worden. Vielmehr werden die sich unmittelbar aus der Textinterpretation ergebenden Verstehensweisen erhoben.
Zu den konfessionell geprägten Staatsverständnissen siehe den kurzen Überblick im Evangelischen Staatslexikon, Art. Staat, [2]1975, 2468—2486 (Lit.). Vgl. ferner H. Dombois, Der gegenwärtige Stand der evangelischen Staatslehre, in: F. Karrenberg, W. Schweitzer (Hrsg.), Spannungsfelder der evangelischen Soziallehre (FS H.-D. Wendland), Hamburg 1960, 129—139; G. Hillerdal, Gehorsam gegen Gott und Menschen, Luthers Lehre von der Obrigkeit und die moderne evangelische Staatsethik, Göttingen 1964; E. Brunner, Die reformierte Staatsauffassung, Zürich und Leipzig 1938; J. Staedtke, Die Lehre von der Königsherrschaft Christi und den zwei Reichen bei Calvin, in: Kerygma und Dogma 19 (1972), 71—81; H. Simon, Das Verhältnis von Kirche und Staat nach der Lehre der evangelischen Kirche, in: Handbuch des Staatskirchenrechts der Bundesrepublik Deutschland I, Berlin-München 1974, 189—212; P. Tischleder, Staatsgewalt und katholisches Gewissen, Frankfurt 1927; H. Rommen, Der Staat in der katholischen Gedankenwelt, Paderborn 1935; H. Maier, Katholische Sozial- und Staatslehre und neuere deutsche Staatslehre, in: Archiv des öffentlichen Rechts 93 (1968), 1—36; P. Mikat, Grundelemente katholischer Staatsauffassung, in: Studien und Berichte der Katholischen Akademie Bayern 13 (1960), 85—120 (jetzt auch in: Ders., Religionsrechtliche Schriften = Staatkirchenrechtliche Abhandlungen 5, hrsg. J. Listl, Berlin 1974, 627—647); Ders., Das Verhältnis von Staat und Kirche nach der Lehre der katholischen Kirche, in: Handbuch des Staatskirchenrechts der Bundesrepublik Deutschland I, Berlin-München 1974, 143—185 (jetzt auch in: Ders., Religionsrechtliche Schriften = Staatskirchenrechtliche Abhandlungen 5, hrsg. J. Listl, Berlin-München 1974, 331—376).

hat die Verworrenheit der Lage bereits 1959 mit dem »fast unentwirrbar verschlingenden Dickicht eines tropisch wuchernden Urwaldes« verglichen[10]. Seine Beschreibung trifft auch heute noch die Situation.

5. Notwendigkeit einer Typologisierung der Auslegung — Ziel und Methode der Untersuchung

Die anhaltende Aporie der Auslegung nötigt zu einer zusammenfassenden Bestandsaufnahme der in der Auseinandersetzung befindlichen exegetischen Probleme und auch der hermeneutischen Voraussetzungen. Eine solche Arbeit muß, um der Komplexität des heutigen Problemstandes voll gerecht zu werden, bewußt den Grenzbereich von Exegese, Dogmatik und Sozialethik betreten. Eine Deutung lediglich auf philologisch-historischer Grundlage genügt nicht. Dafür ist bis zum heutigen Tag die Wirkungsgeschichte zu mächtig. Ebensowenig kann die bloß praktisch-sozialethische oder eine normativ-dogmatische Anwendung von Röm 13 weiterführen. Vielmehr muß es darum gehen, unterscheidbare Auslegungsweisen zu ordnen, ihre hermeneutischen Voraussetzungen zu klären[11] und auf ihre Stimmigkeit mit dem Skopos des Textes zu überprüfen.

Untersuchungen in dieser Richtung sind noch kaum unternommen worden. Neue Auslegungen haben zumeist nur das alte Dilemma unter anderem Blickwinkel neu sichtbar gemacht. Eine Ausnahme bildet in gewisser Hinsicht Käsemann, der sich wiederholt mit dem Aufweis von Interpretationstypen beschäftigt hat[12]. Die von ihm vorgenommene Einteilung, die eine katholische, lutherische, angelologische und christologische Auslegung unterscheidet, reicht jedoch für die Klärung der heute anstehenden

[10] Käsemann, Röm 13 316. F.-J. Ortkemper, Leben aus dem Glauben. Christliche Grundhaltungen nach Römer 12—13, Münster 1980, 125f verzichtet aus diesem Grunde ganz auf eine Erörterung von Röm 13,1—7.

[11] Zur gegenwärtigen hermeneutischen Diskussion vgl. u.a. K. Lehmann, Der hermeneutische Horizont der historisch-kritischen Exegese, in: Ders., Gegenwart des Glaubens, Mainz 1974, 54—93 (Lit.); G. Ebeling, Art. Hermeneutik, RGG³ 242—262 (Lit.). Vgl. ferner J.M. Hollenbach, H. Staudinger (Hrsg.), Moderne Exegese und historische Wissenschaft, Trier 1972; M. Hengel, Historische Methode und theologische Auslegung des Neuen Testaments, in: Kerygma und Dogma 14 (1973), 85—90; J. Gnilka, Methodik und Hermeneutik, Gedanken zur Situation der Exegese, in: Ders. (Hrsg.), Neues Testament und Kirche (FS R. Schnackenburg), Freiburg 1974, 458—475; A. Grabner-Haider, Historisch-kritische Theologie und Glaube. Versuch einer forschungslogischen Kritik, in: Communio 3 (1974), 110—128; H. Gadamer, Wahrheit und Methode, Tübingen ²1965; K. H. Schelkle, Heilige Schrift und Wort Gottes, in: Theologische Quartalsschrift Tübingen 138 (1958), 257—274.

[12] Käsemann, Römer 13,1—7 in unserer Generation, in: Zeitschrift für Theologie und Kirche 56 (1959), 316—376; Ders., Grundsätzliches zur Interpretation von Röm 13, in: Ders., Exegetische Versuche und Besinnungen I, Göttingen ³1968, 204—222.

Probleme, die durch Käsemanns eigenen Entwurf einer Auslegung zu Röm 13 wesentlich verschärft worden sind, nicht aus. Käsemann ging es mit seiner Typologisierung um den Nachweis der Vereinnahmung von Römer 13 durch den jeweiligen konfessionellen Lehrkontext. Entsprechend dieser Aufgabenstellung beschränkte sich seine Arbeit auf die grundlegenden systematischen Voraussetzungen des Textverständnisses, ohne dabei auf die spezifischen exegetischen Operationen und Beurteilungskriterien des jeweiligen Interpretationstyps einzugehen. Das Unterscheidungskriterium des Konfessionellen erscheint zudem heute kaum noch geeignet, dem Differenzierungsgrad der exegetischen Problemlage und den konfessionellen Querverbindungen im Gesamtverständnis des Textes Rechnung zu tragen. In einer sehr grundsätzlichen Weise zeigen sich, trotz bestehender Unterschiede, Übereinstimmungen katholischer und evangelischer Positionen, die sich sowohl im Vorverständnis des Textes als Ganzem wie auch in den Einzelanalysen artikulieren.

Ein Moment der »Typologie« Käsemanns hat sich hingegen als nachhaltiges Kriterium der Unterscheidung erwiesen. Genauer ist es ein Faktor, der der näheren Bestimmung konkreter Auslegungstypen vorausliegt. Er betrifft die hermeneutische Grunddisposition, aus welcher die Typologisierung selbst gesucht wird, ist somit typenqualifizierendes Prinzip: Es ist die Frage, ob der Text grundsätzlich und allgemein oder wesentlich paränetisch-situationsgebunden aufzufassen sei. Im Letzten war das Käsemann bei seiner Typisierung bewegende Motiv die Kritik an der grundsätzlich-allgemeinen Deutung von Röm 13 in den gängigen konfessionellen Auslegungsschemata, der er, von seinem Verständnis paulinischer Theologie her, eine paränetisch-situative, konkret-charismatische Auslegung entgegensetzt. Die Frage »grundsätzlich oder paränetisch?« hat seither mehr oder weniger ausdrücklich die Diskussion bestimmt. Es gibt kaum einen Beitrag, der nicht wenigstens indirekt auf diese Problematik eingeht. Und gerade dort, wo die Grundsätzlichkeit des Textes am energischsten bestritten wird (wie bei Käsemann selbst), wird in solchem Bestreiten noch einmal deutlich, daß es hier um einen Zentralpunkt des Verstehens geht. Könnte man nämlich mit hinreichender Sicherheit die Ausführungen Paulus' als situationsgebunden betrachten, wäre ihnen vieles von ihrer aktuellen Brisanz genommen. Die Möglichkeit einer grundsätzlichen, über die geschichtliche Situation hinausgehenden Bedeutung des Textes ist es, die Röm 13,1—7 zum Gegenstand heißumkämpfter theologischer Positionsbestimmungen macht.

An diesem Hauptnenner der Diskussion kann auch die vorliegende Arbeit nicht vorbeigehen. Ausgehend von dieser Grunddimension heutiger Auslegung muß ein typologischer Vergleich, der weiterführen soll, die einzelnen Punkte, an denen Gemeinsamkeiten und Unterschiede in der exegetischen und systematischen Beurteilung hervortreten, konkret benennen, gegenüberstellen und jeweils charakteristische Verknüpfungen und Argumentationszusammenhänge aufzeigen. Dieser Ansatz synchronisiert somit zwei Formen der Betrachtung: eine punktuelle und eine lineare. Die punktuelle Betrachtung erstreckt sich auf die formalen und inhaltlichen Haupt- und Einzelelemente des Textes und seines Umfeldes. Solche Elemente sind (sie bestimmen auch die äußere Gliederung dieser Untersuchung): Kontext, Tradition, Situation, literarische Gattung, Begriff der »übergeordneten Gewalten«, »Herkunft« des Staates, Aufgabe und Grenze des Staates, Verhältnis der Christen zum Staat. Die lineare Betrachtung erkennt die Verbindung, die bestimmte Auslegungen unter den formalen und inhaltlichen Elementen herstellen und zu einer typischen Gesamtaussage zusammenführen. Vier Haupttypen solcher interpretatorischen Linien können unterschieden werden: naturrechtlich-ordnungstheologische, konkret-charismatische, eschatologisch-realistische und christokratisch-politische Auslegung (Näheres unten 23ff). Durch eine solche, punktuelle und lineare Momente integrierende Betrachtungsweise werden die Konturen der einzelnen Deutungsstränge sichtbar, und es wird möglich, den zumeist im Hintergrund stehenden systematischen Duktus zu erkennen, von dem aus die Zuordnung, Neutralisation oder Eliminierung bestimmter exegetischer und historischer Faktoren erfolgt. Von hier aus kann dann die Textgemäßheit einer Auslegung beurteilt werden.

Der spezifischen Gefahr einer Typologisierung — unangemessener Vereinfachung — sucht die vorliegende Arbeit zu entgehen, indem sie trotz der Konzentration auf die großen Linien hin ein hohes Maß an Differenzierung wahrt, das auch Unterschiede innerhalb des einzelnen Argumentationstyps noch zu Geltung bringt und Positionen, die nicht einfach einer dieser Hauptinterpretationen zugerechnet werden können, in ihrer Besonderheit beläßt. Freilich kann nicht jeder Verzweigung der Meinungen nachgegangen werden; dies würde zur Unübersichtlichkeit führen und wäre dem Hauptanliegen dieser Arbeit, grundsätzliche Verstehensweisen des Textes darzustellen, zuwidergelaufen. So wird durch Beschränkung auf die wesentlichen Punkte ein einigermaßen vollständiges, überschaubares und dennoch sachgerecht differenziertes Bild der heutigen Interpretationslage angestrebt.

Aus der Arbeit geht die Standortgebundenheit der einzelnen Auslegungen hervor. Darin zeigt sich in ganz besonderer Weise die Perspektivität und auch die Geschichtlichkeit der Auslegung der Schrift und damit auch der Verwirklichung des Christlichen. Das führt aber nicht zu einem unverbindlichen Relativismus. Eine Aufgabe der Arbeit besteht gerade darin, das Recht und die Grenze der einzelnen perspektivischen Auslegungen mit ihrem historischen Kontext auf den Begriff und zur Sprache zu bringen. Es ist dann gerade Aufgabe der systematischen Theologie, daß die verschiedenen Standorte und Perspektiven miteinander ins Gespräch kommen. In der historischen Wirklichkeit gibt es dieses oft gar nicht in einer unbefangenen und sachlichen Form. Vieles ist einfach Polemik und Kritik. Ein Ziel der Arbeit ist es, am Ende der Abhandlung eine Auswertung, durch dieses Gespräch vermittelt, anzustreben. Dies ist dann auch wiederum ein erster Beitrag zur Sache selbst.

Das Ziel der Untersuchung erfordert, soll es bündig angegangen werden, Grenzziehungen nach verschiedenen Seiten. So soll von einer speziellen Erarbeitung exegetischer Positionen und vom Versuch einer eigenen, eventuell neuen Auslegung abgesehen werden. Die Untersuchung wird zeigen, daß es weniger die exegetischen Befunde selbst sind, die zur Unübersichtlichkeit und zum erschwerten Verständnis der Stelle beitragen, sondern die verschiedenen Vorverständnisse, für deren Abstützung sie häufig genug instrumentalisiert werden.

Auch eine breitere Einbeziehung anderer Schriftstellen zum Thema »Staat« und eine stärkere Bezugnahme auf den jeweiligen profan- und kirchengeschichtlichen Kontext soll hier aus Gründen der Straffung unterbleiben. Dort, wo die Schriftauslegung zu Röm 13, 1—7 selbst Verbindungen zu einschlägigen alt- oder neutestamentlichen Texten oder auch zur historischen Situation herstellt, wird dies selbstverständlich berücksichtigt. Im übrigen haben die großen Texte, wie Apg 5,29, Offb 13 oder auch Joh 18/19 — etwas anders ist die Situation bei Mk 12,13—17 Parr —, ihre eigene, mit Röm 13, 1—7 durchaus nicht einfach übereinstimmende Problem- und Wirkungsgeschichte, so daß ihre Erörterung neue und ausführliche Analysen erforderlich machen würde.

Die gewichtigste Grenzziehung ist wohl der Verzicht, die Verstehensvoraussetzungen der einzelnen Autoren und dann auch des jeweiligen Interpretationstyps im ganzen voll zu erheben — dazu würde auch ein Blick auf Entwürfe einer theologischen Ethik heute gehören[13] — und theologisch

---

[13] *Evangelische Entwürfe:*
Z.B. A. de Quervain, Kirche, Volk, Staat (Ethik II), Zollikon-Zürich 1945; W. Elert, Das christliche Ethos, Tübingen 1949; H. Thielicke, Theologische Ethik I—III, Tübingen 1951—1966; E. Hirsch, Ethos und Evangelium, Berlin 1966; W. Trillhaas, Ethik, Berlin ³1970; W. Kreck, Grundfragen christlicher Ethik, München ²1979; T. Rendtorff, Ethik I—III, Stuttgart 1980/1981.
Katholische Entwürfe:
Neben den einschlägigen kirchlichen Lehrdokumenten z.B.: J. Mausbach — G. Ermecke,

einzuordnen[14]. Eine solche Abrundung wäre zweifellos für ein vertieftes Verständnis von Röm 13,1—7 und überhaupt für das Problembewußtsein im Verhältnis Christ — Staat von großem Vorteil. Darüberhinaus hätte die Herausarbeitung der theologisch-ethischen Zusammenhänge für das ökumenische Gespräch Bedeutung. Der Dialog der Konfessionen hierüber mit ihren Differenzen hat noch kaum begonnen. Eine solche Situierung des Themas, so wünschenswert sie von ihren Ergebnissen her wäre, würde indes den Schwerpunkt der Arbeit erheblich verlagern und Gefahr laufen, den Rahmen der beschriebenen Aufgabenstellung zu sprengen.

Die besondere Schwierigkeit der Deutung von Röm 13,1—7 macht es erforderlich, sich zunächst nur auf diesen Text und die unmittelbar damit gestellten Probleme zu konzentrieren. Die unterschiedlichen Postionen werden so zur Sprache gebracht, wie sie sich in ihrer Auslegung der Schrift selbst darstellen, so daß eine authentische Wiedergabe ihres Erscheinungsbildes vermittelt werden kann. In dem großen Zusammenhang der Bemühungen um ein rechtes Verhältnis der Christen zum Staat und im Gespräch der Konfessionen hierüber sieht sich die vorliegende Untersuchung bewußt nur als ein Teil, der der Ergänzung und Weiterführung bedürftig ist.

6. DIE VIER HAUPTTYPEN DER INTERPRETATION

Bevor wir uns der Darstellung der mannigfachen punktuellen und linearen Momente heutiger Interpretation von Röm 13,1—7 im Detail zuwenden, ist ein Vorblick auf die vier Hauptrichtungen der Auslegung zu werfen. Die auf das Wesentliche beschränkte Skizzierung ist schon Frucht und Ergebnis der Untersuchung selbst, soll aber als Orientierungshilfe beim Gang durch die verzweigten Wege der Auslegung bereits hier präsentiert werden:

a. Naturrechtlich-ordnungstheologische Interpretation

Eine das Naturrecht zugrundelegende Betrachtung des Textes wird vor allem von katholischen Exegeten vertreten[15], während ein großer Teil evangelischer Autoren von »ordnungs«-theologischen Vorstellungen her an-

Katholische Moraltheologie I—III, Münster [10]1961; G. Gundlach, Die Ordnung der menschlichen Gesellschaft, Köln 1964; J. Höffner, Christliche Gesellschaftslehre, Kevelaer [6]1975; B. Häring, Frei in Christus I—III, Freiburg 1980/1981.

[14] So könnte an eine genauere Verhältnisbestimmung zwischen dem einzelnen Autor bzw. seiner Auslegung und dem zugehörigen konfessionellen Lehrkontext gedacht werden, etwa der Zwei-Reiche-Lehre (lutherisch) oder der Lehre von der Königsherrschaft Christi (reformiert) oder der Naturrechtslehre.

[15] Z.B. Gutjahr 1923; Bardenhewer 1926, Lagrange 1931; Sickenberger 1932; Gaugusch 1934;

setzt[16]. Beide Spielarten unterscheiden sich im wesentlichen nur durch den Grad der »Kausalität« Gottes in bezug auf den von ihm eingesetzten Staat. Während naturrechtliche Positionen den Staat aus dem Wesen des Menschen als ens sociale hervorgehen sehen und so eine starke Mittelbarkeit des Staates ins Spiel kommt, sehen die »Ordnungstheologien« den Staat als eine eigens von Gott eingesetzte Ordnung, wobei je nach theologischem Standort zwischen »Zeitpunkt« und Grund der Setzung unterschieden wird. Man spricht vom Staat als Schöpfungsordnung (mit dem Grundverständnis eines aufbauenden, in seinem Auftrag positiv gesetzten Staates) oder als postlapsarische Erhaltungs- bzw. Notordnung (mit dem Grundverständnis einer aus der Sünde folgenden Setzung des Staates zur Abwehr des Bösen). In einem weiteren Sinn ist hier auch ein geschichtstheologisches Grundverständnis des Staates einzuordnen, das vom Wirken Gottes in jedem konkreten geschichtlichen Geschehen ausgeht (Ausführung des Welt- und Heilsplanes des Schöpfers) und so auch den Staat als unmittelbares Werkzeug des geschichtlichen Vollstreckerwillens Gottes ansieht[17].

Gemeinsam ist den genannten Ansätzen, daß sie gleichermaßen vom Staat als einer (Gottes-)Ordnung sprechen, der wesensmäßig — bei aller Gebundenheit an Gottes Willen — Eigengewicht, Grundsätzlichkeit und Allgemeinheit zukommt, in geschichtstheologischen Entwürfen mit der Variante, daß anstelle eines schöpfungsgemäßen »Eigenseins« der Ordnung »Staat« unmittelbar der Welt- und Heilsplan Gottes selbst steht. Dem Staat kommt so gegenüber dem Einzelnen und der Gesellschaft eine stark ordnende, wirklichkeitssetzende Aufgabe zu, der die betroffenen Bürger zu entsprechen haben. Diese ihre Bindung ist, unbeschadet gradueller Unterschiede in den naturrechtlichen und ordnungstheologischen Konzeptionen, analog zur Aufgabe des Staates allgemein und grundsätzlich.

b. Konkret-charismatische Interpretation

Die konkret-charismatische Interpretation[18] bestreitet eine solche, an bestehende Ordnungen gebundene Auswertung des Textes. Nach ihrer Auffassung gibt der Text keinen Anhalt, seine Aussagen über den Staat und das Verhältnis der Christen zu ihm als allgemein und grundsätzlich gemeint zu

Pieper 1935; Hick 1948; Stratmann 1949; Kürzinger 1951; Weithaas 1955; Huby-Lyonnet 1957; Prümm 1960; Schelkle 1962; Zsifkovits 1964.

[16] Z.B. Zahn, 1925; Heiler 1934; Koch-Mehrin 1948; Brunner 1948; Gaugler 1950; Nygren 1961; Böld 1962; Althaus 1966.

[17] Z.B. Schlatter 1935; Kittel 1939; Eck 1940; H. W. Schmidt 1963.

[18] Z.B. M. Dibelius (1942) 1956; Bartsch 1958 (Römer XIII), 1959 (Staat); Käsemann 1959 (Römer 13), 1964 (Grundsätzliches), 1980 (Römerbrief); Schneemelcher 1967; Merk 1968; Friedrich/Pöhlmann/Stuhlmacher 1976; Michel 1978.

verstehen. Es gehe in Röm 13,1—7 nicht eigentlich um den Staat, sondern um das rechte Verhalten des Christen in der Welt. Das »Von-Gott-gesetzt-Sein« des Staates bedeutet daher weniger eine Aussage über seine Herkunft oder gar sein Wesen als vielmehr die »Einwilligung« Gottes in sein faktisches Vorkommen und sein je konkretes von Gott »In-Dienst-genommen-Sein«. Und auch dieser Dienst unterfällt noch einmal der Relativierung durch das Eschaton, hat doch Christus den alten Äon mit all seinen Ordnungen und Institutionen überwunden und an ihre Stelle eine Wirklichkeit der Liebe in der Freiheit der Kinder Gottes gesetzt. Für den Christen kann der Maßstab seines Handelns daher allein der charismatisch gelebte »Gottesdienst im Alltag der Welt« sein, in dem er je nach Situation in kritischer Beurteilung der gegebenen Weltumstände seinen Gehorsam, der immer nur Gehorsam gegenüber Christus sein kann, vollzieht. Eschaton, Situation und Charisma werden so für die konkret-charismatische Auslegungsrichtung zum ausschlaggebenden Instrumentarium für die Einschätzung des Anspruchs und der Begrenzung des Staates.

c. Eschatologisch-realistische Interpretation

Die eschatologisch-realistische Interpretation[19] anerkennt, vom Wortlaut des Textes ausgehend, den Stiftungscharakter des Staates, darin auch Grundsätzlich-Allgemeines über Staatlichkeit als solche, ohne hierin jedoch eine naturrechtliche oder ordnungstheologische Gebundenheit zu sehen. Im Gegenteil: nach ihr beruht Staatlichkeit nicht auf Natur oder Geschichte, Vertrag oder Charisma, sondern allein auf dem Willen und der Einsetzung Gottes. Wichtiger noch als das Gesetztsein selbst ist jedoch die Aufgabe, deretwegen der Staat gesetzt ist: das Dienersein zum Guten des Menschen. Sie ist letzlicher Grund sowie Inhalt und Grenze staatlicher Tätigkeit und Befugnis. Der Anbruch des neuen Äon in Christus führt nicht zur Relativierung dieses Auftrags, sondern verlangt gerade vom Christen die Anerkennung als Zeichen seines eschatologischen Gehorsams, der weiß, daß er die Ordnungen der von Gott noch in Geltung belassenen Schöpfung nicht eigenmächtig und vor der Zeit ändern darf. So erhält die Forderung des alten Äon und darin auch die des Staates vom Eschaton her sogar erhöhte Dringlichkeit. Das Gute als Grund staatlichen Dienens ist dann aber auch Inhalt und Grenze des Gehorsams des Einzelnen. Wo der

---

[19] Z.B. Schlier (1932) 1955 (Staat I), (1959) 1964 (Staat II), 1977 (Römerbrief); v. Campenhausen 1950; Schnackenburg 1954; Kuß 1955; Goppelt (1956) 1968 (Staat), (1961) 1968 (Kaisersteuer); Schrage 1961 (Einzelgebote), 1971 (Staat); Delling 1962; Blank 1969; Duchrow 1970; Ridderbos 1970; Wilckens 1974 (Römer 13), 1982 (Römerbrief).

Staat nicht mehr auftragsgemäß dient, muß sich christlicher Gehorsam versagen.

d. Christokratisch-politische Interpretation

Die christokratisch-politische Interpretation[20] geht von der Einheit der Herrschaft Christi über Kirche und Staat aus. Durch seinen Sieg über alle Mächte und Gewalten hat Christus auch den Staat in Dienst genommen. Irdisches Vermittlungsorgan seiner Herrschaft und so auch der Indienstnahme des Staates ist die Kirche, die dem Staat das bessere Wissen um sein Warum und Wohin voraushat. Sie erwartet von ihm, daß er, der in seinem tiefsten Sinn nur Abbild ihrer eigenen zukünftigen Wirklichkeit (als himmlischer Polis) sein kann, »wahrer Staat« sei und »wahres Recht« setze, d.h. eine der Rechtfertigung in Jesus Christus gemäße irdisch-menschliche Wirklichkeit schaffe, in seinem irdischen Recht dem ewigen Recht Entsprechung gebe. Der Staat in christokratischer Ordnung besitzt keinerlei Eigenrecht, ist ganz Werkzeug für Christus und seine geschichtliche Vermittlungsgestalt Kirche, und wenn er auch gegenüber jedermann, ähnlich naturrechtlich-ordnungstheologischer Auslegung, Autorität und Gehorsam beanspruchen kann, bleibt dies hier doch ganz formal. Inhaltlich dürfen seine Setzungen nur realisierender Hinweis auf das kommende Gottesreich sein. Wo der Staat mehr beansprucht, wo er »selbst« sein will, wird er zur Erscheinung des Dämonischen, dem seitens der Christen energischer Widerstand entgegenzusetzen ist. Alles Gelten des Staates ist so von der Kirche und ihrem Auftrag her bestimmt. Letztlich ist es die Kirche, die sich in der Gestalt des Staates ausspricht. Ähnlich der konkret-charismatischen Auslegung lautet auch hier die Grenzbestimmung Eschaton — Situation — Kirche.

e. Abgrenzungen

In unserer Darstellung wird auf zwei Positionen nicht näher eingegangen: auf die »Interpolationshypothese« und auf die »forensische« Auslegung Walkers.

Die Interpolationshypothese wird nur von wenigen Exegeten vertreten. Im wesentlichen zeichnen sich zwei Varianten ab: einmal der Versuch, aus der fehlenden Bezugnahme literarischer Zeugnisse auf Röm 13,1—7 in der Zeit

---

[20] Barth (1938) 1948 (Rechtfertigung), (1942) 1959 (KD II/2), 1946 (Christengemeinde), 1956 (KE Römerbrief); Cullmann (1941) 1950 (Königsherrschaft), (1955) 1961 (Staat); Steck 1945/46; G. Bauer 1956; Marsch 1958; Meinhold 1960; Schlette 1963.

bis ca. 180 n. Chr. zu schließen, der Text sei bis dahin in der Kirche unbekannt gewesen und also sekundär[21], zum andern die Annahme, Röm 13,1—7 — in sich selbst gut verständlich — stehe als Fremdkörper, der jeden christlichen Bezug vermissen lasse, in einem Kontext, der »ausschließlich (das) innergemeindliche Problem des liebevollen Verhaltens zu dem im Glauben schwachen Bruder« zum Gegenstand habe, so daß die Textstelle als »tendenziöse redaktionelle Einlage in die älteste Sammlung der Paulusbriefe« zu verstehen sei[22].

Die Kritik hat auf diese Positionen, soweit sie sie überhaupt zur Kenntnis nimmt, ablehnend reagiert[23]. Sie hält die Heranziehung »schweigender Zeugen« für die Annahme einer späteren Redaktion nicht für zureichend, zumal es in der Textüberlieferung keine Römerbrieffassung ohne den Abschnitt 13,1—7 gibt[24]. Auch der Umstand, daß Röm 13,8—10 gut an die das innere Gemeindeleben betreffenden Ermahnungen (bis 12,21) anschließen würde und von da her 13,1—7 nicht zwingend im Kontext erscheinen müßte, könne für die Annahme einer späteren Interpolation nicht ausreichen[25].

Die »forensische« Auslegung ist ein spezieller, auf das Gerichtshandeln Gottes abhebender Erklärungsversuch Walkers. Sein Entwurf in der »Studie zu Röm 13,1—7« erscheint als eine gegen alle bisherige Auslegung gerichtete Deutung. Danach ist die Gerichtssituation, in der sich der Mensch Gott gegenüber befindet, das allein die Interpretation von Röm 13,1—7 bewegende Motiv. Die »exousiai« versteht Walker als faktisch überragende Macht, in der sich Gott, gleich wie sie zu ihm selbst steht, richtend und strafend ausspreche. Ihre Funktion bestehe allein darin, Gottes Zorn und Schwert in der noch unerlösten Welt zu repräsentieren[26]. Einen realen positiven Auftrag für die Gestaltung irdischen Lebens haben die Gewalten nicht. So sind Lob und Strafe, die die »exousiai« verhängen, ausschließlich eschatologisch zu verstehen. Die Ähnlichkeit der Sicht Walkers mit der Deutung der Weltreiche, wie wir sie im Gerichtselement (D) des deuteronomistischen Geschichtsbildes finden, ist auffallend. Die »forensische« In-

---

21 So Barnikol, vor allem 129ff (Zusammenfassung); vgl. J. Kallas, Romans XIII, 1—7: An Interpolation, New Testament Studies 11 (1964/65), 365—374.
22 Schmithals 193, 196, vgl. auch 186 (unmittelbarer Anschluß von 13,8 an 12,21).
23 Z.B. Delling 7; Schrage, Staat 51; Aland 40 (Anm. 52); Wilckens, Römerbrief 47; Michel 407.
24 Schmithals 196.
25 Friedrich 148f; Wilckens, Römerbrief 30, macht geltend, daß mit der Eliminierung von Röm 13,1—7 nichts gewonnen sei, weil sich dadurch das Kontextproblem nur um so ärger stelle: »denn nun ist nicht nur die Frage nach der Stellung im Kontext zu beantworten, sondern darüber hinausgehend die Frage« nach dem Grund für solchen störenden Einschub mitten hinein in einen derart stimmigen Kontext«.
26 Walker 57.

terpretation ist singulär geblieben. Ihre Fragwürdigkeit beruht auf einer grundverschiedenen heilsgeschichtlichen Ausgangssituation in der prophetisch-deuteronomistischen Predigt (Gericht Gottes an seinem ungehorsamen Volk — das ist Unheilszeit) und in Paulus' Darlegungen der Barmherzigkeit Gottes, d.h. Anbruch der neuen Heilszeit[27].

---

[27] Zur Kritik vgl. Duchrow 146.

II. DER RAHMEN DES TEXTES

Es wurde bereits erwähnt, daß Röm 13,1—7 wegen der Positivität des »bloßen« Wortlautes immer wieder Anlaß zur Frage nach dem richtigen Verständnis im Gesamt des Römerbriefes und der paulinischen Theologie überhaupt gegeben hat. Dabei hat sich unter dem Eindruck, daß aus dem Text selbst kaum relativierende Modifikationen zu gewinnen sind, der eigentliche Schwerpunkt der neueren exegetischen Diskussion zunehmend auf verschiedene, den Text betreffende Vorfragen verlagert, wie die Stellung des Textes zum Kontext, den Anlaß für den Text, die Herkunft der im Text vorzufindenden Motive (Tradition) und das Verhältnis von Paränese und ihrer Begründung. Man wird sogar sagen können, daß in diesem Rahmen die Entscheidungen fallen, und alles weitere, insbesondere das Verständnis des Textes selbst, den hier getroffenen Vorentscheidungen folgt.

1. DAS VERHÄLTNIS DES TEXTES ZUM KONTEXT

Unter den Autoren besteht allgemein dahin Übereinkunft, daß Röm 13,1—7 ein eigenständiges Stück darstellt, das gegenüber dem Kontext Besonderheiten aufweist. Vor allem der generelle und apodiktisch klingende Ton ist es, der nicht zu den Ermahnungen zur Liebe zu passen scheint, von denen sonst der Textzusammenhang bestimmt ist. Über Umfang und Beurteilung der Besonderheiten gehen die Meinungen jedoch weit auseinander.

a. Die Selbstverständlichkeit der Stellung des Textes im Kontext

Für die naturrechtlich-ordnungstheologische Auslegung stellt die »Fremdheit« des Textes kein wirkliches Problem dar. Man konstatiert einen Eigencharakter, weil das in den Kapiteln 12 und 13 angeschlagene Thema der Liebe in den Ausführungen über das Verhältnis der Christen zum Staat nicht unmittelbar fortgesetzt wird und sich Röm 13,8ff bruchlos an 12,21 anschließen lasse. Es wird daher von »Einschub«, »Einlage« oder von »Fremdkörper« gesprochen[1]. Beim näheren Zusehen läßt sich nach dieser

---

[1] Zsifkovits 55 (»Einlage«); Kuß 322 (»Einschub«); Brunner, Römerbrief 90 (»Fremdkörper«); s. zur Kontextfrage auch Gutjahr 415; Zahn 550f; Gaugusch 529; H.W. Schmidt 218; Hick 42ff (46); Koch-Mehrin 379f; Prümm 165; Asmussen 263, 268.

Auslegungsrichtung der Zusammenhang mit dem übergreifenden Thema der Kapitel 12—13 (das Leben des Christen in Kirche und Welt) jedoch nicht verkennen. Handelt Paulus vom Christenleben, darf die Frage, wie sich der Christ zur staatlichen Gewalt zu verhalten habe, nicht ausgeklammert bleiben. Die Ausführungen über das Verhältnis der Christen untereinander drängen zwangsläufig zur Frage nach der Stellen der Christen zur Welt (Frieden mit allen Menschen, Nächstenliebe, Feindesliebe) und hier insbesondere zur staatlichen Gewalt. Der Zusammenhang von Röm 13,1—7 wird so vor allem in dem größeren thematischen Bogen des Verhaltens der Christen im Hier und Jetzt gesehen. Ein Großteil der Ausleger geht, ohne die Frage der »Fremdheit« anzusprechen, von der selbstverständlichen Stellung und Geltung des Textes aus und wendet sich unmittelbar inhaltlichen Fragen zu[2].

b. Der Text als Fremdkörper im Kontext

Ganz anders urteilen hier die Vertreter des konkret-charismatischen Interpretationstyps. Für sie ist das Verhältnis von Text und Kontext ein zentrales, weitläufig erörtertes Problem. Im allgemeinen wird unserer Textstelle eine so starke Eigenständigkeit zugesprochen, daß alle Versuche, Verbindungen zum Kontext herzustellen und so ein christliches Verständnis zu ermöglichen, als untauglich angesehen werden[3]. Als Grund hierfür wird — neben stilistischen Auffälligkeiten[4] — ein inhaltlich-thematisches Defizit herausgestellt: »Unnachgiebig ist jedoch zu konstatieren, daß im Text selber wie christologische und eschatologische Motivation auch die Bezie-

---

[2] Z.B. Kühl 431f; Nygren 303; Bardenhewer 183; Schlatter 351; Stratmann 66f; Huby-Lyonnet 433; Lagrange 310; Schelkle, Römerbrief 194, 199; Heiler 231; Althaus 130.
[3] Käsemann, Grundsätzliches 207, Römerbrief 339f; Michel (neuerdings abgeschwächt) 393f, 395; s. auch Merk 161; M. Dibelius 181f; Walker 5.
[4] Z.B. M. Dibelius 182, mit Bezug auf »ofeilas« und »ofeilete« VV 7/8: »Wie sonst in der Paränese, so fehlt auch in Röm 13 der Zusammenhang nach rückwärts überhaupt; nach vorwärts ist er nur künstlich, durch Stichwortanschluß, hergestellt.«
Ähnlich lehnt es Käsemann, Römerbrief 339f, ab, den Stichwortanschluß »ofeile« für eine kontextliche Verbindung (Thema: christliche Liebe) »sachlich auszubeuten«. Röm 13,8—14 sei ein in sich geschlossenes Summarium, das 12,1ff entspricht, auf die Gesamtparänese als Nachwort folgt und nicht in direktem Zusammenhang mit dem unmittelbar Vorausgehenden gebracht werden darf. Warum 13,8ff zwar mit 12,1ff, nicht aber mit 13,1—7 in Zusammenhang gebracht werden darf, sagt Käsemann allerdings nicht. Er bemerkt dazu nur, daß paulinische Paränese nicht durch Subordination und Deduktion, sondern durch Koordination und Assoziation gekennzeichnet sei.
Auch für Michel 393f »steht fest, daß Röm 12,21 in 13,8 seine Fortsetzung hat. Man kann diese Beziehung der abgeschlossenen Sprüche zu 13,8 äußerlich auch an den gleichlautenden »μηδενι« (12,17/13,8) erkennen; in beiden Fällen leitet es eine Paraphrase des Gebotes der Nächstenliebe ein. Röm 13,1—7 ist also eine selbständige Einlage.«

hung auf die Agape fehlt«[5]. Die Stelle wird daher als »profaner Text« empfunden, der keine christliche Orientierung aufweise[6]. Sie ist ein »selbständiger Block, der angesichts seines singulären Skopus zugespitzt ein Fremdkörper in der paulinischen Paränese genannt werden kann, selbst wenn das Stichwort der Unterordnung ihn mit anderen Mahnungen verbindet«. Röm 13,1—7 müsse daher mangels hinreichender Einbindung in den Kontext zunächst aus sich selbst interpretiert werden[7].

Nach Herausstellung der grundsätzlichen Eigenständigkeit des Textes und dem daraus abgeleiteten Verzicht auf eine Interpretation aus den unmittelbaren Kontext werden dann aber doch übergeordnete Verbindungen gesucht, unter denen der Text richtig zu verstehen sei. Das geschieht mit unterschiedlicher Zielrichtung: »nach rückwärts«, d.h. durch Inbezugsetzung zu 12,1 (Stichwort: »Gottesdienst im Alltag der Welt«) oder »nach vorwärts«, d.h. durch Einbeziehung in den »eschatologischen Rahmen« 13,11ff (Stichwort: Gekommensein der eschatologischen Stunde; »Naherwartung«). So hört Dibelius aus Röm 13,1, wo es heißt: »die vorhandenen Obrigkeiten sind von Gott geordnet« die Formulierung heraus: »die *noch* vorhandenen« und »*solange* sie noch vorhanden sind«. Dieses eschatologische »Solange noch« weist den Christen darauf hin, daß es sich nicht mehr lohne, das Bestehende ändern zu wollen. Der Gehorsam, den Paulus fordere, sei zeitlich begrenzt und unterscheide sich daher von der unbegrenzten Loyalität einer patriarchalischen Auffassung. Charakteristisch für Paulus sei die eschatologische Bedingtheit seiner Loyalität. Dies erkläre auch, daß Paulus, trotz schlimmer Erfahrungen mit den heidnischen und jüdischen Behörden, nicht zum Staatsfeind geworden sei[8].

Demgegenüber bestreitet Käsemann eine Beziehung des Textes zum eschatologischen Schluß der allgemeinen Mahnung in 13,11ff, ebenso einen (Motiv-)Zusammenhang mit dem Gebot der Feindesliebe in 12,20f und der Liebesforderung in 13,8—10. Er läßt für die Interpretation von 13,1—7 allein das »Vorzeichen der einleitenden Verse 12,1f«, den »Ruf zum pneuma-

---

[5] Käsemann, Römerbrief 340.
[6] Außer Käsemann z. B. Merk 162f; vgl. auch M. Dibelius, 183f; Bornkamm, Paulus 216 (mit Verweis auf römisch-hellenistische Verwaltungssprache); Michel (neuerdings abgeschwächt) 395f.
[7] Käsemann, Römerbrief 340.
[8] M. Dibelius 184; vgl. auch Bartsch, Staat 388 (es handelt sich »um die noch bestehenden Gewalten«); Hengel 33 (Durch den Hinweis auf den »Kairos der immer näher kommenden Parusie« in Röm 13,11ff »wird ... die Bedeutung der staatlichen Mächte eingeschränkt und relativiert: sie sind — gewiß notwendige und heilsame — Anordnungen Gottes, aber auf Zeit, von nur ›vorläufiger‹ Bedeutung.«).

tischen Gottesdienst im Alltag der Welt und unter dem in 12,3—6 ausgege-
benen Stichwort des charismatischen Handelns« gelten[9]. Zur Begründung
macht er — zurückgreifend auf Forschungsergebnisse von Dibelius[10] — auf
ein »Gesamtverständnis der paulinischen Paränese« aufmerksam: den
eschatologischen Horizont, in dem jegliche neutestamentliche Verkündigung und alles Tun des Christen zu stehen hat, und den Charakter paulinischer Paränese als Aneinanderreihung weitgehend unverbundener, kasuistischer Einzelforderungen. Wegen dieses von Eschaton und Kasuistik bestimmten Charakters verbiete sich eine Systematisierung einzelner Handlungsanweisungen und deren Begründungen[11]. Käsemann unterscheidet somit zwischen der Anknüpfung des Textes an konkrete eschatologische
Aussagen wie in 13,11ff — diese lehnt er ab, wohl deshalb, weil daraus im
allgemeinen der Schluß auf die Dringlichkeit und gerade nicht auf die Relativierung der vorausgehenden Forderung gezogen wird[12] — und einem allgemeinen eschatologischen Verständnis aller paulinischen Texte zusammen. Diese allgemeine eschatologische Gegebenheit macht sich weder an
Prinzipien und Normierungen fest noch fordert sie stringente Gebote.
Entscheidend ist vielmehr ganz allgemein der Dienst des Menschen vor
Gott, der sich charismatisch-situativ ergibt. Alles Handeln des Christen ist
»nämlich als konkrete Bekundung der sich selbst differenzierenden Charis«
zu verstehen[13]. Nicht der Satz gilt: »Ich muß und soll«, sondern: »Ich kann
und darf«[14].

Dieses charismatische Diensthandeln sieht Käsemann als den Zusammenhang, in dem auch Röm 13,1—7 steht. Versuche, durch Verknüpfung mit
13,11ff (Eschaton) oder 12,9ff und 13,8ff (Liebe) ein christliches Verständnis des Textes zu gewinnen, lehnt er nachdrücklich ab[15], freilich ohne weitere Argumentation. Er fordert, daß »bestimmte Ergebnisse der Forschung
einfach zu Kenntnis genommen werden (müssen). Wenn das immer wieder
versäumt wird, so besagt das nichts für die Sache, sondern verrät sich darin
nur der menschliche Hang zur Unbelehrbarkeit«[16]. Für seine Meinung

---

[9] Käsemann, Grundsätzliches 207; vgl. auch Schneemelcher 13f; Merk 164; Michel 396.
[10] M. Dibelius, Die Formgeschichte des Evangeliums, Tübingen ³1959, 239ff; Der Brief des
Jakobus, hrsg. v. H. Greeven, Göttingen ¹¹1964, 3ff.
[11] Käsemann, Grundsätzliches 205ff. Das Problem der Begründung der Paränese spielt im
Zusammenhang der Traditionsfrage eine wichtige Rolle und wird dort näher erörtert (unten
54ff).
[12] Z.B. Schlier, Römerbrief 386; Neugebauer 161; Bornkamm, Paulus 218; Schrage, Einzelgebote 222; Vögtle 573.
[13] Käsemann, Grundsätzliches 206; siehe hierzu ausführlich Käsemann, Amt und Gemeinde,
in: Ders., Exegetische Versuche und Besinnungen I, Göttingen ³1968, 109—134.
[14] Käsemann, Grundsätzliches 206.
[15] Käsemann, Römerbrief 339f.
[16] Käsemann, Römer 13 349f.

nimmt Käsemann die Geltung einer allgemeinen Regel in Anspruch, deren Nichtzutreffen im Einzelfall bewiesen werden müsse[17].

Friedrich nimmt gegenüber dieser kategorischen Verneinung eines kontextlichen Zusammenhangs eine andere Haltung ein. Er sieht Röm 13,1—7 fest in den »paränetischen Gesamtzusammenhang« der Kapitel 12—14 eingebettet[18]. Außer der Verklammerung durch Stichwortanschlüsse[19] besteht der Zusammenhang für ihn im inhaltlich-schlüssigen Aufbau dieser Kapitel: Der programmatischen Präambel in 12,1—2 folge ein erster paränetischer Hauptteil (12,3—16a), der dem Zusammenleben der Christen als Gemeinde gewidmet sei (Leitgedanke: »agape«). Daran schließe sich ein zweiter Hauptteil an (12,16b—13,7), betreffend das Leben der Christen in den weltlichen Bindungen (Leitgedanke: Friede mit allen Menschen/Feindesliebe). Den Schluß und die Zusammenfassung beider Teile bildeten die Ausführungen in 13,8—10[20]. Urteilt Friedrich hier zunächst anders als Käsemann, erweist sich im Zusammenhang seiner weiteren Gedankenführung, daß es ihm doch um dasselbe Ziel geht: die Wahrung eines charismatisch-offenen Grundverständnisses. Schien dies bei Käsemann nur möglich durch Herauslösen des Textes aus dem Kontext und Interpretation dieser blockartig isolierten und inhaltlich fremden Sätze durch das Vorzeichen eines anderswoher gewonnenen »Gesamtverständnisses« paulinischer Paränese, ist es bei Friedrich das Charismatisch-Offene des Textes selbst, das die Frage seiner Verbundenheit mit dem Kontext in neuem Licht erscheinen läßt. Dieser Grundzug bei Friedrich zeigt sich in der überaus starken Betonung eines das Eigengewicht des Staates mindernden »kritischen Selbst-und Verantwortungsbewußtseins des Menschen«[21] und im Rekurrieren auf die jeweils zur Entscheidung anstehende Situation. Darauf ist ausführlicher an anderer Stelle einzugehen. Diese auf Charisma und Situation zielende Sicht wird mit dem von Dibelius her bekannten Motiv der eschatologischen Einschränkung des Staates verknüpft (12,17—21; 13,11—14), mit dem nahe bevorstehenden Gerichtstag Gottes, der die Christen zur »derzeitigen«, aber vorübergehenden Unterordnung unter die staatliche Gewalt befähige[22].

---

[17] Käsemann, Römer 13 374.
[18] Friedrich 149ff. Dem Grundgedanken nach so schon: Bartsch, Römer XIII 406, 407, Staat 380f; Hengel 32f.
[19] Friedrich 149: »tas ofeilas« (13,7) — »ofeilete« (13,8); »to agathon« und »to kakon« bilden eine Gedankenführung von 12,2 und 12,9 an über 12,17 und 12,21 bis hin zu 13,3 b.4; »ekdikesis« (12,19) — »ekdikos« (13,3); »time« (12,10 und 13,7); die Vorstellung des göttlichen Zorngerichts in 12,19 und 13,4 b.5; ferner das »kakon poiein« (13,4) und das »kakon ouk ergazesthai« (13,10).
[20] Friedrich 150, 152.
[21] Friedrich 164; vgl. auch Michel 395f.
[22] Friedrich 160ff.

Insgesamt ergibt sich so für Friedrich, trotz der Annahme kontextlicher Verbundenheit, eine beträchtliche inhaltliche Relativierung von Röm 13,1—7. Seine mit einer konkret/situationsmäßigen — charismatisch/kritischen Sicht verbundene Einschränkung der »so grundsätzlich und abstrakt wirkenden Anweisungen«[23] läßt tatsächlich einen Verzicht auf die Herausstellung der sogenannten Fremdkörperproblematik zu, ohne die sonst von ihr abgeleitete Möglichkeit der Relativierung und aktualisierenden Anpassung der Textaussagen auf ein konkret-charismatisches Tun hin zu verlieren. Das wird noch einmal daran deutlich, daß Friedrich, trotz der kontextlichen Einordnung von Röm 13,1—7 in einen großen Zusammenhang, besonders das »thematische Vorzeichen« von 12,1—2 in Geltung bringt, das schon bei Käsemann die entscheidende Rolle spielte: In Röm 13 soll illustriert werden, »wie der in Röm 12,1—2 von Paulus geforderte leibhaftige ›Gottesdienst im Alltag der Welt‹ (Käsemann) und die Prüfung des Gotteswillens kraft des in Christus erneuerten kritischen Verstandes konkret aussehen«[24].

c. Der Zusammenhang von Text und Kontext durch Motivverbindung

Die Autoren, die der eschatologisch-realistisch orientierten Auslegung zugerechnet werden können, kommen im allgemeinen zu dem Ergebnis, daß Röm 13,1—7 bei allem Eigencharakter durchaus kontextbezogen sei, und zwar nicht erst »nachträglich«[25] über eine von bestimmten »Vorzeichen« her gedachte Brücke, sondern in einer gegebenen, festeren oder lockereren Verbindung der einzelnen paränetischen Stücke in den Kapiteln 12 und 13[26]. Dabei wird durchaus der Zusammenhang mit dem in 12,1—2 vorangestellten, eschatologisch ausgerichteten Gesamtthema (Nichtangleichung an

---

[23] Friedrich 161.
[24] Friedrich 160.
[25] Käsemann, Römerbrief 340.
[26] Z.B. Schlier, Römerbrief 386f; Schrage, Staat 53f, Einzelgebote 224, 263f; Goppelt, Kaisersteuer 217f, Theologie NT 471; Delling 67; Blank 174; Duchrow 148f; Eisenblätter 193ff, 221ff. Vgl. auch Ridderbos 223f; v. Campenhausen 107ff.
Schnackenburg 166, ganz im Gegensatz zu M. Dibelius und Käsemann, widerspricht gerade mit Berufung auf den Charakter paulinischer Paränese als lockerer Aneinanderreihung von Mahnungen einer Entfernung des Abschnitts aus dem Kontext. Er wertet den aneinanderreihenden Stil als verbindendes Moment, das die unterschiedlichen Textteile zusammenhalte. Aland 49 meint, Röm 13,1ff werde durch 12,1f. 9f. 18f. 21 »direkt vorbereitet«, es sei fester Bestandteil der Paränese von 12,1 bis 13,14. Aland entspricht damit im Ergebnis der Position der eschatologisch-realistischen Interpretation, wie er auch an anderer Stelle gelegentlich mit diesem Interpretationstyp übereinstimmt. Andererseits steht er in gewisser Nähe zur eschatologisch-einschränkenden Auffassung M. Dibelius': Paulus gehe es aus der Grundhaltung der »Gleichgültigkeit« gegenüber den irdischen Voraussetzungen um praktische Anweisungen an die Christen im Blick auf das »Phänomen der staatlichen Obrigkeiten, das als sol-

die Welt) und mit 13,11ff (das Gekommensein der eschatologischen Stunde) betont. Man wird diesen weiten Rahmen von 12,1—2 bis 13,11ff mit seiner alles irdische Leben zwar relativierenden, dennoch aber die bestehenden, von Gott gesetzten Gegebenheiten respektierenden Mitte als den für die eschatologisch-realistische Auslegung charakteristischen Interpretationszusammenhang bezeichnen dürfen, in dem dann — mit durchaus unterschiedlicher Akzentuierung bei den einzelnen Autoren — weitere Motive angesprochen werden wie das »Verhältnis der Christen zueinander und zur Welt«[27], »Liebe«[28], »Ordnung Gottes«[29], »Gut und Böse«, »Vergeltung«[30] oder Themenverbindungen zur neutestamentlichen Briefliteratur über den Römerbrief hinaus[31]. Von daher ergibt sich ein Bild dichter Verknüpfung mit dem näheren oder ferneren Kontext, und es wird vermieden,

ches, weil dem vergehenden Äon angehörig, keiner besonderen Aufmerksamkeit und Behandlung wert ist außer der, die der Augenblick erfordert«.
Der Standort Alands zwischen eschatologisch-realistischen und konkret-charismatischen Positionen hängt wohl mit dem Forschungsstand zusammen, von dem sein Bericht ausgeht. Es handelt sich wesentlich um eine Reflexion über die Diskussion von M. Dibelius und Käsemann. Literatur nach 1970 kommt kaum zum Zuge. Insbesondere fehlt eine Berücksichtigung der die neuere Diskussion beherrschenden Beiträge von Wilckens, Friedrich und Schlier.
[27] Z.B. hält es Schrage, Staat 53, für konsequent, wenn im Rahmen des Verhältnisses der Christen zu Kirche und Welt (12,1ff) der Staat zur Sprache gebracht wird.
Ähnlich auch jene Autoren, die eine Dreierstruktur in den Kapiteln 12 und 13 erkennen:
1. das Verhältnis des Christen zur Gemeinde / zum Bruder
2. das Verhältnis zum Nächsten / zum Feind
3. das Verhältnis zu allen Menschen / zur öffentlichen Ordnung
z.B. Goppelt, Staat 196f (204), Theologie NT 385, 471, vgl. auch Kaisersteuer 217f; Wilckens, Römer 13 209ff.
Schnackenburg 166 sieht — noch allgemeiner — Röm 13,1—7 unter dem Gesichtspunkt, daß Paulus einen Überblick über seine Verkündigung geben wollte (15,15f) und so ein Wort über seine Einstellung zur Staatsgewalt kaum fehlen durfte.
Auf die »Schuldigkeit« der Christen gegenüber dem Nächsten (13,7; 13,8.10) und den Regierenden (13,7) stellen ab: z.B. Delling 68, Duchrow 149.
[28] Christliche Liebe macht sich den Staat nicht zum eigentlichen Inhalt ihres Strebens, stellt ihn aber in ihren alles, auch die Strukturen der Welt, umfassenden Horizont, vgl. Schrage, Einzelgebote 262f, Staat 54; Goppelt, Kaisersteuer 217f, Staat 204, Theologie NT 385; Schlier, Römerbrief 386; Wilckens, Römer 13 209ff, Römerbrief 31, 39; Delling 67.
[29] Wahrung (von Gott gesetzter) weltlicher Ordnung (13,1ff) als geistlicher Opferdienst gem. 12,1ff, vgl. Ridderbos 224; Delling 49ff (52), 68 (»hypotassesthai«); Neugebauer 164f.
Auf eine Verbindung zwischen Gehorsam gem. 13,1ff und Demut gem. 12,3.16 weist Duchrow 149 hin. Der Gedanke schwingt auch im »hypotassesthai« bei Delling 49ff mit, vgl. auch v. Campenhausen 107.
[30] Gutes tun und Böses lassen: vgl. Delling 67, Wilckens, Römer 13 208ff; Duchrow 149.
Der Staat als »ekdikos« (13,4) ist Ergänzung zur Liebe der Christen, denen das Vergeltungüben versagt ist (12,19f), vgl. Goppelt, Kaisersteuer 217; Delling 67ff; Wilckens, Römer 13 210f; Ridderbos 223. Delling 67f weist ferner darauf hin, daß beide, Staat (13,4.6) und Christen (12,1; 13,8.10), in ihrer je besonderen Bestimmung Werkzeuge/Diener Gottes sind.
[31] Delling 52ff (Vergleich mit Tit 3,1; 1 Tim 2,2; 1 Petr 2,13ff); Goppelt, Kaisersteuer 218, Theologie NT 367 (Bezug auf 1 Petr 2,13ff); Wilckens, Römer 13 211ff (Vergleich mit Tit 3,1;

die einzelnen paränetischen Stücke inhaltlich mit ausschließender Wirkung gegeneinander zu setzen. Neben dem mehr sprachlich-formalen Aspekt der Stichwortverbindungen[32] werden vor allem inhaltliche Bezüge herausgestellt. So wird unsere Textstelle als »gewichtiges Zwischenstück inmitten der Ermahnung zur Liebe« gesehen mit Verweis auf den Abschnitt 13,8—10, der den Abschluß des in 12,9ff aufgenommenen und implizit mitschwingenden Themas der »agape« bilde[33]. Freilich heißt das nicht, daß die Staatsgewalt selbst geliebt werden solle. Das vom Christen gemäß Röm 13,1ff Geforderte kann dem Liebesgebot nicht einfachhin subsumiert werden. Aber die Liebe des Christen ordnet sich alles unter und bestimmt so auch seine Einstellung gegenüber dem Staat. Hierin erweist sich der eschatologische Grundzug christlicher Existenz[34]. Verschiedentlich wird die Un-

1 Tim 2,2; 1 Petr 2,13—17); Schlier, Römerbrief 387ff (Bezug auf Tit 3,1; 1 Tim 2,2; 1 Petr 2,13f), vgl. auch Staat I 8ff und Staat II 203ff; Ridderbos 223 (Bezug Tit 3,1 und 1 Tim 2,1—4). v. Campenhausen 109ff zieht, wenn auch von einem anderen Streitpunkt her (»exousia«-Diskussion, vgl. unten 88ff) einen Vergleich zu 1 Thess 5. Hier liege eine überzeugende sachliche Parallele zu Röm 12/13 vor, die sich bis in die gebrauchten Bilder und Wendungen verfolgen lasse. Inhaltliches Kernstück ist das eschatologische Motiv mit dem Aufruf zur sittlichen Wachsamkeit, zum Tun des Guten und zum Verzicht auf Vergeltung, vor allem aber zur notwendigen Unterordnung unter die Vorgesetzten. Der Thessalonichertext unterscheide sich lediglich — für seinen Skopos nicht wesentlich — im Formalen, indem er die Gedankenfolge genau umkehre und insoweit er nicht von der politischen, sondern von der innergemeindlichen Obrigkeit spreche. Letzterer Unterschied sei aber nicht entscheidend, es komme auf die so oder so gebotene und in ihrer Selbstverständlichkeit gerechtfertigte Unterordnung unter die »Vorgesetzten« an. Schematisch läßt sich der Vergleich folgendermaßen darstellen:

1 Thess 5		Röm 12/13	
1—10	Eschatol. Ausblick	12,17—21	Frieden/Nichtvergelten
11	Einander Zusprechen und Erbauen	13,1—7	Unterordnung unter die bürgerliche Gewalt
12—13	Achtung der Gemeindevorsteher	13,8—10	Liebe
13—15	Frieden halten, Böses nicht mit Bösem vergelten	13,11—14	Eschatol. Ausblick

v. Campenhausens Parallelisierung zwischen Röm 12/13 und 1 Thess 5 im Rahmen unserer Problemstellung ist singulär geblieben und in der Diskussion nicht aufgegriffen worden.
[32] Röm 13,7/8 »ofeilas« — »ofeilete«, z.B. Wilckens, Römerbrief 47; Schlier, Römerbrief 386; v. Campenhausen 108f; Aland 49; vgl. auch Delling 68, ThWB VIII 30; Duchrow 149 (Bezug auf das »Schuldigsein«);
Röm 12,1ff / 13,3f »agathon«, z.B. Wilckens, Römerbrief 47; Delling 67f; vgl. auch Duchrow 149;
Röm 12,21 / 13,3f »kakon« — »agathon« (komplementäre Ausdrücke), Wilckens, Römerbrief 47;
Röm 12,19 / 13,4 »ekdikountes ... te orge« — »ekdikos eis orgen«, Wilckens, Römerbrief 48.
[33] Z.B. Schlier, Römerbrief 386; Schrage, Einzelgebote 263.
[34] Z.B. Schrage, Einzelgebote 263f, Staat 53; Wilckens, Römer 13 209f; Schlier, Römerbrief 386f.

terordnung unter die staatliche Gewalt als Teil des vom Erbarmen Gottes geforderten Opfers der Distanz von der Welt und eines erneuerten Denkens (12,1—2) gesehen, das sich gerade auch in der Freiheit zum Gehorsam zeige[35]. Oder es wird das Moment der von Gott eingesetzten Ordnung erwähnt, der gerade der Christ Unterordnung schulde, weil der geistliche Opferdienst des täglichen Lebens (12,1—2) auch darin bestehe, die göttliche Ordnung für das natürliche Leben (12,1—7) zu wahren und zu ehren[36].

Wilckens betont vor allem die übergreifende Thematik der Liebe »als das Gute«[37]. Er unterscheidet drei Teilabschnitte der Einzelparänese in den Kapiteln 12—13:

12, 9—16   Verhältnis der Christen zueinander,
           Kennzeichen: »Agape« (V 9);

12,17—21   Verhältnis der Christen zu Außenstehenden,
           Kennzeichen: Böses nicht mit Bösem vergelten,
           allen Menschen gegenüber auf Gutes bedacht sein
           (V 17) — der Sache nach ist auch dies Liebe;

13, 1—7   Fortsetzung und Ergänzung der Ausführungen über
           das Verhältnis zu Außenstehenden — Gutes tun,
           Liebe — auf der Ebene der politischen Gewalt:
           Funktion des Staates als »Rächer zum Zorngericht«
           zum Schutz des Guten (V 4).

In 13,8—10 wird dann — nach generalisierender Überleitung (V 7) — die Summe aus allen voranstehenden Mahnungen gezogen. Alle Teilabschnitte werden zusammengehalten durch das Motiv, das Gute zu tun und das Böse zu lassen, das für die Christen gegenüber jedermann gelte. Je nachdem aber, ob es sich bei dem Gegenüber um die Brüder, die Außenstehenden/Feinde oder die öffentliche Gewalt handelt, ist die Gestalt ihres Tuns des Guten verschieden: bei den einen (Mitchristen) gibt es »ungeheuchelte Liebe« (13,9), bei den anderen (Feinde) sind es Verzicht auf Vergeltung und Erweis von Liebeswerken (12,17.21), im Blick auf die »Mächte« besteht sie im Tun

---

[35] Z.B. Schlier, Römerbrief 386f, Staat II 204; Goppelt, Kaisersteuer 217f; v. Campenhausen 106, 107; Ridderbos 224.
Eisenblätter 202f, 221ff formuliert den Gedanken dahin, das die Kapitel 12 und 13 strukturierendes Prinzip sei »Befreiung von der Welt und zur Welt«, die sich in einer Dialektik von »agapan« und »hypotassesthai« ausdrücke. Von da her bestehe eine klare Beziehung der Rahmenabschnitte 13,8—10; 11—14 und 12,1—2 auf die Einzelmahnungen in 12,3—13,7.
[36] Ridderbos 224; Delling 52. Siehe auch v. Campenhausen 107.
[37] Die weiteren Ausführungen folgen Wilckens, Römer 13 205 ff (insbesondere 207—211) und Römerbrief 31,34f, 38f. Ähnlich schon, wenn auch weniger ausführlich, Goppelt, Staat 196f, Theologie NT 385, 471; vgl. auch Goppelt, Kaisersteuer 217ff.

des Guten, um ihr Lob zu erwerben, statt als Übeltäter ihrem Schwert zu verfallen (13,3f)[38]. So zu handeln, entspricht dem Gebot der Nächstenliebe, deren Charakteristikum es ist, daß sie »dem Nächsten nichts Böses tut« (13,10). Ungeachtet der zwischen den Brüdern, den Feinden und den Mächten hinsichtlich ihres Parts beim Tun des Guten bestehenden Unterschiede, »handelt es sich für die Angeredeten selbst durchweg um das gleiche Tun des Guten, der Liebe«. Wilckens betont, daß sich der Skopos nicht auf den Gehorsam als solchen beziehe, vielmehr werde dieser wegen der von Gott angeordneten Aufgabe des Staates, das gute Werk zu loben und das böse zu ahnden, geschuldet. »So bleibt auch im Blick auf die Mächte die Mahnung zum Tun des Guten das beherrschende Thema.« Wilckens nennt eine weitere gedankliche Verbindung: den Hinweis auf Gottes Zorn im Zusammenhang der Mahnung zum Tun des Guten. Die Ausübung der Vergeltung, die den Christen in 12,17 abgesprochen wird, bedeutet nicht, daß das Böse überhaupt ohne Sühne bleibt. Vielmehr wird Gott im Endgericht seinen Zorn zur Wirkung bringen (12,19). Die staatliche Macht aber hat als Diener Gottes im Lobspenden und in ihrer Strafgewalt eine entsprechende Funktion im Bereich der irdischen Gegebenheiten (13,3.4). So besteht trotz oder gerade wegen entgegengesetzten Handlungsauftrags für Christen und Staat Konnexität zwischen Röm 13,1—7 und 12,17—21[39].

Mehrere Ausleger verweisen über die Verbindungen zum engeren Kontext hinaus auf Parallelen in anderen Paulusbriefen (Tit 3,1; 1 Tim 2,2) und zum ersten Petrusbrief (2,13ff)[40]. Tit 3,1 erinnert an Unterordnung und Gehorsam gegenüber den Machthabern, an das Tun des Guten und an die Freundlichkeit und Güte zu allen Menschen. 1 Tim 2,2 zeigt zwar keine formalen Parallelen zu Röm 13,1—7, führt jedoch im fürbittenden Tun für die Herrscher die Aussagen fort. Schließlich weist 1 Petr 2,13—17 eine starke Ähnlichkeit mit Röm 13,1—7 auf: in der Aufforderung zur Unterordnung unter jede menschliche Ordnung; im Auftrag des Staates zu Lob und Strafe; im Tun guter Werke; im Erweis von Ehre gegenüber dem Kaiser und gegenüber allen Menschen, von Liebe gegenüber den Brüdern, von Furcht gegenüber Gott[41].

Im Gegensatz zur konkret-charismatischen Auslegungsrichtung wird hier

---

[38] Sinngemäß auch Delling 57f.
[39] Sinngemäß auch Delling 57f, 67; Goppelt, Kaisersteuer 217.
[40] Delling 52ff, 56ff; Wilckens, Römer 13 211ff, Römerbrief 31; Schlier, Römerbrief 387ff, Staat I 8—13,Staat II 203ff; Goppelt Kaisersteuer 218.
[41] Mit dem Rekurs auf Parallelstellen in der neutestamentlichen Briefliteratur ist zugleich die Traditionsfrage (Vorliegen eines urchristlichen Topos über das rechte Verhalten des Christen in der Welt) berührt, dazu unten 62ff (66ff).

eine breite Kontextbezogenheit gesehen, sowohl hinsichtlich der formalen und der inhaltlich-thematischen Verknüpfung als auch was den spezifisch christlichen Charakter der Aussagen in Röm 13,1–7 angeht. Wilckens faßt zusammen, daß das Urteil, Röm 13,1–7 stehe isoliert im Kontext, nicht unerheblich korrigiert werden müsse[42]. Goppelt und von Campenhausen sehen hier typisch christlich-paulinische Paränese, »weil sie so weltlich und so elementar vom Staat redet«[43]. Und Delling meint, daß sich der den Staat betreffende Abschnitt der mit Kapitel 12 beginnenden Paränese Röm 13,1–7 »sachlich ganz in die Paränese des Römerbriefs überhaupt einfügt«[44].

d. Zusammenfassung

Zusammenfassend läßt sich feststellen, daß bereits an der Frage der Einordnung von Röm 13,1–7 in den Kontext des Römerbriefes bzw. in die paulinische Theologie überhaupt Abweichungen in der Auffassung des Textes sichtbar werden. Die naturrechtlich-ordnungstheologische Richtung geht im wesentlichen — soweit sie die Kontextproblematik berührt — von der Selbstverständlichkeit des Textes aus mit der Konsequenz, seine Aussagen wörtlich-direkt zu nehmen und so zu einem grundsätzlich-allgemeinen Verständnis zu gelangen. Die konkret-charismatische Auslegung schwächt durch Annahme einer isolierten Stellung des Textes und Heranziehung bestimmter, für eine christlich-paulinische Deutung notwendiger »Vorzeichen« das Eigengewicht des Textes, damit aber seine als belastend empfundene Grundsätzlichkeit. Oder sie relativiert den Text — bei Annahme kontextlicher Gegenbenheiten — durch das »Gegenwicht« der eschatologischen Stunde und eines ihr entsprechenden kritischen Selbst- und Verantwortungsbewußtseins des der Staatsmacht gegenüberstehenden Menschen. Die eschatologisch-realistische Interpretation schließlich weist auf die vielfältigen Einbindungen des Textes in den Kontext hin, beläßt ihm somit sein Eigengewicht im Zusammenhang der übrigen paränetischen Teile mit der naheliegenden Möglichkeit eines grundsätzlichen Verständnisses, legt aber gerade in der kontextlichen Einbindung auch den Grund zur Begrenzung des staatlichen Auftrags und des Verhältnisses der Christen zu ihm in Merkmalen wie der christlichen Haltung zum Tun des Guten (= Liebe) und der Diener-Aufgabe des Staates zum Schutz des Guten.

---

[42] Wilckens, Römer 13 216.
[43] Goppelt, Kaisersteuer 216; v. Campenhausen 107.
[44] Delling 68.

2. Der aktuelle Anlass der Mahnung

Wesentliches Gewicht mißt die neuere exegetische Diskussion auch der Frage zu, inwieweit ein aktueller Anlaß für die Entstehung von Röm 13,1—7 und die Art seiner Aussage maßgebend war.

a. Keine Situationsrelevanz des Textes

Die naturrechtlich-ordnungstheologisch orientierte Auslegung scheint noch wenig von dem hier angesprochenen Problem betroffen[45]. Einige Stimmen betonen, daß aktuelle Umstände in der römischen Gemeinde durch nichts angedeutet seien, der Brief gebe hierfür keinerlei Anhaltspunkte[46], andere sehen einen möglichen Grund in der Tatsache, daß die römischen Christen wegen ihrer Nähe zum Machtzentrum des Reiches im besonderen Maß zu Überlegungen über das Verhältnis zum Staat veranlaßt waren[47]. Der überwiegende Teil zieht keine Rückschlüsse hinsichtlich der Konkretheit eines Anlasses und meint, nur auf eine die christlichen Gemeinden allgemein betreffende Haltung hinweisen zu können, die keineswegs ein römisches Spezifikum gewesen sei: das Wissen um die christliche Freiheit, das nicht selten in enthusiastischer Weise dahin verstanden wurde, der Christ unterstehe im Bewußtsein der Zugehörigkeit zu einer höheren Welt nicht mehr diesseits-irdischen Ordnungen und Gegebenheiten und brauche den konkreten irdischen Staat nicht mehr ernst zu nehmen. Paulus habe mit seinem Wort in Röm 13 ein solches Mißverständnis seiner Freiheitsverkündigung verhindern wollen[48]. In diesem Zusammenhang werden auch mögliche Verbindungen zu jüdisch-zelotischer Staatsfeindlichkeit erwähnt, die sich auch in Rom ausgebreitet haben könnten. Insgesamt erscheinen die Überlegungen zum geschichtlich-situativen Hintergrund von Röm 13,1—7 als Verständnishilfe für den als in seiner Aussage feststehend und klar empfundenen Text. Sie runden das Bild von Plausibilität ab, das der Apostel mit seinen Ausführungen bietet. Ein möglicher Anlaß wird von keinem der Ausleger als Motiv zur Relativierung des Textes herangezogen, vielmehr wird auf die von Paulus beabsichtigte Allgemeinheit und Grundsätzlichkeit hingewiesen.

---

[45] Eine Ausnahme bildet Dehn, Engel 96f, 99f, der einen guten Überblick über die verschiedenen Versuche gibt, einen besonderen Anlaß der »so merkwürdig positiven Äußerungen über den Staat« zu finden; vgl. auch Hick 42ff.

[46] Z.B. Gutjahr 415; Huby-Lyonnet 433f; Bardenhewer 185; Weithaas 433f; Hick 42ff (44).

[47] Z.B. Schlatter 350; vgl. auch Kürzinger 48.

[48] Nygren 303f; Althaus 130; Zahn 555; Kühl 432; Gaugusch 530f; Stratmann 66; Schelkle, Römerbrief 194f; Zsifkovits 109; H.W. Schmidt 218; Gaugler 134; Pieper 77.

b. Enthusiasmus und Steuerstreit als situativer Hintergrund des Textes

Das Bemühen, von einer konkreten Gemeindesituation her ein Motiv für die Abschwächung des generellen Charakters von Röm 13,1—7 zu finden, begegnet bei der konkret-charismatischen Auslegungsrichtung. M. Dibelius freilich stellt die Frage eines historischen Anlasses noch nicht, sondern rekurriert zur Klärung von Entstehung und Verstehbarkeit des Textes neben dem Hinweis auf Tradition (unten 54ff) unmittelbar auf die theologische Motivation des Apostels: Es ist die eschatologische Ausrichtung der paulinischen Paränese — sie war bereits bei der kontextlichen Anknüpfung an Röm 13,11ff entscheidend —, die bei aller Allgemeinheit und Grundsätzlichkeit der Rede immer um die Vorläufigkeit und Begrenzung des Gegenwärtigen weiß. Wenn der Christ das Gleiche tun soll, was auch vom Nichtchristen/Jedermann gefordert wird, so unterscheidet sich seine Haltung dennoch durch zwei Besonderheiten: durch die Radikalität seines Tuns als Angehöriger einer neuen Welt und durch die eschatologische Einschränkung der Dinge der alten Welt, auch der Obrigkeit, von denen er wisse, daß sie demnächst vergehen werden. Das Eschaton erscheint hier nicht als Dringlichkeitsmoment für eine konkrete Mahnung in endzeitlicher Stunde, sondern als dynamische, den Inhalt der Mahnung selbst relativierende Größe[49].

Andere Vertreter der konkret-charismatischen Auslegung können sich — unbeschadet dieses auch von ihnen bejahten »theologischen Anlasses« — die »eindeutige Bestimmtheit und zugleich so merkwürdige Einseitigkeit« des Textes[50] nur durch historische Gegebenheiten bedingt erklären. Michel meint, es müsse mit der Besonderheit der römischen Gemeinde zusammenhängen, wenn Paulus hier so kategorisch und vorbehaltlos vom Staat rede. »Dabei ist nur scheinbar von der geschichtlichen Situation der Gemeinde abgesehen.« Er schließt aus der »konkreten Zuspitzung der paulinischen Mahnrede« darauf, »daß Paulus ein ganz bestimmtes Bild der römischen Verhältnisse vor Augen gehabt hat« und knüpft hieran die Vermutung, es werde Enthusiasmus gewesen sein, gegen den der Apostel hier so dezidiert angehe[51]. Für Käsemann hingegen besteht hierin Gewißheit. Er sieht die Abwehr enthusiastischer Tendenzen als das »eigentliche theologische Anliegen« von Röm 13,1—7. In der betonten Staatsfreundlichkeit des

---

49 M. Dibelius 181, 184.
50 Bornkamm, Paulus 219; Bornkamm hält es für möglich, daß es in der römischen Judenschaft durch den Einbruch der christlichen Botschaft zu Unruhen gekommen ist, weist aber zugleich auf den hypothetischen Charakter dieser Vermutung hin.
51 Michel 397, 400, 404. Abwehr von Enthusiasmus sieht Michel bereits in Röm 12,3—21 (314).

Textes zeige sich eine Schwäche der paulinischen Argumentation: die Problematik politischer Gewalt werde von Paulus nicht ins Blickfeld gerückt. »Erklären läßt sich das nur aus der einseitigen Front gegen den befürchteten Enthusiasmus«[52]. Paulus wolle gültige Ordnung aufrichten, tue es jedoch durchaus zeit- und situationsgebunden. Im Kontrast zu der so deutlich herausgestellten Konkretheit der für den Text vorausgesetzten Situation stehen allerdings die von Käsemann herangezogenen Belege. Er nimmt nur sehr allgemein Bezug auf Röm 12,3 (»strebt nicht nach Höherem, als euch zukommt«) und 1 Kor 7,24 (»Brüder, jeder soll vor Gott in dem Stand bleiben, in dem ihn der Ruf Gottes getroffen hat«) und verweist im übrigen darauf, daß »die wirklich charismatische Gemeinde Gottes Forderung dort (= in der Situation) vernimmt und sich als solche mitten in irdischer Angefochtenheit und Niedrigkeit bewährt«[53].

Friedrich[54] erkennt die konkrete Situation der römischen Gemeinde, die für den Text maßgeblich geworden sei, im Text selbst (Verse 6.7), nämlich in steuerrechtlichen Auseinandersetzungen, die — gemäß Tacitus, ann. 13,50f; ebenso Sueton, Nero 10 — um 58 zwischen römischem Volk und Kaiser stattgefunden haben[55]. Diese lägen zeitlich wohl noch vor der Abfassung des Römerbriefes, veranschaulichen aber die zeitgenössische Situation, wie sie für die christliche Gemeinde in Rom gegeben gewesen sei. Der Steuerstreit wird bei ihm zum ausschlaggebenden Moment dafür, in Röm 13,1—7 im wesentlichen eine Beratung und Ermahnung des Apostels an die römischen Christen »in einer für sie neuen, verschärften Situation« zu erblicken[56], nicht aber eine ins Allgemeine und Grundsätzliche gehende Aussage über das Verhältnis der Christen zum Staat. Die auffällige (Staats-)Loyalität unserer Textstelle erkläre sich aus der — eschatologisch geforderten — Einsicht in die Verpflichtung der Christen zum Liebes- und Friedenszeugnis (Röm 12,18.21; 13,8ff) »und in kluger Beurteilung der ihnen in dieser Lage gegebenen Glaubensmöglichkeiten«. In der Verbindung von Eschaton, Situation und Charisma kann so Friedrich die Mahnungen Röm 13,1—7 als je zu konkretisierende Aufforderung zu kritischer Überprüfung und Einsicht »im Maße des ihnen Möglichen« verstehen[57]. Er resü-

---

[52] Käsemann, Römerbrief 343ff (346); vgl. auch Schneemelcher 13; Bammel 837ff.
[53] Käsemann, Römerbrief 347; vgl. auch Schneemelcher 14ff: Gegenüber einem »abwegigen Enthusiasmus« gehe es um »vernünftigen Gottesdienst« in allen Bereichen des weltlichen Lebens. Sinn der Verse Röm 13,1—7 sei: »der Christ hat in dieser, von Gott ihm zugewiesenen Welt seine Freiheit zu bewähren, und zwar im Dienst« (16).
[54] Friedrich 156ff, unter Rückgriff auf Forschungsergebnisse von Wilckens (Römer 13 226f).
[55] Friedrich 156f.
[56] Friedrich 158f, 162f.
[57] Friedrich 161.

miert: »Er (der Tacitustext) erspart uns die bisher in lauter widersprechende Hypothesen endende Suche nach enthusiastischen oder gar zelotischen Tendenzen in der römischen Christenheit ebenso wie die Annahme einer direkt anti-enthusiastischen Argumentation des Paulus und gibt uns dafür die Möglichkeit, Röm 13,1–7 und vor allem die bisher so sperrigen Verse 6b.7 als eine vom Apostel bewußt auf die Situation der römischen Gemeinde in der Zeit um 55 n. Chr. abgestimmte Paränese zu verstehen«[58].

c. Die nicht spezifisch römische Situation

Beim eschatologisch-realistischen Auslegungstyp begegnet noch einmal die ganze Breite vermuteter Anlässe, wie sie bereits in den beiden erwähnten Auslegungsrichtungen vorkamen. Das Spektrum reicht von der Annahme enthusiastisch-spiritualistischer Tendenzen[59] bis zur Feststellung, daß der Abschnitt selbst keinerlei Bezugnahme auf konkrete antirömische Strömungen in der Gemeinde erkennen lasse[60]. Den eigentlichen Schwerpunkt bilden jedoch jene Meinungen, die Vermutungen über einen möglichen Anlaß nicht ausschließen[61/62], einen solchen jedoch nicht auf konkrete Mißstände der römischen Christengemeinde beziehen, sondern die allgemeine Betroffenheit christlicher Gemeinden von diesen Erscheinungen konstatieren, so daß eine speziell-situative Deutung des Textes nicht in Frage kommt. Bei den Versuchen zur Situierung des Anlasses fällt auf, daß die Auskünfte über Zeitumstände, in denen die christlichen Gemeinden lebten, aus verschiedenen Texten des neuen Testamentes herrühren, zum Beispiel: Apostelgeschichte, 1 Thessalonicher, 1 Korinther, Philipper[63], nicht aber aus Röm 13,1–7 selbst. Von daher findet, ausgesprochen oder unaus-

---

[58] Friedrich 159; eine im Ergebnis ähnliche, wenn auch schwächer begründete Position nimmt Schiwy 94 ein.

[59] Z.B. Ridderbos 225.

[60] Schrage, Staat 51f; vgl. auch Neugebauer 166.

[61] Etwa: Enthusiastisches Mißverständnis christlicher Freiheit, z.B. v. Campenhausen 107f; Duchrow 148; Kuß 238f; Eisenblätter 179, 209. Wilckens, Römer 13 227ff, Römerbrief 34, erklärt eine mögliche anti-enthusiastische Spitze des Textes nicht aus den konkret gegebenen Lebensverhältnissen der römischen Christen, sondern aus dem durch seine Erfahrungen in Korinth bestimmten Aspekt Paulus' selbst, hält aber auch eine solche Version nicht für wahrscheinlich.

[62] Oder: Unbeliebtheit, Verdächtigungen, Ablehnung der christlichen Gemeinde durch die heidnische Umgebung und durch staatliche Behörden, z.B. Delling 44ff, ThWB VIII 30 Anm. 22; Duchrow 148; zurückhaltend: Schlier, Römerbrief 389, Staat II 204.

[63] Z.B. Anklage wegen Erregung von Aufruhr: Apg 16,20ff; 17,5ff; 24,5; Vertreibung Paulus': Apg 9,25 (vgl. 2 Kor 11,32f) 13,50; 14,6; 17,10.14; Steinigung: Apg 14,19; Schläge, Gefängnis, Verfolgung: 2 Kor 6,5; 1 Thess 2,2; 2,14; Phil 1,12; 1,29; Ablehnung, Schwierigkeiten (allgemein): 1 Kor 15,32f; 2 Kor 1,8ff; 2 Kor 11,26.
Siehe hierzu Delling 44ff; v. Campenhausen 107f; Bornkamm, Paulus 218; Wilckens, Römer 13 228f.

gesprochen, der Befund Schrages (Anm. 60) Bestätigung, daß unser Textabschnitt selbst keinerlei Rückschlüsse auf eine bestimmte Situation in Rom zulasse.

Nicht wenige Ausleger weisen in diesem Zusammenhang auf die innere Konsequenz der paulinischen Theologie als letztlich bestimmenden »Anlaß« für den Text hin. Es ist ein theologisch-inhaltliches Moment, das gegenüber möglichen historischen Gegebenheiten ausschlaggebend sei: der eschatologische Charakter der christlichen Existenz, der die gegenwärtige Ordnung in ihrem vollen Ernst respektiere; die Verpflichtung des Christen zu Frieden und Nächstenliebe; den Wandel der Christen als gut, wohlgefällig, vollkommen[64]. Das Gewicht und die Schlüssigkeit der Textaussagen wird somit wesentlich vom kontextlichen Zusammenhang mitgetragen.

d. Zusammenfassung

Grob umrissen ergibt sich in der »Situationsfrage« folgendes Bild: weitgehend selbstverständliche Ablehnung einer Situationsrelevanz von Röm 13,1—7 mit dem Ergebnis eines grundsätzlichen, lehrhaften Verständnisses seiner Aussagen (naturrechtlich-ordnungstheologisch). Daneben der Versuch, im Auffinden einer bestimmten Gemeindesituation und Rückgriff auf theologische Kriterien (Eschaton, Liebe) den als einseitig positiv empfundenen Duktus der Textstelle mittels situationsentsprechenden »Glaubenkönnens« und »kritischen Verstehens« zu relativieren (konkret-charismatisch).

Schließlich die eschatologisch-realistische Position, die die Annahme möglicher historischer Gegebenheiten nicht ausschließt, aber wegen deren allgemeinen Vorkommens in den christlichen Gemeinden eine prinzipielle Einschränkung des generellen Skopos von Röm 13 nicht gelten läßt. Dieser Skopos wird durch inhaltlich-theologische Kriterien und durch den Verzicht, der Stelle eine »Lehre« zu entnehmen, ergänzt. Von daher ergibt sich, trotz jeweils bestehender Ähnlichkeiten, ein Abstand sowohl zur naturrechtlich-ordnungstheologischen als auch zur konkret-charismatischen Auslegung. Von letzterer unterscheidet sich die eschatologisch-realistische Interpretation im wesentlichen durch eine andere Deutung der herangezogenen inhaltlich-theologischen Kriterien: Ist es hier das Geltenlassen der schöpfungsmäßigen Gegebenheiten als Zeichen christlicher Liebe und christlichen »Gutes-Tuns« auch und gerade in endzeitlicher Stunde,

---

[64] So (mit unterschiedlicher Betonung der genannten Elemente): z.B. Schlier, Römerbrief 393, Staat II 204; Wilckens, Römer 13 227ff (230); Schrage, Staat 52; vgl. auch Delling ThWB VIII 30 Anm. 22; mit schwächerer Begründung: Ridderbos 225; v. Campenhausen 108.

so dort die Minderung des geschöpflichen »Noch« in seiner geschichtlichen Konkretheit durch eben die eschatologische Bedingtheit.

3. Die Herkunft der Motive und das Verhältnis von Paränese und ihrer Begründung

In engem Zusammenhang mit der »Fremdkörperproblematik« und der »Situationsfrage« wird die Frage nach der Herkunft (Tradition) der in Röm 13,1—7 enthaltenen Motive — Eingesetztsein der Staatsmacht von Gott, Aufgabe als Wahrer des guten und als Vollstrecker des Zorngerichts, Unterordnung/Gehorsam gegenüber der Staatsgewalt — gestellt. Insbesondere die konkret-charismatische Auslegung hat dieser Frage eine zugespitzte Form gegeben, weil sie den Grund der von ihr geltend gemachten Fremdheit des Textes in der Verwendung traditionellen jüdisch-hellenistischen (nichtchristlichen) Gedankengutes sieht, mit dem Paulus seine Forderung in Röm 13,1—7 — ohne ihm eine christliche Prägung zu geben — untermauere[65], ein Ergebnis, aus dem sie ein weiteres Argument für die von ihr vertretene Sicht erheblich verminderter Relevanz des Textes herleitet. Von daher wird mit Dringlichkeit die Frage nach dem Verhältnis der (christlichen) Mahnung und ihrer (traditionellen, d.h. nichtchristlichen) Begründung aufgeworfen.

Die Erörterungen um die »Traditionsfrage« nehmen aber auch bei der naturrechtlich-ordnungstheologischen und eschatologisch-realistischen Auslegungsrichtung einen bedeutenden Raum ein — wird hier doch der spezielle Aussagegehalt von Röm 13 über die kontextlichen Belange hinaus unmittelbar inhaltlich betroffen —, so daß man von einer allgemeinen Übereinstimmung hinsichtlich des Ranges dieser Frage für die Auseinandersetzung um das Verständnis von Röm 13 sprechen darf. Dabei ist jedoch die Zielrichtung der jeweiligen Gedankenführung durchaus verschieden.

a. Das Alttestamentlich-Jüdische der Motive und der Allgemeincharakter der Aussagen

Die naturrechtlich-ordnungstheologische Auslegung ist um den Aufweis des inneren Zusammenhanges der Motive in Röm 13 mit dem alttestamentlichen Denken bemüht und sieht die Gewichtigkeit des Pauluswortes auch von seiner Übereinstimmung mit der Tradition her[66].

---

[65] M. Dibelius, 183,184.
[66] Es gibt allerdings Autoren, die die Traditionsfrage nicht berühren und die Geltung der Aussagen ausschließlich dem unmittelbaren Wortsinn entnehmen (unten 51f).

Zahlreiche Quellenbelege aus der weisheitlichen, apokalyptischen und rabbinischen Literatur haben Strack/Billerbeck in ihrem Kommentar, erläutert aus Talmud und Midrasch, vorgelegt[67]. Der Zentralgedanke, daß es keine Herrschaft gebe, die nicht von Gott verliehen sei, kehrt in vielen Wendungen wieder. Zum Beispiel: »Denn verliehen ward vom Herrn auch (den Königen) die Herrschaft und die Gewalt vom Höchsten« (Weish 6,1ff) oder: »Er (der Menschensohn-Messias) wird die Könige von ihrem Thron und aus ihren Königreichen verstoßen, weil sie ihn nicht erheben noch preisen oder dankbar anerkennen, woher (nämlich von Gott) ihnen das Königtum verliehen worden ist« (Hen 46,5) oder: »Wir beobachten ihre (der heidnischen Könige) prahlerische Macht, während sie die Güte Gottes, der (sie) ihnen gegeben hat, verleugnen« (Apok Baruch 82,9). Für die Rabbinen kommt jedes obrigkeitliche Amt von Gott, das geringste ebenso wie das der Könige: »Selbst einen Brunnenaufseher setzt man vom Himmel aus ein« (Berakh 58a, 40) und: »Wer Könige Israels sieht, sagt (als Lobspruch): gepriesen sei, der von seiner Majestät denen mitgeteilt hat, die ihn fürchten! Wer Könige und Völker der Welt sieht, sagt: gepriesen sei, der von seiner Majestät an Fleisch und Blut gegeben hat!« (Berakh 58a, 20 Bar). Ein Rabbi sagt zum andern: »Chananja, mein Bruder, weiß du nicht, daß man diese (römische) Nation vom Himmel her zur Herrscherin gemacht hat? Denn sie hat sein Haus zerstört und seinen Tempel verbrannt und seine Frommen getötet und seine Edlen vernichtet — und sie besteht noch immer« (AZ 18a Bar). Im selben Zusammenhang wird zum Wohlverhalten und zur Furcht vor der Herrschaft aufgefordert: »Wer sich frech gegen den König benimmt, ist wie einer, der sich frech gegen die Schekina (Gottheit) benimmt« (Gu R,60) und: »Bete für das Wohl der Regierung, denn wenn nicht die Furcht vor ihr wäre, hätten wir (schon) einer den anderen lebendig verschlungen« (AZ 3b und 4a i.V.m. Aboth 3,2) und: »Ist deine Beglaubigung gut, so brauchst du dich vor ihm (dem Machthaber) nicht zu fürchten« (Lv R 111b), Ähnlich kommentiert auch Lietzmann[68] Röm 13 mit Verweis auf die schon seit alter Zeit im Judentum bestehende Loyalitätspflicht gegenüber fremder Obrigkeit; sie zeige sich vor allem in Opfer und Gebet für den Herrscher[69]. Ein Eid der Essener laute, stets allen die Treue zu halten, am meisten aber den Herrschern, denn ohne Gott erwachse niemandem die Herrschaft (Josephus, Bell Jud II [140] 8,7). Interessant ist, daß

---

[67] Strack-Billerbeck 303ff; dabei ist zu beachten, daß das Quellenmaterial fast ausschließlich kommentarlos präsentiert wird, so daß die Fülle des angeführten Materials für sich spricht. Im Folgenden werden nur wenige Beispiele geboten.

[68] Lietzmann 111ff.

[69] Bezug auf Jer 36,7; Baruch 1,11; 2 Esra 6,9f; 1 Makk 7,33; Aristeas, ep 45; Josephus, Bell Jud II (197) 10,4; Philo, legat 133; Mischnatradition.

beide Kommentatoren in dem sonst reich nachgewiesenen Material keinen Beleg für eine Gewissensbindung des Gehorsams gemäß Röm 13,5 anführen — ein schweigender Hinweis darauf, daß für das »Gewissensmotiv« in der alttestamentlich-jüdischen Tradition noch keine Überlieferung vorliegt.

In einer großangelegten Untersuchung hat sich O. Eck mit der alttestamentlich-jüdischen Wurzel der Tradition von Röm 13 beschäftigt[70]. In ihr will er durch den Nachweis eines ungebrochenen Traditionsstromes von der alttestamentlichen Prophetie bis ins frühe Christentum »die Geschlossenheit der biblischen Botschaft an diesem bislang noch nicht beachteten Punkt« ans Licht treten lassen[71] und so die Kontinuität der gleichermaßen im Alten wie im Neuen Testament erfolgenden Zuerkennung tragender Bedeutung der heidnischen Staatsmacht darlegen.

Eck stellt drei Hauptmotive heraus, die sich in der traditionsgeschichtlichen Entwicklung durchhalten und Röm 13 als deren äußerste Entfaltung erscheinen lassen[72]: 1. die Staatsmacht ist von Gott eingesetzt; 2. die Staatsmacht hat eine bestimmte, von Gott zugewiesene Aufgabe; 3. der göttlichen Einsetzung und Beauftragung der Staatsmacht korrespondiert die Gehorsamspflicht der Regierten. Entscheidende Bedeutung bei der Vermittlung der prophetischen Botschaft ins urchristliche Denken kommt dem Spätjudentum zu: hier wird in der Weisheitsliteratur und in der Apokalyptik, bei Philo und Josephus, vor allem aber in der rabbinischen Tradition das prophetische Gedankengut bewahrt und weiterentwickelt.

Erste Ansätze für das Wissen um die göttliche Einsetzung und Beauftragung weltlicher Macht sieht Eck schon bei den frühesten Schriftpropheten Amos und Hosea. Beide erkennen in Assur die Macht, durch die Jahwe das Strafgericht an Israel vollzieht. Vollends deutlich wird Assur als der strafende Arm Jahwes bei Jesaja. Jahwe entbietet Assur als Zornesrute zur Vernichtung des sündigen Volkes (10,5f; vgl. auch 1,20 und 5,25—29); sein andauernder Zorn befiehlt Assur, daß es Juda vernichte (8,5—8) und Ephraim als ein »Starker und Mächtiger des Herrn« zertrete (28,1—4). Wie Jesaja Assur als Gerichtswerkzeug Jahwes sieht, so Ezechiel Babylon: Alles Verderben durch die benachbarten Heidenvölker bewirkt Jahwe (Kap. 6f; 7,24; 12,10—16; 16,35ff); er selbst hat das Schwert, durch das er das Strafgericht

---

[70] Eck 74ff.
[71] Eck 97.
[72] Das Resümee Ecks lautet: »Die für das gesamte Urchristentum maßgebenden Sätze des Paulus Röm 13,1f erscheinen somit in ihrer abstrakten Grundsätzlichkeit als die letzte zugespitze Verschärfung eines Gedankens, den nach den Propheten und vornehmlich nach Jeremia auch das Rabbinat und das Spätjudentum überhaupt hin und wieder ausgesprochen hat.«

vollzieht und die Sündigen tötet, Nebukadnezar in die Hand gegeben (21,6—10.13—22).

Bei Jeremia schließlich erhält der prophetische Gedanke seine stärkste Ausprägung. Hier sieht Eck, bis ins Sprachliche hinein, Anklänge an Röm 13. Wiederum ist es die heidnische Weltmacht, die Jahwe beauftragt und derer er sich zum Vollzug seines Zorngerichtes bedient[73]. Der konkrete Auftrag besteht im *ekdikein* (5,9; vgl. 5,29; 9,8), das deutlich an das *ekdikos eis orgen* von Röm 13,4 erinnert. Und wenn Jahwe König und Volk »in die Hand« des Heidenkönigs Nebukadnezar »gibt« (21,7; 21,10; 22,25; 32,2; 37,17; 38,3; 44,30), in der Septuaginta wortgetreu mit *didonai* bzw. *paradidonai eis cheiras* übersetzt, so bedeutet dies sachlich »Macht oder Gewalt geben« (*exousian didonai*[74]), ein Begriff, der an Joh 19,11 und Röm 13,1 denken läßt. Ein Zentralbegriff, den Jeremia mit Jahwes Zorngericht verbindet, ist das »Schwert« (*machaira* — 4,10; 6,25; 9,12—15; 11,22; 15,9; 18,21; 19,7; 20,4; 21,1—7), das auch bei Paulus in der Hand der im Dienst Gottes handelnden römischen Staatmacht liegt (Röm 13,4). Auch die »Furcht« (Röm 13,3f) begegnet bei Jeremia: als das »Grauen«, das die in Gottes Auftrag zum Vollzug des Gerichts heranziehende babylonische Streitmacht einflößt (4,5—31; 6,11—26). Schließlich gibt es hinsichtlich der Charakterisierung des Staates als Diener Gottes (Röm 13,4) und der Staatsorgane als Liturgen (Röm 13,6) eine Parallele: Nebukadnezar wird als »Knecht« Jahwes bezeichnet (25,9; 27,6; 43,10), ein Begriff, der neben dem des »Gesalbten« Jahwes als Bezeichnung für den Perserkönig Kyros bei Deuterojesaja (Jes 45,1) steht[75].

Der Einsetzung und Beauftragung der Weltmacht durch Gott entspricht auf Seiten der Adressaten des staatlich-hoheitlichen Handelns Gehorsam und Wohlverhalten: Ist Nebukadnezar die Geißel Jahwes, und hat ihm Jahwe die Herrschaft über die ganze Welt übergeben (Jer 27,6; 28,14), so bleibt wie allen Völkern (27,1—11) auch Israel nichts anderes, als sich zu fügen und zu unterwerfen (21,8—10; 27,12—15; 27,16—22; 38,2f; 38,17f). Selbst die Flucht vor dem Zorngericht Nebukadnezars ist Widerstand gegen Jahwes Gebot, und er wird sie darum auch noch mit seinem strafenden Arm erreichen (42,7—22; vgl. Röm 13,2).

Jeremia geht aber über das schlichte Sichfügen und Gehorchen hinaus: er

---

[73] Eck 77 erwähnt außer den unten im Text angeführten Stellen folgende Belege: Jer 5,15—17; 1,14—16; 6,6; 5,10—14; 16,16—18; 25,8—10.

[74] Eck 77f mit Verweis auf Förster, ThWB II 561.

[75] Den Ausführungen Ecks liegt hier wohl auch das Interesse zugrunde, einen Anknüpfungspunkt für ein kultisches Verständnis von *diakonos theou* und *leitourgoi* in Röm 13 zu finden, wie auch sein Hinweis auf den »Gesalbten« Jahwes bei Deuterojesaja (Jes 45,1) erkennen läßt (79,80).

fordert zum Gebet für die heidnische Staatsmacht auf, die soeben noch unter dem Volk Gottes gewütet und den Tempel in Jerusalem zerstört hat: »Kümmert euch um die Wohlfahrt des Landes, in das ich euch weggeführt habe, und betet für es zu Jahwe, denn seine Wohlfahrt ist euere Wohlfahrt« (29,7; vgl. 1 Tim 2,2). Ähnlich schließt 1 Clem kurz nach der domitianischen Christenverfolgung die Wohlfahrt der römischen Weltmacht (»eirene«) in das Gebet der christlichen Gemeinde ein (1 Clem 61,1). Die Gebetsaufforderung Jesajas enthält mit dem Motiv allseitiger Wohlfahrt zugleich einen ersten Hinweis auf eine nicht nur negative Rolle der Staatsmacht als Organ des Gerichtes, sondern einer positiven Aufgabe: Wahrung der äußeren Ordnung.

»Diese sehr engen Beziehungen zwischen Jeremia und dem Urchristentum« sieht Eck durch die Vermittlung des Judentums inhaltlich »vielfach erweitert und verschärft«[76]. Neben einer die Tradition wahrenden und festigenden Linie[77] zeichnet sich bei diesem Prozeß eine Wendung der Aufgabe des Staates ins Individuelle und Positive ab[78]. Während prophetisches Denken ursprünglich Gemeinschaftsdenken ist, und Gottes Zorn und Gnade immer der ganzen Volks- oder Sippengemeinschaft verheißen wird, findet sich im Spätjudentum, vorbereitet durch Ezechiel und Deuterojesaja mit ihrer auf den Einzelnen gerichteten Sicht, zunehmend der Gedanke, daß die rächende und strafende Macht des Staates auch dem Einzelnen gelte. Parallel hierzu verläuft, vor allem bei den Rabbinen, eine Entwicklung, die die Staatsmacht nicht mehr nur in einer rächenden und strafenden Rolle sieht, sondern darin zugleich auch in einer das Böse zurückdrängenden und so die Ordnung wahrenden, d.h. in einer indirekt das Gute fördernden

---

[76] Eck 81.
[77] Auf die Darstellung des umfangreichen Belegmaterials im einzelnen soll aus Gründen der Übersichtlichkeit verzichtet werden, s. Eck 81ff. Apokalyptik (vor allem Daniel) und Rabbinat bestätigen gleichermaßen, daß Gott es ist, von dem alle (heidnische) Staatsmacht komme, z.B. (die Angaben des apokryphen Schrifttums folgen P. Rießler, Altjüdisches Schrifttum außerhalb der Bibel, Augsburg 1928):
— Gott setzt die Könige ein und ab: Dan 2,21 (vgl. Baruch 82,9);
— Gott nimmt den heidnischen Königen die Macht, wenn sie undankbar sind: Hen 46,5;
— Gott hat das Verfügungsrecht über alles menschliche Königtum, Dan 5,21ff; vgl. Baruch 53,6ff;
— Gott gibt den Königen Herrschaft und Machtfülle, Dan 2,37;
— Die Einsetzung des Herrschers liegt in Gottes Hand, Sir 10,4; 17,17;
— Gott ist es, der den Königen der Erde Herrschaft und Gewalt verliehen hat, und dessen Diener (!) sie sind, Weish 6,1ff.
Zum Rabbinat: Eck 84f, ähnlich wie Strack-Billerbeck, oben 46.
Staatliches Machtwalten als Vollzug des Zorngerichts am sündigen Volk spricht sich aus in: Baruch 2,4; 2,20ff; 3,9f; 4,12; 4,15; Baruch-Apokalypse 1,1—5; 6—8; Josephus, Bell Jud V 1,3; Ps Salom 2,1ff; 2,7ff.
[78] Eck 89ff.

Funktion. Von hier aus ergibt sich für Eck nur ein letzter, in der Konsequenz der vorausgehenden Entwicklung liegender Schritt zu Röm 13,3b.4a, wo der Staat auch als direkt und aktiv zur Förderung des Guten berufen erscheine[79]. Sichtbar wird diese Entwicklung an Sätzen wie dem des Rabbi Jehuda in der Debatte über die Auslegung von Hab 1,14: »Wie bei den Fischen im Meer, der, welcher größer ist als der andere, den anderen verschlingt, so würde auch bei den Menschenkindern, wenn nicht die Furcht vor der Obrigkeit wäre, jeder, der größer ist als der andere, den anderen verschlingen (AZ 3b.4a)«[80]. Dabei erscheint die persönliche Furcht (»fobos«) vor der Staatsmacht als der entscheidende Eindruck, von dem ihre indirekt die Ordnung fördernde Wirkung ausgeht. Es kann aber auch ganz direkt vom rechtswahrenden Charakter staatlichen Tuns die Rede sein: auf die Frage, ob denn die irdische Regierung gut sei, antwortet Simeon b. Laqisch: »Ja, denn sie bringt das Recht der Menschen zur Geltung« (Gen Rabba 9 gegen Ende). Dieser Gedanke kann auch im Umkehrschluß aus Weisheit 6,4 gezogen werden, wo den heidnischen Königen vorgehalten wird, daß sie als Diener seines (Gottes) Reiches kein gerechtes Urteil gefällt und das Gesetz nicht bewahrt hätten.

Den Überlegungen zum Staat und seiner Aufgabe korrespondiert auch im Judentum der Gehorsamsgedanke. Der Gehorsam zeigt sich im Gebet und in der Achtung und Anerkennung der gottgesetzten Aufgabe des Staates, wie sie vor allem in der Darbietung von Opfern zum Ausdruck kommt, die dem Wohl des Königs und dem Bestand seiner Herrschaft dienen[81]. Solche Opfer werden noch unter der Römerherrschaft, also zur Entstehungszeit des Urchristentums, für den Kaiser dargebracht[82]. Die Bedeutung der Opfer und der sie begleitenden Gebete als Ausdruck der Loyalität gegenüber dem römischen Imperium war so groß, daß ihr Aufhören im Jahr 66 n. Chr. das Signal zum Beginn des Aufstandes war[83]. Im übrigen mahnt die rabbinische Überlieferung: »Sei leichten Sinnes und willig zur Dienstleistung (der Obrigkeit gegenüber) ...« (Pirqe Aboth 3,12), wie für sie überhaupt Ehrfurcht auch vor dem heidnisch-herrschaftlichen Walten ganz allgemein eine Forderung Gottes ist.[84].

Eck sieht in dieser Traditionslinie, die urchristlich bis Röm 13,1; Tit 3,1; 1 Petr 2,13ff reicht, eine »großartige Einheitlichkeit« der Offenbarung, an de-

---

[79] Eck 92.
[80] Eck 90.
[81] Z.B. Baruch 1,10—13; Esra 6,9f; vgl. Eck 98.
[82] Z.B. Josephus, Ant. Jud XVI 2,1; XVIII 5,3; Bell Jud II 10,4; Philo, Legatio ad Cajum Kap 23 § 152f und Kap 45 § 355ff, vgl. Eck 99f.
[83] Josephus, Bell Jud II 17,2, vgl. Eck 100.
[84] Eck 102 mit Verweis auf die zahlreichen Belege bei Strack-Billerbeck 305.

ren innerbiblischen Zusammenhang alle Versuche scheitern müssen, die Stellung des Urchristentums zum Staat, wie es vor allem in Röm 13 und seiner Tradition zum Ausdruck kommt, historisch, psychologisch oder politisch zu begründen. Von hier aus scheint es als gewiß, »daß das Urchristentum dem Reich dieser Welt seine tragende Bedeutung für die Wahrung der Ordnung in diesem Äon ... beimessen konnte, weil es in einer Tradition stand, die ihm von den Propheten her durch das Judentum überliefert wurde«[85].

Die Auffassung Ecks findet, ihrem wesentlichen Ergebnis nach, auch sonst bei naturrechtlich-ordnungstheologischen Auslegern Widerhall bzw. Entsprechung. Mancher der Autoren ergänzt das Bild, etwa durch Hinweis auf parallele außerbiblische Traditionen, von der »Metaphysik« der altorientalischen Imperien (Assur-Babylon, Kyros) bis hin zu Alexander und zum Römischen Reich[86] und betont so die Allgemeinheit dieser Anschauung, oder auch durch Hinweise auf staatskritische Stimmen, wie sie hier und dort, etwa in den Sibyllinischen Orakeln oder bei der Qumransekte oder auch sonst in der zeitgenössisch-antiken Umwelt des Urchristentums, gelegentlich zu hören sind[87]. Die Essener kennen nicht nur den bereits erwähnten Treueid auf die Obrigkeit (Josephus, Bell Jud II [140] 8,7), sondern ebenso nicht unbeträchtliche Spannungen zur innerjüdischen und zur fremden Staatsmacht. Im Ganzen der spätjüdischen Literatur bleibt jedoch, trotz manch gegenläufiger Motive, die »grundsätzlich positive Qualifikation« staatlichen Seins und Wirkens gewahrt[88]. Und wenn Paulus, trotz mancher Negativerfahrung mit dem römischem Staat, so »erstaunlich vorbehaltlos« in Röm 13 sprechen kann, erklärt sich das vornehmlich aus der Tradition jüdischer Schöpfungs- und Geschichtstheologie[89].
So ergibt sich ein Gesamtbild, das Röm 13,1—7 in eine nicht schematische, im wesentlichen aber eindeutige Tradition eingeordnet sieht und gerade darin eine Steigerung und Festigung des grundsätzlichen Duktus der Stelle erblickt. Die Traditionalität von Röm 13 enthält so ein wichtiges Moment für Bedeutung und Geltungsanspruch seiner Aussagen.

Aber nicht überall im Bereich der naturrechtlich-ordnungstheologischen

---

[85] Eck 103, 104.
[86] Stauffer, Theologie NT 63ff; Hick 19ff; Böld 58; Gaugler 139ff; Kosnetter 349ff; Schelkle, Theologie NT 327ff, Römerbrief 198. Przywara 7ff sieht Röm 13 ganz in der Linie der Staatsaussagen des Buches Daniel. Der entscheidende Gesichtspunkt, daß alle Staatsmacht (ob weltlich oder geistlich) aus Gott sei, ist in Daniel vorabgebildet und in Röm 13 erfüllt.
[87] Sibyllinen 3, 175—192; 3,520—536; 4,143—159; vgl. Zsifkovits 35f.
[88] Zsifkovits 36ff (41).
[89] Schelkle, Theologie NT 334, Römerbrief 197, 198.

Interpretation wird zur Klärung des Textverständnisses auf Tradition zurückgegriffen. Viele Interpretatoren gehen auf das Thema Tradition nicht ein, sondern begnügen sich mit der Tatsache, daß Paulus die Sätze unmittelbar so gesagt und gemeint hat, wie sie in ihrer Direktheit und Grundsätzlichkeit anmuten. Man stellt den Charakter seiner Aussagen als »allgemeine Regel«, als »Lehre«, als »Abriß der Staatsethik« oder sonst als allgemeine Äußerung fest[90], mit der Paulus jedweden Staat meine, gleich, in welchem Maße er der ihm von Gott gesetzten Aufgabe gerecht werde. Damit kommen diese Autoren, ohne die Traditionsfrage zu berühren, zum selben Ergebnis. Die Einheitlichkeit der die naturrechtlich-ordnungstheologische Auslegung bestimmenden Sicht bleibt gewahrt: sie liegt in der Anerkennung unbedingter Geltung des im Offenbarungsgeschehen hervortretenden Willens Gottes. Einmal ist es die Autorität des Apostels, die unmittelbar für die christliche Authentizität des Gesagten steht, zum anderen erscheint diese Autorität durch die Wucht einer langen Offenbarungsgeschichtte noch untermauert.

Diese Linie hält sich auch dort durch, wo als das primäre Ziel des Apostels nicht die Begründungssätze mit ihren allgemeingültigen Formulierungen, sondern die paränetische Absicht der Mahnungen angesprochen wird[91]. Paulus gehe es in erster Linie nicht um grundsätzlich-theoretische Erwägungen über den Staat, sondern um konkrete praktische Weisung an die Christen. Die Begründung, mit der solche Weisung ergehe, dürfe daher nicht überbetont werden. Trotz dieser Einschränkungen wird aber auch hier, unter dem Eindruck der ausführlichen und in sich klaren Begründung der Forderung, keine die Grundsätzlichkeit im ganzen relativierende Korrektur der Aussagen vorgenommen. Der Charakter des Ganzen ist eben durch die »Grundsätzlichkeit der Paränese« bestimmt[92].

Schließlich ist im Rahmen der Erwägungen um die Tradition von Röm 13

---

[90] Solche und ähnliche Umschreibungen, die auf die Grundsätzlichkeit und Allgemeinheit der Textaussagen abstellen, verwenden z.B.: Stratmann 66, 69; Zahn 556, 557; Kühl 431; Nygren 304, 305; Gutjahr 415, 416; Huby-Lyonnet 434; Sickenberger 279, Lagrange 310f; Koch-Mehrin 395; Grosche 179; Pieper 37; Prümm 165, 168; Asmussen 265, 266.
So auch die Autoren, die die Tradition zum näheren Verständnis des Textes heranziehen: Schelkle, Theologie NT 334, 337, Römerbrief 194, 195; Zsifkovits 65f; Althaus 131; Böld 58, 65; Schlatter 350 f; H.W. Schmidt 219; Dehn, Leben 69; Gaugler 134; Hick 41,56.
[91] So z.B. Zsifkovits 53f; Schelkle, Römerbrief 196; Nieder 94.
Gelegentlich wird ein paränetischer Charakter von Röm 13,1—7 aber auch in Abrede gestellt, z.B. Althaus 131: »Nicht mehr wie bisher im Stile der Ermahnung, sondern in der Form eines allgemeingültigen Grundsatzes stellt Paulus voran das Gebot der gehorsamen Unterordnung unter die ›vorgesetzten Gewalten‹ ...«
[92] Selbst Schelkle, der in Theologie NT 327ff mit einer relativierenden Betrachtung am weitesten geht, betont nach der Feststellung, daß dem Alten und Neuen Testament abstrakte

auf das neutestamentliche Logion in der Zinsgroschengeschichte (Mk 12, 13—17 Par) einzugehen. Die naturrechtlich-ordnungstheologische Auslegung sieht in dem Wort Jesu »Gebt dem Kaiser, was des Kaisers ist, und Gott, was Gottes ist« eine wichtige urchristliche Parallele bzw. Vorprägung zu Röm 13,1—7[93]. Die Nähe zu diesem Wort wird im allgemeinen auf die Ähnlichkeit des Gedankens zurückgeführt, vereinzelt auch auf Stichwortgleichheit, wie *foros* (Lk 20,22 / Röm 13,6) oder *apodote* (Mt 22,21 / Röm 13,7)[94]. Dabei gibt es keinen Zweifel, daß das Wort Jesu als Anerkennung einer Eigenständigkeit und eines positiven Dienstes des Staates zu werten sei. Christus habe das provozierende Entweder — Oder der Pharisäer mit einem »Sowohl — Als auch« beantwortet. »Damit hat er eine im Grundsätzlichen recht positive Auffassung über den Staat ausgesprochen«[95]. Freilich werde damit der Staat Gott nicht gleichgestellt, Gott gebühre jedenfalls der Vorrang. Angesichts der überragenden Autorität Gottes kann dem Staat nur ein relatives Recht zukommen. Insoweit erscheint der zweite Teil des Herrenwortes dem ersten vorgeordnet. Doch ist trotz solcher Einschränkungen nicht zu übersehen, daß eine Reihe von Auslegern, zumindest der Tendenz nach, den Staat für den Bereich des irdischen Lebens mit nahezu gottebenbürtigen Ansprüchen ausgestattet sieht, so daß seine eigentliche Grenze erst dort aufscheint, wo die alleinige Verehrung Gottes angetastet wird und er das Herrsein Gottes für sich nicht mehr gelten lassen will. So gibt es ein Nebeneinander von Gottesherrschaft und bürgerlicher Pflichterfüllung, gibt es die beiden gottgewollten Pflichtenkreise, in denen der Mensch gleichermaßen steht und gewissensmäßig gebunden ist, gibt es das Vorbild Jesu, der sich »demgemäß dem Staat seiner Zeit willig ein- und untergeordnet (hat)«[96]. Vereinzelt wird sogar der sonst wenigstens noch theoretisch aufrechterhaltene Vorrang der zweiten Hälfte des Jesuslogions vor der ersten bestritten und eine Gleichung »Christus

---

Lehre über Recht und Staat fremd sei: »In der konkreten Geschichtlichkeit kommen aber doch auch grundsätzliche Auffassungen und Urteile zur Sprache.«

[93] Zsifkovits 46f; Schelkle, Römerbrief 197; Gaugusch 533, 535; Hick 70f; Kittel 7ff; Eck 23,42; Stauffer, Theologie NT 175; Pieper 14ff, 45; Brunner, Römerbrief 91; Huby-Lyonnet 437; H.W. Schmidt 221; Dehn, Engel 93, Leben 91f; Sickenberger 279; Lietzmann 113. Gegen die Annahme einer Parallele: Gaugler 154; Zweifel äußert auch Kuß 334.

[94] Z.B. Kittel 7f; Eck 23,42; vgl. auch Stauffer, Theologie NT 175; Staatsideen 17f, wo Stauffer Paulus Jesus biblizistisch harmonisieren sieht, indem er dessen Wort, das das Staatsproblem säkularisiere und rationalisiere, gemäß der reichstheologischen Vorstellung Jeremias deute und so retheologisiere.

[95] Zsifkovits 47. Sinngemäß auch die meisten der in Anm. 93 genannten Autoren, z.B. Pieper 14ff; Hick 70f; Huby-Lyonnet 437; Gaugusch 533, 535; Brunner, Römerbrief 91; Kittel 16f; Eck 15f.

[96] So Hick 70ff (73); ähnlich Pieper 14ff; vgl. auch Stauffer, Theologie NT 177.

und Imperator« aufgestellt[97] oder gar das »Imperium Caesaris« als Weg zum »Imperium Dei« gepriesen[98].

Im Ganzen der naturrechtlich-ordnungstheologischen Interpretation macht die Traditionalität der Gedanken in Röm 13,1—7, ob alttestamentlich-jüdisch oder neutestamentlich-christlich, einen gewichtigen Teil der Posivität und Grundsätzlichkeit ihres Textverständnisses aus.

b. Die Traditionalität der Motive und die Notwendigkeit der Uminterpretation

Geradezu umgekehrt ist die Stoßrichtung der konkret-charismatischen Auslegung. Für sie spielt die Herkunft der Motive aus der Tradition eine überaus wichtige Rolle bei der kritisch-relativierenden Beurteilung des Textes. Dibelius meint: »Niemand kann überhaupt aus diesem Text entnehmen, daß hier ein christlicher Apostel eine christliche Gemeinde ermahnt. Paulus hat eine traditionelle Mahnung der hellenistisch-jüdischen Paränese weitergegeben, ohne sie mit einem besonderen Stempel zu versehen[99]. Röm 13,1—7 lasse sich nur dann richtig auswerten, wenn zwei Voraussetzungen berücksichtigt würden: »daß der Hauptgedanke nicht von Paulus, sondern aus der Tradition stammt und daß er bei Paulus eine selbstverständliche — nämlich eschatologische — Einschränkung erfährt«[100]. Was die Traditionsfrage angeht, sei vor allem eine Nähe zu dem Gehorsamsgelübde der Essener gegeben, wonach niemandem die Herrschaft ohne Gott zukommt (Bell Jud II [140] 8,7). Diese kritiklose Akzeptation der jeweiligen Herrschaft erinnere zugleich an die Haltung des Stoikers[101]. Bei Paulus werde die Anerkennung des Staates aber auch rational begründet: mit dessen sittlichem Auftrag (die Guten belohnen und die Bösen bestrafen). Das entspreche dem Gebet des Rabbi Chananja für die Obrigkeit um 70 n. Chr. (Mischna Aboth III,II), in dem die Aufforderung, für das Wohl der Regierung zu beten, mit der Furcht vor ihr begründet wird, weil die Menschen sonst einander schon lebendig verschlungen hätten[102]. Zu diesen Feststel-

---

[97] Kittel 16; ferner: »Durch das Wort Jesu ist grundsätzlich konstituiert, was man das Eigenrecht des Staates nennen muß« (17).

[98] Stauffer, Christus und die Caesaren, Hamburg ⁵1960, 146.

[99] M. Dibelius 184: vgl. Bartsch, Römer XIII 405, Staat 387 f; Lohse 100.

[100] M. Dibelius 181; vgl. hierzu auch Aland 41ff (50); Kümmel 140f. Zur Argumentation über die »eschatologische Einschränkung« oben 106f.

[101] M. Dibelius 182 Anm. 14 mit Verweis auf Epiktet I 1,30, wo Agrippinus die Nachricht, er sei im Senat zur Verbannung verurteilt, ohne jede Kritik mit den Worten aufnehme: »So wollen wir das Frühstück in Aricia einnehmen.«

[102] M. Dibelius vermutet hinter diesem Gebet eine Zuspitzung auf eine »vollkommene Anarchie«, die Rabbi Chananja in der jüdischen Revolution und im Krieg mit den Römern kommen sah.

lungen, die die sachlich-inhaltliche Seite betreffen, tritt die Auffassung Dibelius', es handele sich bei der Ermahnungsreihe, zu der auch Röm 13,1—7 gehöre, um »lauter sogenannte Paränese«, um Einzelstücke, die inhaltlich und in ihrer Begründung nicht miteinander verbunden seien und im wesentlichen überliefertes jüdisches und hellenistisches Gut — oft unreflektiert — weitergäben[103]. Dibelius zieht daraus den Schluß: »Dann ist also Paulus für die Formulierung von Röm 13 nicht in vollem Maß verantwortlich«[104]. Dies werde aufs stärkste bestätigt durch die Beobachtung, daß die Mahnung in ihrem Wortlaut so gar keine Spur einer speziell christlichen Begründung zeige. Der christliche Charakter dieser wie manch anderer Paränese beruhe einzig in der Aufnahme der überlieferten Mahnung in die christliche Ermahnungsreihe. Das Moment des »Christlichen« besteht somit bei Dibelius nur im formalen Akt der Anknüpfung, nicht in inhaltlicher Zugehörigkeit. Folgerichtig ist es dann allein die — freilich noch eschatologisch zu relativierende — Mahnung, die für den Christen maßgeblich ist, nicht aber die Begründung der Mahnung mit ihren Aussagen über Herkunft und Aufgabe des Staates. Die Frage, ob Paulus nicht durch die Aufnahme solch traditionsgeprägten Gutes in die »christliche Ermahnungsreihe« dieses Gut gerade auch als christlich zu verantwortendes Denken und Handeln einbringen will, stellt Dibelius nicht. Für ihn erklärt sich umgekehrt das Festhalten Paulus' an der Tradition aus der durchgängig eschatologischen Motivation seiner Rede: Paulus kann es sich gewissermaßen leisten, auf einen Bruch mit der Tradition zu verzichten, er kann die alten Auffassungen und Forderungen hinnehmen, weil alles christliche Handeln doch aus der Zugehörigkeit zum neuen Äon lebt und so auch die Loyalität gegenüber den staatlichen Behörden nur in eschatologischer Bedingtheit besteht[105/106].

Auch in dem Wort Jesu in der Zinsgroschengeschichte kann Dibelius keinen positiven Ansatz im Sinne eines grundsätzlichen, dem Staat einen »Eigenstand« zubilligenden Verständnisses sehen. Formell besteht die Ant-

---

[103] M. Dibelius, Formgeschichte, a.a.O. (32 Anm. 10) 329ff, Jakobusbrief, a.a.O. (32, Anm. 10) 3ff.
[104] M. Dibelius 183.
[105] M. Dibelius 184f.
[106] Auf die wesentlich traditionelle Prägung von Röm 13,1—7 und seine eschatologische Einschränkung weist ebenfalls hin: Michel 394 »Der ganze Abschnitt spricht im Stil der jüdischen Weisheitslehre …« und 397 »Es scheint so, als bringe Paulus eine geformte Tradition zur Geltung, deren Spuren sich im Judentum (vielleicht auch in der Jesustradition) nachweisen lassen«, vgl. auch die Übersicht über die Traditionsbelege 399f; Michel 396 »Die eschatologische Ausrichtung von Röm 12,1—2 ist eine Voraussetzung für den Gehorsam von Röm 13,1—7«.
Vgl. auch Käsemann, Römerbrief 339f, 342, 345; Grundsätzliches 207, 218f; Römer 13 373f.

wort Jesu aus zwei Sätzen (»so gebt dem Caesar das, was ihm gehört und Gott das, was sein ist«). Aber es ist leicht zu bemerken, »daß dieser Parallelismus ironisch gemeint ist«. In Wirklichkeit dürfe nicht an die Forderung des Kaisers gedacht werden — die stehe auf Grund der eschatologischen Verkündigung des kommenden Gottesreiches im Hintergrund —, sondern Jesus fordere, was allem übergeordnet sei: Gott zu geben, was sein ist[107]. Die an bestimmte Ergebnisse der formgeschichtlichen Forschung anknüpfende Grundposition Dibelius' ist, vor allem was die weitgehende Gleichsetzung von traditionell und nichtchristlich angeht, für die gesamte konkret-charismatische Auslegung charakteristisch. Alle Argumente gehen ausgesprochen oder unausgesprochen von dieser Prämisse aus. Käsemann, der unseren Text hinsichtlich der theologischen Motive in der Linie jüdischer Überlieferung sieht und hinsichtlich der »Profanität der Sprache« den »Jargon der hellenischen Bürokratie« hört[108], versucht das Mißverhältnis von christlich vertretbarer Mahnung und traditioneller, christlich nicht zumutbarer Begründung zu klären. Er hält zur näheren Charakterisierung der paulinischen Paränese Ausschau nach Analogien für unsere Stelle (Motiv der Unterordnung) und findet sie in 1 Kor 14,33ff, wo unter dem gleichen Stichwort »Unterordnung« das »dekretale Verbot weiblicher Aktivitäten im Gottesdienst« die apostolische Autorität stärke, und zwar gleichermaßen durch Hinweis auf die kirchliche Praxis und konventionelle Schicklichkeit wie auf den Nomos und Logos Gottes und schließlich auf die pneumatische Einsicht der Gemeinde[109]. Auch in 1 Kor 11,2ff, wo Paulus die Verschleierung der Frau befehle, sei das Hauptmotiv die Forderung nach gottgewollter Unterordnung (der Frau unter den Mann). Die Begründung hierfür sei gekennzeichnet durch das Nebeneinander verschiedener Elemente: sei es zunächst eine Art Metaphysik, die Emanationsreihen kenne, dann der Bezug auf die Schöpfungsgeschichte, dann eine »für unsere Begriffe abergläubige Vorstellung« über das Wirken von Engeln im Gottesdienst, dann der Rückgriff auf eine »mehr oder minder ad hoc konstruierte Naturordnung« und schließlich auf die allgemeine Konvention der paulinischen Gemeinden[110]. Käsemann kommt zu dem Schluß, die von Paulus gegebenen Begründungen erwiesen sich als traditionell und in ihrer Vielzahl eher als abschwächend[111]. Wenn irgendwo, so werde hier (1 Kor 11,2ff) sichtbar, »daß die konkrete Begründung paulinischer Paränese problematisch sein kann, nämlich weder theologisch fundiert noch ohne weiteres

---

[107] M. Dibelius 178; vgl. auch Bartsch, Staat 385.
[108] Käsemann, Römer 13 361; vgl. auch Conzelmann-Lindemann 419f.
[109] Käsemann, Römerbrief 344.
[110] Käsemann, Grundsätzliches 216, Römer 13 375f.
[111] Käsemann, Römerbrief 344; vgl. auch Grundsätzliches 216f und Römer 13 375.

einleuchtend... Sie bedient sich nicht nur traditioneller Anschauungen ...,
sondern schreckt gelegentlich auch nicht vor Rückgriffen in das Arsenal eines zweifelhaften Weltbildes, ja sogar des Volksaberglaubens zurück«[112].
Zweifel am Wert paulinischer Begründungen kommen Käsemann auch angesichts 1 Kor 6,1ff, wo Paulus — im Gegensatz zu dem positiven Urteil
über den Staat in Röm 13 — aus apokalyptischer Sicht heraus die weltlichen Gerichte, also politische Instanzen, als Schiedsrichter für innergemeindliche Streitfälle »recht geringschätzig ablehnt«[113]. Käsemann faßt zusammen: »In allen genannten Fällen dient sie (die Begründung) mit mehr
oder weniger einleuchtender Eindringlichkeit der Forderung, die sich aus
der Situation ergibt, macht sie sich vorliegende Tradition wie hier eine als
patriarchalisch zu kennzeichnende Anschauung unbefangen zu eigen, muß
nicht auf ihre teilweise schlechterdings antiquierte Einzelbegründung, sondern auf ihr zentrales Anliegen hin ausgerichtet werden«[114]. Dies sei der
Appell an die pneumatische Einsicht der Gemeinde (1 Kor 14,33ff), die ihr
Gerufensein im Dienen inmitten irdischer Angefochtenheit bewähre[115].
Demgegenüber handele es sich bei der in Röm 13,1—7 gegebenen Begründung um »Zweckoptimismus« gegenüber der politischen Gewalt[116]. Die
Traditionalität der Anschauung verrate sich durch die »pauschale, weder
die komplizierten Verhältnisse noch die persönlichen Erfahrungen des
Apostels berücksichtigende Sentenz ...«[117].
Formal stellt Käsemann auf die Kürze der Begründung in Röm 13,1—7 als
Merkmal seiner traditionellen Herkunft ab[118]. Das steht allerdings in Wi-
derspruch zu eigener Argumentation: Bei den von ihm als »lehrreich« herangezogenen analogen Stellen 1 Kor 11,2ff; 14,33ff hatte er gerade den Um-

112 Käsemann, Grundsätzliches 216f.
Die »Schwäche der paulinischen Argumentation« ist ein für Käsemann beherrschendes und
immer wiederkehrendes Moment seiner Beweisführung, vgl. Römerbrief 344, 345; Grundsätzliches 217, 218; Römer 13 375, 376. Neugebauer 160 (mit Bezug auf Käsemann, Römer 13
375f) merkt kritisch hierzu an, Käsemann versuche einerseits die Begründung 1 Kor 11,1ff zu
bagatellisieren, andererseits würdige er sie im Sinne seiner Interpretation von Röm 13: es gehe
in beiden Fällen um die gleiche Sache, nämlich den Widerspruch gegenüber enthusiastischen
Vorstellungen. Neugebauer bestreitet im übrigen, daß die beiden Texte vergleichbar seien. 1
Kor 11,16 beweise, daß Paulus am Schluß seiner Argumentation selbst nicht von deren zwin-
gender Logik überzeugt gewesen und so mit seiner Mahnung in der »Schleierfrage« auch nicht
durchgedrungen sei, ganz im Gegensatz zu Röm 13.
113 Käsemann, Römerbrief 345.
114 Käsemann, Römerbrief 345.
115 Käsemann, Römerbrief 344, 347; Grundsätzliches 218; siehe auch Michel 396, der Röm
13,1—7, das den eschatologischen Vorbehalt von Röm 12,1—2 (»Sich-nicht-gleichstellen« und
»Erneuerung des Sinnes«) scheinbar nicht kenne, in der Gefahr sieht, »im unevangelischen
Sinn« mißverstanden zu werden.
116 Käsemann, Grundsätzliches 218.
117 Käsemann, Römerbrief 345.
118 Käsemann, Römerbrief 341; Grundsätzliches 218.

fang der Begründungen (ihre »Vielzahl«) als charakteristisch für die traditionelle Prägung der paulinischen Paränese hervorgehoben[119].

Eine Aufnahme des Herrenwortes aus der Zinsgroschengeschichte Mk 12,13ff Par in Röm 13 hält Käsemann für unbeweisbar. Abgesehen davon, ob die hier vorliegende Gattung des Streitgesprächs nicht auf Gemeindebildung hinweise und so die »originelle Fassung der Pointe Mk 12,17« nicht Jesus selbst zuzuschreiben sei, bedürfe Paulus' Paränese nicht solcher Stützung. Paulus habe lediglich die unangefochtene Praxis der Entrichtung von Steuer und Zoll im Blick, »anders wäre hier die so auffälligerweise fehlende christologische Motivation leicht zu geben gewesen«[120].

Auf den beiden Begründungssträngen Situation (Pneuma/Charisma) und Tradition (die allerdings schon als nichtchristlich verstanden wird) gelangt Käsemann zu vehementer Ablehnung einer über die paränetische Forderung hinausgehenden Aussage grundsätzlichen Charakters[121]. Der im Text erscheinende Hinweis auf eine allgemeingültige Vorstellung sei nur eine »recht fragmentarische« Andeutung, die nicht zu einem System oder zu einer ordnungstheologischen Theorie ausgebaut werden dürfe[122].

Friedrich äußert, wenn auch mit variierter Begründung, eine im Ergebnis ähnliche Überzeugung. War es bei Käsemann die Schwäche paulinischer Begründung, die ihre apodiktisch-generellen Aussagen als relativierungsbedürftig erscheinen ließ, ist es bei Friedrich das Argumentativ-Offene des paulinischen Stils selbst, das einem grundsätzlich-verallgemeinernden Verständnis der Stelle wehrt. Diese Sicht basiert zunächst auf dem deutlichen Zurücktreten der alttestamentlich-jüdischen Tradition gegenüber anderen, in Röm 13 aufgenommenen Einflüssen; entsprechend erscheint Paulus an entscheidenden Punkten freier in seinen Absichten und Aussagen und weniger festgelegt durch traditionsträchtige, ins Allgemeingültige gehende Vorstellungen. Die bisher so schwerlastige alttestamentlich-jüdische Überlieferung, die den Gesamteindruck von Röm 13 zu bestimmen schien, findet bei Friedrich — ganz im Gegensatz zu den weitausgreifenden Erörterungen über andere Röm 13 prägende Momente — lediglich summarisch-informative Erwähnung und wird dann auch in ihren Auswirkungen auf den Text inhaltlich nicht näher gewichtet und geklärt. Die Darlegungen Friedrichs stehen ganz unter dem Eindruck von Einflüssen hellenistisch-römischer Verwaltungssprache und dahinterliegender zeitgenössischer

---

[119] Käsemann, Römerbrief 339; Grundsätzliches 217.
[120] Käsemann, Römerbrief 339; siehe auch Schnellmelcher 6—10; ablehnend auch Friedrich 155f.
[121] Käsemann, Römerbrief 341, 345; Grundsätzliches 208, 215ff; Römer 13 317ff, 373f.
Zur Ablehnung eines lehrhaft-allgemeinen Charakters siehe auch Michel 395, 400, 405f.
[122] Siehe auch Schneemelcher 11ff.

bürgerlich-politischer Lebensvollzüge. Zuvor jedoch wird, im Anschluß an Wilckens[123], auf einen verbreiteten Topos urchristlicher Paränese vom rechten Verhalten des Christen in der politischen Welt und auf stilkritische Untersuchungen hingewiesen, die erkennbar machen, daß Röm 13,1—7 angesichts der nicht direkt voneinander abhängigen Parallelen 1 Petr 2, 13—17; 1 Tim 2,1 und Tit 3,1f und einer Reihe typisch paulinischer Worte im Text[124] als durchaus selbständige Formulierung aufzufassen sei. Keiner der Verse Röm 13,1—7 könne einfach als übernommenes Zitat gelten: »Wir haben im Gegenteil einen vom Apostel selbst (auf Grund von Überlieferungsmaterial) diktierten (vgl. 16,22) und ausgesprochen sorgfältig strukturierten Text vor uns; V 5 ... ist sogar rein paulinisch formuliert«[125]. Wesentliches Ergebnis der Ausführungen zu Topos und Stil ist das Paulinisch-Selbständige der Textfassung.

Die durchaus im Text enthaltenen unpaulinischen Worte wie »*ekdikos*«, »*diatage*« und »*machaira*«[126] mindern diesen Eindruck nicht; durch spezifischen Gebrauch verlieren sie ihren Ordnung und göttliche Autorität heischenden Sinn. So ist für Friedrich »*diatage*« ein staatsrechtlich neutraler und auch sonst kaum festgelegter Begriff. Paulus drücke sich, um falsche gedankliche Assoziationen zwischen dem Willen Gottes und staatlichen Anordnungen — wie dies im Blick auf zeitgenössische Herrscherideologien naheliege — zu vermeiden, bewußt so aus, »daß in staatsrechtlicher Hinsicht keine dem Leser u.U. geläufige Traditionskette geprägter Aussagen seine These untermauert«[127]. In gleicher Zielrichtung deutet er die Verwendung des Begriffs »*machaira*«, anders als Auffassungen, die in der Schwertgewalt des Staates (auch) ein Phänomen des göttlichen Strafgerichts sehen, betont auf die schlichte staatliche Straf- und Polizeigewalt hin, wie sie im römisch-rechtlichen Bereich gehandhabt wird[128]. In alledem zeigt sich paulinisch-freier Umgang mit dem vorhandenen Begriffs- und Motivmaterial.

Auf »geprägte Sprache und feste Vorstellungen« stößt Friedrich vor allem dort, wo der Text nicht typisch paulinisch sei: in Begriffen wie »*exousiai hyperechousai*« (V 1) und »*archontes*« (V 3), die »in detaillierter Weise« staatsrechtliche Verwaltungssprache und Anschauung der hellenistisch-römi-

---

123 Friedrich 131ff.
124 Friedrich 134, z.B. »*to agathon*«, »*diakonos theou*«, »*orge*«, »*syneidesis*«, »*leitourgoi theou*«, »*apodidomi*«.
125 Friedrich 147.
126 Friedrich 147ff; außer den genannten Worten wären zu erwähnen: »*antitassomai*«, »*foros*«, »*telos*« sowie die Pluralbildung »*exousiai*«.
127 Friedrich 136ff (13f) gegen Strobel, Römer 13 86 mit Anm. 109.
128 Friedrich 140ff (144) mit Bezug auf römisch-rechtliche Literatur (u.a. Mommsen und Kunkel).

schen Welt des 1. Jahrhunderts spiegelten. Hier geht es um politische Alltagsvorgänge — des Lobens und Strafens, des Richtens und der Wahrnehmung fiskalischer Interessen —, nicht aber um theoretisch-übergreifende Gehalte des Wesens und der Funktion des Staates als ganzem. Es wird davon gesprochen, was in Rom zu jener Zeit bürgerlich-staatliche Übung war. Paulus bedient sich dieser Sprache, um die Christen undogmatischnüchtern an das allgemein Übliche zu erinnern, das auch in ihrem neuen Leben seine Gültigkeit nicht schlechthin verliert. Dabei scheint Paulus bemüht, jedwede ordnungsmäßige Aussage im Verhältnis zwischen Gott und der Staatsgewalt zu vermeiden. »Nüchterne Interpretation« des Textes hatte bereits Käsemann unter Bezugnahme auf die »Sprache hellenistischer Administration« (i.V.m. jüdischer Motivation und dem paränetischen Charakter der Stelle) gefordert[129].

Für Friedrich steht somit Röm 13,1—7 in der Linie dreier überlieferungsgeschichtlicher Komponenten, deren Ertrag für die Textbewertung kurz folgendermaßen umrissen werden kann:

— die alttestamentlich-jüdische Tradition: sie erscheint in ihrer Bedeutung unbestimmt, dabei aber erheblich gemindert;

— der urchristliche Topos: er liefert — bei aller Anlehnung an Überkommenes — das Moment paulinisch-selbständigen Sprachgebrauchs;

— die hellenistisch-römische Verwaltungssprache: sie geht auf Nüchternheit und rechtlich Alltägliches und weist so auf den nichtgrundsätzlichen Skopos des Textes.

Diese Sicht bleibt nicht ohne Folgen für das Gewicht, das einer so strukturierten Tradition bei der inhaltlichen Beurteilung von Röm 13 noch zugemessen werden kann: einmal erscheint der Text, entgegen seinem unmittelbaren Eindruck, nicht mehr grundsätzlich-allgemein, zum andern büßt er durch die Mehrzahl der in ihm enthaltenen Einflußmomente an Geschlossenheit und prägender Kraft ein. *So* repräsentiert die Tradition nicht mehr eine die Forderung bestimmende und tragende Dimension. Was bleibt, ist allein die in die konkrete geschichtliche Situation gesprochene Forderung selbst, während die sie begründenden traditionellen Momente lediglich zeitbedingte Faktoren in unterstützender Funktion darstellen.

---

[129] Käsemann, Römerbrief 346; siehe auch Bornkamm, Paulus 216.
Sowohl Käsemann als auch Friedrich berufen sich hinsichtlich des Vorliegens römisch-hellenistischer Verwaltungssprache in Röm 13,1—7 auf Strobel, dessen Untersuchungen allerdings vor dem Hintergrund eines anderen Streitgegenstandes, nämlich des »*exousia*«-Begriffs (betr. angelologische Theorien), stehen und selbst keine Position zu der hier erörterten Frage beziehen.

Diese Tendenz wird noch einmal verstärkt durch das stetige Rekurrieren auf die Situation: sie schwingt nicht nur im allfälligen Bezug auf die Zeitverhältnisse der hellenistisch-römischen Welt mit, die bis auf das Jahrhundert genau terminiert werden, sondern äußert sich vor allem in der sog. Steuerproblematik, die um das Jahr 58 n. Chr. in Rom bedrängend gewesen sei; sie habe für die Entstehung unseres Textes einen höchst aktuellen Anlaß gegeben, für dessen Regelung in Röm 13,6b.7 »keine eindeutigen und gleichlautend positiven jüdischen oder hellenistischen Parallelen« vorgelegen hätten, für Friedrich ein deutlicher Hinweis auf einen von Paulus gesetzten Akzent, dem — im Sinne situativer Bezogenheit des Textes — größere Aufmerksamkeit geschenkt werden müsse[130].

So erscheint Paulus als ein Autor, der in Röm 13 »auf Grund« von Überlieferungsmaterial, also wohl auch unter gewisser Berücksichtigung desselben, im wesentlichen aber doch eigenständig die verschiedenen Elemente gestaltet und dem Text eine dem persönlichen Aussagewillen und der geschichtlichen Situation entsprechende Fassung gibt. Diese an keiner Tradition letztlich festmachende, Altes und Neues souverän verbindende und in den Dienst konkreter geschichtlicher Gestaltung stellende Weise des Apostels ist es, die Friedrich dem Text, wo es um das eigentlich Gemeinte geht — nämlich die Forderung nach Unterordnung — argumentative Offenheit und kritisch einsichtiges Überzeugen-Wollen des Apostels entnehmen läßt[131]. An dieser Stelle trifft er sich wieder mit Dibelius und Käsemann. Er kann, ohne die konkret-charismatische Perspektive zu verlieren, methodisch andere Wege gehen. Ist es bei Dibelius die eschatologische Einschränkung, unter die Paulus die Begründung stellt und damit ihren generellen Charakter relativiert, bei Käsemann die Schwäche paulinischer Begründung selbst, die ihr die Beachtlichkeit nimmt, so verliert sie bei Friedrich über die Situation hinausgehende Gültigkeit durch das Argumentativ-Offene ihres Stiles. Durch das Zurücktreten der feststehenden alttestamentlich-jüdischen Tradition und die Anreicherung des in Röm 13 eingegangenen Überlieferungsbestandes mit Stoffen anderer Herkunft und anderen Bedeutungsgehaltes entsteht ein offeneres Gefüge, das nunmehr sogar in seiner uneinheitlichen Beschaffenheit als Beleg für den argumentativen Stil der Aussage zur Verfügung steht[132].

[130] Friedrich 154f.
[131] Friedrich 160ff; vgl. oben 42f, unten 124ff.
[132] Vgl. Friedrich 153, 160ff.

c. Der urchristliche Topos des Textes
und die Verläßlichkeit seiner Aussagen

Die eschatologisch-realistische Interpretation erkennt in Röm 13 sowohl alttestamentlich-jüdische Einflüsse, als auch urchristliches Gedankengut, als auch spezifisch paulinische Prägungen. Anders aber als der große Teil der naturrechtlich-ordnungstheologischen Ausleger sieht sie die alttestamentlich-jüdische Tradition keineswegs einheitlich, so daß Röm 13 mehr oder weniger zwangsläufig Endpunkt einer gradlinig-ungebrochenen Entwicklung wäre; anders auch als die konkret-charismatische Auslegung zieht sie aus dem Faktum traditioneller Einflüsse nicht den Schluß verminderter Geltung entsprechender Formulierungen im Text oder sähe gar, unter Zurücktreten der alttestamentlich-jüdischen Tradition, eine Dominanz praktisch-rechtlicher Regelungen aus dem Bereich hellenistisch-römischen Verwaltungslebens, sowenig sie solche Einflüsse bestreitet. Vielmehr erscheinen die in Röm 13 übernommenen bzw. ergänzten Positionen, gerade angesichts einer uneinheitlichen Überlieferung, als bewußte Gestaltung Paulus' und des Urchristentums im Sinne einer generellen Aussage zum Verhältnis Christ — Staatsgewalt. Dieser Befund wird noch verstärkt durch das Vorliegen paralleler, aber von Röm 13 nicht abhängiger Aussagen im Neuen Testament — ein Hinweis darauf, daß Paulus in Röm 13 keineswegs eine subjektiv-persönliche oder wesentlich situationsbedingte Äußerung tut, sondern allgemein-christliche Anschauung weitergibt.

Delling[133] meint, daß das Judentum neben Äußerungen, die in ihrer Grundsätzlichkeit und Staatsbejahung in der Nähe von Röm 13 stehen[134], solche kennt, die die fremde Staatsmacht grundsätzlich in Frage stellen. Das eigentliche Obrigkeitsproblem für den Juden sei nicht der jüdische Staat selbst, sondern die Herrschaft eines fremden Volkes über das Gottesvolk. So heißt es zum Beispiel im Achtzehngebet (Bitte 12): »Die freche (überhebliche) Regierung mögest du eilends ausrotten.« Im übrigen weist der öfter anklingende Gedanke des göttlichen Gerichts über die Mächtigen (z.B. Hen 46,5) auf eine Begrenzung ihrer Herkunft von Gott her, nicht aber auf eine Legitimation jeglicher Form der Machtausübung. Delling kommt zu dem Ergebnis, daß die Christen anders als das Judentum, das auch im 1. Jahrhundert n. Chr. einen religiös begründeten nationalen Anspruch aufrechterhalte und so zur römischen Fremdherrschaft ein distan-

---

[133] Delling 8ff.
[134] Delling 10f; z.B. »Bete für das Wohl der Regierung; denn wäre nicht die Furcht vor ihr, hätten wir einander lebendig verschlungen« (Abot 3,2); oder wenn Rabbi Schimeon b. Laqisch das »sehr gut« von Genesis 1,31 auch auf das Römerreich als Wahrer des Rechts (unter Verweis auf Jes 45,12) bezieht (Gen Rabba 9 Ende).

ziertes Verhältnis habe, an solch nationaler Fragestellung nicht interessiert gewesen seien. Von daher konnten sie zu einer grundsätzlich eigenen Entscheidung über ihre Stellung zum Staat kommen[135].

Eine umfassende Infragestellung der alttestamentlich-jüdischen Tradition in Röm 13 hat Neugebauer unternommen[136]. Er überprüft Röm 13,1—7 im Verhältnis zur Botschaft Jeremias und zur Staatstheologie der apokalyptischen Schriften (Daniel, Henoch, IV Esra, Baruch): zu beidem stehe Röm 13 in Spannung. Die Prophetie Jeremias stelle die Herrscher nicht gleich, unterscheide vielmehr zwischen Herrschern, denen man zu folgen habe (Nebukadnezar — Babylon), und solchen, denen gegenüber Verweigerung geboten sei (Ägypten). Jeremia denkt dabei rein theozentrisch: Gott erwählt sich Könige ohne Rücksicht darauf, ob sie ihm die Ehre geben und sich des göttlichen Auftrags als würdig erweisen. Die Tatsache ihrer Bestellung durch Gott genügt zur Gewährleistung ihrer Macht und einer entsprechenden Unterordnung der Regierten. Ganz anders Daniel: für ihn wird der Gehorsam gegenüber unfrommen Herrschern und ihrem Treiben zum Problem. Die Weltmacht erscheint nur noch legitimiert, soweit sie dem Willen Gottes entspricht, je nachdem setzt Gott die Könige ein und ab. Die Antwort des Frommen auf gottlose Forderungen des Staates ist nicht Unterordnung, nicht Revolution, sondern das Martyrium. Im Martyrium soll dem Herrscher die größere Macht Gottes gezeigt und die Wandlung seines unfrommen Sinnes bewirkt werden. Im Vergleich zu diesen beiden Positionen kenne »Röm 13,1—7 weder die theozentrische Unterscheidung Jeremias, noch die anthropozentrische der Apokalyptik bei Daniel«, entsprechend anders laute seine Mahnung: der Gehorsam wird weder an eine gottesfürchtige Regierung gebunden, noch das Martyrium als reguläres Mittel des Widerstandes gefordert[137]. Aber Röm 13 stehe auch im Gegensatz zu jenen Quellen, die nicht nur den Ruf zum Leiden, sondern die tatkräftige Mitwirkung des Volkes in Gestalt des heiligen Krieges kennen (Henoch und die sog. Kriegsrolle 1 QM). Hier zeigt sich, daß die Märtyrerparänese nicht die einzige Möglichkeit der Reaktion des Volkes gegenüber gottloser Herrschaft ist. Dieser Anschauung korrespondiert eine nur noch mindere Bedeutung des Moments göttlicher Einsetzung der Staatsmacht. Henoch bestreitet sie zwar nicht, aber sie spielt keine erkenn-

---

[135] Delling 12, diese Grundentscheidung werde bereits sichtbar im Jesuswort in der Zinsgroschengeschichte, s.u.

[136] Neugebauer 152ff.

[137] Neugebauer 153f; als weiteren Unterschied zu Jeremia nennt Neugebauer 153 den Empfänger der Botschaft: Jeremia richte sich an ein Volk bzw. überhaupt an Völker. »Eine solche Ordnung ist für Röm 13,1—7 nicht mehr konstitutiv.«

Auf das Martyrium als legitimer Widerstand gegenüber dem Staat verweist auch Blank 182f.

bar wichtige Rolle mehr. Weit interessanter als die Einsetzung ist die Absetzung und Bestrafung der fremden frevlerischen Könige. Diese Erwartung entspricht einem Charakteristikum apokalyptischer Weltsicht — aus ihr wird sich ein weiterer bedeutsamer Unterschied zu Röm 13 ergeben —: der Konstruktion eines zielstrebigen Geschichtsverlaufs, für dessen herannahendes Ende der — immer schlechter und verworfener werdende — Zustand des heidnischen Reiches gewissermaßen ein Barometer ist. So kann der heilige Krieg zu einem sinnvollen Mittel werden, dem Hereinbrechen des Endes seitens des gläubigen Volkes nachzuhelfen[138]. Die Apokalyptik hat in ihrem Versuch einer Standortbestimmung zwischen gegenwärtiger Wirklichkeit und letztzeitlichem Ziel der Geschichte die Einsetzung heidnischer Obrigkeit nie als selbstverständliche Tatsache betrachtet, aus der ein selbstverständlicher Gehorsam folge. »Die jüdische Paränese ist entweder Märtyrerparänese oder — im Falle des Zelotismus — Aufruf zum heiligen Krieg«[139]. Hier liegt nach Neugebauer der entscheidende Unterschied zu Röm 13, das eine solche apokalyptische Sicht mit entsprechenden Forderungen nicht kennt. Im Gegensatz zur spätjüdischen Apokalyptik, die wesentlich Staatsapokalyptik sei, verzichte Paulus im Römerbrief auf eine eschatologische Deutung staatlicher Aktionen. Er hält sich damit ganz im Rahmen christlicher Apokalyptik. Sie orientiert sich am Ablauf der Missionsgeschichte (z.B. Röm 11,25—32; Mk 13,10; Mt 24,14)[140] und läßt den Staat, sieht man von der Ausnahme in Offb 13 ab, aus der Diskussion, wenn es um den Eintritt des Eschaton geht. Neugebauer kommt daher zu einer klaren Ablehnung der Meinung, Röm 13,1—7 sei wesentlich jüdisch-traditionell gebunden. Verstehbar wird für ihn der Text erst auf der Grundlage typisch christlicher Vorstellungen, die, von der eschatologischen Verkündigung Jesu ausgehend, die Schöpfung Gottes bis zur Vollendung der Welt respektieren. »Wer die Zukunft ganz Gott überläßt, dem wird die Gegenwart offen als die bewahrende Zeit des Schöpfers.« In diese Linie ist auch Röm 13,1—7 einzuordnen. »An dem Faktum der Obrigkeit wird hier der Wille Gottes sichtbar ... und darum ist gefordert, solchem Gotteswillen zu entsprechen«[141].

Die weitgehende Verneinung einer Traditionsbindung von Röm 13,1—7 an das alttestamentlich-jüdische Erbe bei Neugebauer ist allerdings für die eschatologisch-realistische Auslegung nicht charakteristisch. Hier läßt man

---

[138] Neugebauer 155.
[139] Neugebauer 157.
[140] Vgl. auch die Wachstumsgleichnisse Jesu und Worte wie Lk 12,8f; Mt 11,1—5; 12,28 Par; 39—42 Par; Neugebauer 158.
[141] Neugebauer 163ff, 164, 165.

im allgemeinen das Moment christlicher Freiheit zu neuer Entscheidung durchaus korrespondieren mit der Anknüpfung an traditionell vorgeprägtes Gut[142]. Schlier, zum Beispiel, sieht Paulus in Röm 13 stark traditionell jüdisch-hellenistisch geprägt. Aber seine Paraklese unterscheide sich von rein profanen und bürgerlichen Forderungen dadurch, »daß Gottes Wille diesen Anspruch erhebt und — vergessen wir das nicht! —, daß auch hier die dem Apostel übergebene χάρις spricht«. Die Forderung gilt »um des Herrn willen«[143]. Die Freiheit zu neuer Gestaltung zeigt sich vor allem dort, wo neben alttestamentlich-jüdischer Tradition ein gemeinsamer Topos urchristlicher Paränese als Quelle der von Paulus geäußerten Gedanken gesehen wird. Goppelt weiß in diesem Zusammenhang Röm 13,1—7 in der Nähe der neutestamentlichen Ständetafeln, etwa 1 Petr 2,13—17. Diese knüpfen an alttestamentliche Traditionen an und erinnern in manchem an Anweisungen der hellenistischen Welt über soziales Verhalten. Aber sie gelten inhaltlich nicht um ihrer selbst willen, sondern nehmen vielmehr zu solcher Setzung Stellung. »Die Ständetafeln mahnen zur Einordnung ›um des Herrn‹ und ›um des Gewissens willen‹ (Röm 13,5; Kol 3,22f; 1 Petr 2,13.16). Wer glaubt, ist nie Mitläufer«[144]. Ähnlich Schrage: »Die Rezeption des Haustafelschemas und seiner inhaltlichen Aussagen erfolgt jedoch nicht unbesehen und vorbehaltlos, sondern kritisch, wie gerade auch 1 Petr 2,12ff lehrt, wo das Leben der Christen auch in der Institution des Staates dem Willen Gottes unterstellt wird ...«[145]. Schrage spricht in diesem Zusammenhang von einem »Prozeß der Verchristlichung«, den man sich nicht lediglich als einen äußerlichen Vorgang vorzustellen habe, vielmehr sollen die übernommenen Mahnungen im Kontext der urchristlichen Paränese dazu dienen, daß die Christen auch in den Strukturen des »Hauses« nicht einer Eigengesetzlichkeit dieser Ordnung folgen, sondern im Herrschaftsbereich Christi bleiben[146/147]. Schrage, der im übrigen aus der Stim-

---

[142] Neugebauer darf allerdings nicht dahin mißverstanden werden, als leugne er jede Verbindung von Röm 13 zur Tradition; er macht m.E. lediglich Front gegen eine weitgehende Identitätsvorstellung des Römerbriefes mit atl.-jüd. und hellenistischen Auffassungen und der daraus von M. Dibelius und Käsemann gezogenen Schlußfolgerungen.

[143] Schlier, Römerbrief 392f, Staat II 203f (205); vgl. auch Neugebauer 165; Hauser 26f. Ridderbos 225 meint: »Stärker als die Angleichung an die allgemein-jüdische Überzeugung ist dabei der Glaube des Apostels, daß die Welt Gottes Schöpfung, von ihm nicht preisgegeben und deshalb seinen Ordnungen unterstellt ist.«

[144] Goppelt, Staat 197ff (204).

[145] Schrage, Staat 65 Anm. 140 mit weiterem Verweis auf 1 Tim 2,1ff und Tit 2,1ff u.a.

[146] Schrage, Staat 65f Anm. 141.
Siehe zum hier behandelten Problem auch: F. Hahn, Die christologische Begründung urchristlicher Paränese, ZNW 1981, 89—99, der zu dem Urteil kommt, »daß die Rezeption außerchristlicher Stoffe von Anfang an unter der Prämisse der christlichen Botschaft stand« (91).

[147] Zur selbständigen Verarbeitung des in Röm 13 enthaltenen Gutes siehe auch: v. Campen-

menvielfalt der Tradition eine größere Nähe zu Paulus vor allem im hellenistischen Judentum heraushört, kommt abschließend zu einem für die
eschatologisch-realistische Auslegung im ganzen repräsentativen Ergebnis,
wenn er feststellt, »daß dem Urchristentum eine einheitliche Stellungnahme durch die alttestamentlich-jüdische Tradition nicht vorgegeben war.
Die Divergenz, wie sie etwa zwischen dem theokratischen Ideal der Zeloten, der Wüstenexistenz der Essener und der zwischen Opposition und
Kollaboration schwankenden Haltung des übrigen Judentums bestand,
deutet das Spektrum der Modelle an, das die Urkirche vorfand. Bedenkt
man weiter, daß die Urchristenheit sich oft genug vom Erbe des Alten Testaments und Judentums auch deutlich distanzierte, so ergibt sich erst
recht, daß sich grundsätzlich verschiedene Möglichkeiten der Einstellung
zum Imperium Romanum anboten. Gleichwohl ist nicht daran zu zweifeln, daß sowohl für die Bekundung der Loyalität wie der Distanz eine
Anknüpfung an die Tradition nahelag«[148].

In neuerer Zeit hat sich vor allem Wilckens[149] eingehend mit der Tradition
von Röm 13,1—7 auseinandergesetzt. Durch eine genauere Differenzierung
der einzelnen Punkte kommt er zu einer recht konkreten Gegenüberstellung der alttestamentlich-jüdischen und urchristlichen Traditionslinie sowie des paulinischen Eigengutes. Er hält es für sicher, daß die Motive in
Röm 13,1—4 aus dem zeitgenössischen Judentum übernommen sind, auch
wenn sie terminologisch den Einfluß römisch-hellenistischer Verwaltungssprache verraten. Die Loyalitätsförderung des Apostels entspreche der Anschauung der pharisäischen Gesetzeslehrer, seiner ehemaligen Genossen,
der Weisheitslehrer und politischen Schriftsteller. Paulus bringe in Röm
13,1ff den römischen Christen gegenüber einen frühen weisheitlich-rabbi-
nischen Topos zur Geltung, den er freilich, besonders in Vers 5 (»Gewissen«) verschärft habe. Eine weitere paulinische Besonderheit gegenüber dieser Tradition liege in der eindeutig positiven Haltung zur Zahlung von
Steuern an die heidnische Staatsgewalt.
Anerkennt somit Wilckens maßgebliche Einflüsse jüdisch-hellenistisch geprägter Vorstellungen in Röm 13,1—7, stellt er doch wesentlich auf die Zu-

hausen 106f; Duchrow 153ff; Eisenblätter 36ff.
Schnackenburg 167ff findet die positive Einstellung zum Staat in 1 Petr 2,13—17 (und vergleichbar in Röm 13,1—7, Tit 3,1—3.8 und 1 Tim 2,1—3) um so beachtlicher, als der Verfasser
schon Verfolgungen »um der Gerechtigkeit« und um des christlichen Namens willen erwähnt
(3,14—17; 4,12—19).
Delling 39ff, 52ff, 56ff erblickt über die Parallelstellen hinaus eine paulinische Akzentsetzung
in der Verwendung von Wörtern mit dem Stamm »tag-«, unten 110f.
[148] Schrage, Staat 26f (28).
[149] Wilckens, Römer 13 211ff, 223ff, Römerbrief·31, 33f, 39f.

gehörigkeit des paulinischen Wortes zur christlichen Überlieferung ab. Paulus rekurriere auf Tradition, aber »nicht im weiteren, motivgeschichtlichen Sinne, sofern sich Mahnungen zum Gehorsam auch vielfach im zeitgenössischen Judentum finden, sondern auch im engeren Sinn urchristlicher Traditionsbindung«[150]. Diese zeige sich in der Zugehörigkeit von Röm 13,1—7 zu einem Strom urchristlicher Paränese, die neben der Römerstelle durch 1 Petr 2,13—17, Tit 3,1 und 1 Tim 2,1f markiert werde und dessen gemeinsame Grundaussagen den zwingenden Schluß auf einen mündlich überlieferten Topos zulasse[151]. Seine Merkmale sind:

— Forderung von Gehorsam gegenüber den staatlichen Gewalten;

— Abstellen auf die faktische Superiorität der Gewalten;

  »hyperechein« findet sich in Röm 13,1, 1 Petr 2,14, 1 Tim 2,2;

— Geltung der Gehorsamsforderung gegenüber jedweder Gewalt und ihren Repräsentanten;

  das kommt zum Ausdruck Tit 3,1 durch die Doppelung »archais exousiais«, 1 Tim 2,2 durch das Nebeneinander von Königen und »allen, die Superiorität innehaben«, 1 Petr 2,14 entsprechend durch die Nennung des Kaisers und der von ihm gesandten Statthalter;

  1 Petr spreche einerseits generell-singularisch von »jedweder menschlichen Schöpfung« wie Paulus von der »exousia«, andererseits zugleich individuell-pluralisch von den verschiedenen konkreten politischen Instanzen, wobei Paulus freilich allgemein formuliere, während 1 Petr und 1 Tim 2 von dem Kaiser und seinen Statthaltern spreche;

— Ahnden des Bösen und Belobigen des Guten als Funktionen der Gewalten (Röm 13,3f und 1 Petr 2,14);

  Tit 3,1f entsprechend, wo auf die Mahnung gegen die Mächte Mahnungen zum Tun des Guten gegenüber jedermann unmittelbar folgen. Bei 1 Tim 2,2 sei vorausgesetzt, daß die Übermacht der staatlichen Instanzen den Christen, die für sie beten, Schutz gewährt;

— Zusammenfassung der Mahnung durch die Motive von Furcht und Ehre;

  in 1 Petr 17b freilich verteilt auf Gott und Kaiser (im Sinne von Spr 24,21 sowie Mk 12,17), während Paulus generell formuliert (Röm 13,7);

---

[150] Wilckens, Römer 13 211.
[151] Wilckens, Römer 13 213f; vgl. auch Schnackenburg 168f; Goppelt, Theologie NT 367.

– Übereinstimmung des Kontextes, in dem die Mahnungen erscheinen: das Verhalten des Christen zu den Brüdern und zu allen Menschen (1 Petr 2,17a; Tit 3,1; 1 Tim 2,1);

dem entsprechen bei Paulus der abschließende und zum Gebot der Nächstenliebe überleitende V 7 wie auch die Thematik der voranstehenden Mahnungen (vgl. besonders Röm 12,10a mit 1 Petr 2,17a). Zu beachten sei ferner das Bekehrungsmoment, mit dem die Mahnungen begründet werden (vgl. Tit 3,3ff und Röm 13,11ff).

Letzterer Punkt erhellt für Wilckens zudem, »daß nicht nur die Mahnung zum Gehorsam gegen Gewalten und Herrschende als solche, sondern auch ihr Zusammenhang mit allgemeiner Paränese traditionell vorgegeben ist«. Aus der sowohl alttestamentlich-jüdisch wie urchristlich bestimmten Traditionalität von Röm 13,1—7 erkläre sich daher zum Teil sogar auch die Stellung des Abschnittes im Kontext[152].

Trotz weitgehender Entsprechung mit dem zugrundeliegenden Topos enthalte Röm 13,1—7 einige nur für diese Stelle charakteristische Merkmale. In ihnen zeige sich, daß Röm 13 nicht einfach literarisches Vorbild für die übrigen Stellen gewesen sei, sondern daß die einzelnen Formungen des Topos unabhängig sind und selbständige Äußerungen urchristlicher Paränese darstellen. Als speziell in Röm 13,1—7 begegnende Gedanken nennt Wilckens:

– die *göttliche* Institution der Mächte;

in Petr 2,15f werden die Mächte sogar ausdrücklich als »menschliche Geschöpfe« bezeichnet;

– die generelle (nicht nur an die Christen gerichtete) Mahnung zum Gehorsam;

anders richten sich 1 Petr 2,13 und Tit 3,1 an die Christen;

– die Bindung an das Gewissen in V 5;

sie gibt den Mahnungen ein ungleich schwereres Gewicht als in den Parallelen;

– die Bezeichnung der Gewalten als Diener Gottes und Organ seines Gerichts;

– der Hinweis auf das Zahlen der Steuer.

In der Gegenüberstellung der Traditionen bei Wilckens tritt als spezifisch paulinischer Beitrag, für den eine besondere Überlieferung nicht nachge-

152 Wilckens, Römer 13 213f.

wiesen werden könne, die Gewissensbindung (V 5) und die Steuerzahlung an die Obrigkeit hervor.

In all den Erörterungen zur Traditionsfrage begegnet wesentlich das Moment christlich eigenständigen Denkens, das sich, bei aller Anregung und Vorgeprägtheit durch einschlägiges Gedankengut, nicht zwingend an Vorgegebenes bindet, sondern gegebenenfalls unter Ergänzung und Umformung des überlieferten Stoffes zu selbständiger Gestaltung des Verhältnisses zur Welt kommt, gerade darum aber in seinen inhaltlichen Aussagen ernst zu nehmen ist. Solche Sicht ist charakteristisch eschatologisch-realistische Auslegung. Sie begegnet nicht nur dort, wo Röm 13 ausdrücklich im Zusammenhang eines Topos urchristlicher Paränese gesehen[153], sondern auch dort, wo auf den im Glauben erkannten Willen Gottes bzw. auf die gewährte Charis als Movens einer neuen Haltung zur Welt abgestellt wird[154]. Das den Glauben bestimmende Neue ist das »um des Herrn willen«, ist die eschatologische Dimension der Verkündigung Jesu, der die Schöpfung Gottes mit ihren Ständen bis zur Vollendung der Welt als bewahrende Ordnung respektiert.

Das Neue des Christlichen sieht eschatologisch-realistische Auslegung bereits im Zinsgroschenwort Jesu (Mk 12,17 Par) gegeben, das damit in die Traditionslinie von Röm 13 eingerückt ist. Manche Autoren meinen, einen unmittelbaren Zusammenhang zwischen dem Jesuswort und Röm 13,7 feststellen zu können[155] bis hin zu formaler Abhängigkeit[156], andere lassen nur eine indirekte Aufnahme des Herrenwortes in den Römertext

---

[153] Vgl. außer Wilckens: Schnackenburg 168f; Goppelt, Theologie NT 367 (vgl. auch: Der erste Petrusbrief, hrsg. v. F. Hahn, Göttingen 1968, 180); Delling 39ff, 52ff, 56ff, ThWB VIII 45; s. auch Hauser 25f.
Im übrigen kommt der Topos der Sache nach bei den meisten anderen Auslegern zur Geltung (durch einfache Bezugnahme auf die Parallelstellen), auch wo er nicht eigens als solcher markiert wird, z.B. Schlier, Römerbrief 387, Staat II 203ff; Schrage, Staat 63ff; Ridderbos 223.
[154] Z.B. Schlier, Römerbrief 392f; Staat II 203f (205); Goppelt, Staat 197ff (204); Ridderbos 225; Schrage, Staat 65f; Neugebauer 165 mit Verweis auf Röm 12,3; vgl. auch Hauser 25f.
[155] Z.B. Goppelt, Kaisersteuer 209ff, 216f (vgl. auch Staat 195, 199 und Theologie NT 498f); Delling 16f, 19 und ThWB VIII 145: »Röm 13 erscheint geradezu als Interpretation der Antwort Jesu auf die Frage nach seiner Stellung zur römischen Herrschaft Mk 12,17«, ähnlich wertet Eisenblätter 177, 199 Röm 13,1–7 als Tradition und Entfaltung der Jesusüberlieferung; vgl. auch Neugebauer 165.
Vgl. auch Schnackenburg 163f; Schlier Staat I 12, Staat II 205f; Duchrow 169, 175, die die Frage der Verbindung des Herrenwortes mit Röm 13 nicht direkt stellen, aber in ihren Erörterungen wie selbstverständlich auf das Jesuslogion Bezug nehmen.
[156] Z.B. sehen Delling und Neugebauer sprachliche Übereinstimmung in den Begriffen »apodote« Mk 12,17f (Delling 16f; Neugebauer 165) und »ton foron« Lk 20,25.22 (Delling 16f). Darüber hinaus erblickt Neugebauer 165 in Röm 12,1–2 die sachliche Parallele zum 2. Teil des Logions, das in Röm 13,7 selbst keine Entsprechung habe; sachlich ebenso Goppelt, Kaisersteuer 217; Eisenblätter 177ff.

gelten[157]. Übereinstimmung herrscht jedoch hinsichtlich der inhaltlichen Dimension der Aussage selbst: die Antwort Jesu rücke den Staat weder in die Nähe des Göttlichen noch werte sie seine Bedeutung ins Belanglose ab. Wenn Jesus dem Staat ein Recht und Anerkennung gebe, so stehe dies deutlich unter dem Vorbehalt des Satzes, Gott zu geben, was Gott gehört. Gott beansprucht den Menschen ganz, so kann der Staat nichts Letztes, nichts Absolutes sein. Es gibt kein Gleichgewicht des Gehorsams gegenüber Gott und dem Kaiser, keine Äquivalenz zweier Pflichtenkreise, die schiedlichfriedlich nebeneinander stünden.

Relativität des Staates angesichts Gottes bedeute jedoch nicht Belanglosigkeit unter den Bedingungen irdisch-geschichtlich Daseins. Jesus erkenne im tatsächlichen Bestehen staatlicher Gewalt die geschichtliche Setzung Gottes an, die das Leben auf die Erlösung hin erhalte[158]. »Stehen Gott und Kaiser nicht auf einer Ebene, so schließt der Gehorsam gegen Gott den Respekt vor dem Kaiser nicht aus, sondern ein«[159]. Ein ironisch-abwertendes Verständnis des Wortes Jesu zur Kaisersteuer wird ausdrücklich abgewiesen, weil darin verkannt sei, daß Jesus die ihn »versuchlich« fragenden Gegner mit solchen Mitteln nicht hätte treffen können. Vielmehr habe Jesus das für den gläubigen Juden bestehende Problem der Legitimität fremder Staatsmacht durch eine gegenüber der zelotischen und pharisäischen Haltung neue Entscheidung aufgehoben[160]. Er eröffne dem Frommen die Möglichkeit, unter einer Regierung, die in einer ganz anderen Bindung stehe

Delling 17 Anm. 25 erklärt das Fehlen der 2. Hälfte von Mk 12,17 mit der Blickrichtung der Paränese von Röm 13 überhaupt: »der Verfasser stellt in Bezug auf das Verhalten der Christen nicht nebeneinander: Cäsar — Gott, sondern: Regierende — Mitmenschen (V7—10)«.
[157] Z.B. Wilckens, Römer 13 223, 226, Römerbrief 8, der die Stichwortgleichheit von »apodote« und »foros« für die Annahme einer direkten Verbindung zwischen beiden Stellen nicht genügen läßt, aber eine indirekt-traditionsgeschichtliche Übernahme aus mündlicher Überlieferung für möglich hält; ähnlich Schrage, Staat 51.
[158] Zur Erkenntnis Gottes in dem, was tatsächlich gilt, vgl. Schlier, Staat I 12; Goppelt, Staat 199, Kaisersteuer 210ff; Neugebauer 165.
Zur eschatologischen Sicht des Herrenwortes vgl. Schlier, Staat II, 206; Schrage, Staat 29f; Goppelt, Kaisersteuer 215, Staat 199; Neugebauer 156.
[159] Schrage 40.
[160] Goppelt, Kaisersteuer 208ff.
Der neue Ansatz Jesu gegenüber der jüdischen Diskussion unterscheidet sich nach Goppelt, Kaisersteuer 210f, an drei Stellen:
1. angesichts der jüdischen Zielperspektive alleiniger Herrschaft Gottes über sein Volk — durch ein Zugleich totaler Hingabe an Gott und der Erstattung der Kaisersteuer;
2. angesichts jüdischer Legitimationsfragen, wieweit das Bundesvolk dem heidnischen Weltherrscher verpflichtet sein kann — durch bewußte Aufhebung dieses Argumentationsansatzes, indem er die Heilserwartung unabhängig von der Zugehörigkeit zum Samen Abrahams und von der Gesetzeserfüllung macht;
3. angesichts pharisäischer Geschichtsdeutung anhand kasuistischer Auslegung von Schriftsätzen und damit verbundener Ignoranz gegenüber dem aktuellen Anspruch Gottes — durch

(Idee des römischen Imperiums), zu leben, ohne mit ihrer Anerkennung das Herrsein Gottes zu verleugnen. Mit Jesu Wort sei die Basis für eine selbständige Stellung in der Frage des Verhaltens der Christen zu den staatlichen Gewalten gewonnen. Paulus ziehe daraus in Röm 13 die Konsequenzen für die Christenheit[161].

Die Weite der eschatologisch-realistischen Auslegung in der Erkenntnis und Berücksichtigung des in Röm 13,1—7 eingegangenen Traditions- und Eigengutes findet ihren Niederschlag auch in der Beurteilung des Verhältnisses von Paränese und ihrer Begründung. Die von der konkret-charismatischen Auslegung vertretene Meinung, die Begründung in Röm 13,1ff sei wegen jüdisch-traditioneller Prägung und wegen der Unverbundenheit des »paränetischen Einzelgutes« nicht eigentlich ernst zu nehmen, findet keine Zustimmung. Trotz des formgeschichtlich zutreffenden Arguments von der Unverbundenheit paränetischen Einzelgutes bei der Zusammenstellung paränetischer Reihen sei durchaus ein Zusammenhang inhaltlich übergeordneter Motive gegeben. Von diesem Zusammenhang ergeben sich Motiv-/Begründungslinien, die ihr Gewicht auch im einzelnen Abschnitt entfalten[162]. Im übrigen könne die Übernahme traditioneller Topoi nicht bedeuten, daß damit ein Autor nicht seine eigene Meinung habe sagen wollen. Das gelte vor allem, wenn ein Text so betont und ausdrücklich gefaßt sei wie Röm 13,1—7[163].

Ebensowenig vermag man eine in diesem Zusammenhang von konkret-charismatischer Seite vorgetragene Widersprüchlichkeit paulinischer Begründung im Vergleich von Röm 13,1ff und 1 Kor 6,1ff festzustellen. Beide Mahnungen haben unterschiedliche Voraussetzungen: Hier werden die Brüder in ihrem Verhalten zueinander angesprochen, dort geht es um die für jeden Menschen geltende Einstellung. Die Ablehnung des staatlichen Schiedsrichters in 1 Kor 6,1ff geschehe nicht, um die öffentliche Rechtsprechung als solche zu disqualifizieren, sondern um auf den Vorzug innergemeindlicher Schlichtung hinzuweisen, die »aus Liebe nicht auf *das*, aber auf

---

Voraussetzung allein der Geschichtshoheit Gottes und sodann des Aufweises der aktuellen Kundgebung seines Willens. Dieser Wille zeige sich in dem, was tatsächlich gilt: die Münze verweist auf die Regierungsgewalt des Kaisers und sagt dem Glaubenden, daß ihm, den der Herr aller Geschichte zum Herrscher gesetzt hat, das Gebührende zu entrichten ist.
Diese neue Sicht Jesu gegenüber den geschichtlichen Setzungen, verdeutlicht durch weitere Beispiele — Nächstenliebe, 211f; Ehe, 213f —, enthält für Goppelt die grundlegende Struktur auch für das Verständnis von Röm 13: »Von dieser Einsicht in die Struktur des Wortes Jesu zum Imperium aus löst sich auch das entscheidende Problem der Paränese in Röm 13,1—7 ...« (216).
161 Delling 12ff.
162 Siehe hierzu Wilckens, Römer 13 215; Delling 44, Duchrow 144; Schlier, Staat I 9.
163 So z.B. Delling 19f; vgl. auch Schrage, Staat 28.

ihr Recht verzichtet und sich damit den politischen und juristischen Kategorien der Welt entzieht«[164].

In dem solchermaßen abgesteckten Rahmen warnt die eschatologisch-realistische Auslegung vor einer Überbetonung der die Forderung stützenden Begründung mit ihrem ins Allgemeine gehenden Ansatz ebenso wie sie es ablehnt, die Begründung zu unterschätzen und in ihrer Bedeutung zu bagatellisieren. So wird hervorgehoben, daß aus der Begründung kein metaphysisches Ordnungsgefüge oder eine systematische Lehraussage herausgelesen werden dürfe[165]. Andererseits wird der Skopos als generell, grundsätzlich und der systematischen Entfaltung fähig angesehen, und der Begründung so ein bedeutendes Gewicht beigelegt[166].

Delling faßt die allgemein hier anzutreffende Einschätzung gut zusammen: Es sei nicht zu übersehen, »daß der Abschnitt in einem großen paränetischen Zusammenhang (Röm 12,1f) steht und gleichzeitig seine Eigenart darin hat, eine ausdrücklich als allgemeingültig bezeichnete Forderung speziell an die Christen zu adressieren und sie offenbar aus einem gerade auch für diese gültigen Verständnis der irdischen Gewalten abzuleiten«[167].

d. Zusammenfassung

Die naturrechtlich-ordnungstheologische Auslegung kennt sowohl die traditionelle Herkunft als auch die paränetische Absicht von Röm 13,1—7. Sie problematisiert die Tradition nicht, wertet sie vielmehr als verstärkendes Moment an Kontinuität und Allgemeinheit für die inhaltlich-generealisierenden Aussagen der Begründung. Sie geht als selbstverständlich von der Einheit zwischen Forderung und Begründung aus, tendiert aber eindeutig dazu, den Schwerpunkt ihrer Auslegung auf die Begründung zu setzen und gelangt so zu stark normierenden, systematisierenden Ableitungen (Naturrecht, Theologie der Ordnung, »Lehre«).

Der konkret-charismatische Auslegungstyp kehrt die Beurteilung geradezu um: Zum einen wertet er die alttestamentlich-jüdisch-hellenistische Tradi-

---

[164] Schrage, Einzelgebote 265f, Staat 61; Delling 35ff; Schlier, Staat I 6; Zsifkovits 108; Ridderbos 226; Bornkamm, Paulus 221.

[165] Z.B. Wilckens, Römberbrief 51, 62; Schlier, Staat II 203; Duchrow 170f; Schrage, Einzelgebote 224, Staat 55f; Schnackenburg 164f.

[166] Wilckens, Römer 13 227, Römerbrief 49, 60, 61; Duchrow 149, 150, 165; Kuß 333; Schrage, Einzelgebote 224; Schlier, Römerbrief 389, Staat II 204; Ridderbos 223f; Goppelt, Kaisersteuer 216, 218; Neugebauer 160f.

[167] Delling 67.

Duchrow 172 sieht sogar im Rückgriff auf traditionelle Paränese eine Unterstreichung der Bedeutung der Begründung.

tion als unchristlich-unpaulinisch und daher als weitgehend unbeachtlich, zum anderen lehnt er, ausgehend vom Grundsatz der Unverbundenheit des paränetischen Einzelgutes, die Herstellung von Motivzusammenstellungen innerhalb paränetischer Aussagereihen ab, so daß eine christliche Deutung des in der Begründung von Röm 13,1–7 enthaltenen Gutes nicht möglich wird. Oder er kommt — unter Zurücktreten des grundsätzlich-allgemein klingenden alttestamentlich-jüdischen Traditionsgutes — zu einer Dominanz hellenistisch-römischen Sprachgebrauchs im Text, der in geschichtlicher Bedingtheit praktisch-alltäglichen Vorgängen gilt, nicht aber Grundsätzliches im Blick hat. Beide Varianten verstehen als eigentliche Absicht des Textes nur die Forderung nach Unterordnung selbst, die unter dem allgemeinen eschatologischen Vorzeichen christlicher Existenz in der konkreten Situation eine charismatische Auslegung im Handeln der Christen erfährt.

Die eschatologisch-realistische Auslegung stellt neben der alttestamentlich-jüdisch-hellenistischen auch eine urchristliche Tradition einschließlich paulinischen Eigengutes in Röm 13,1ff fest. In der Verbindung dieser Komponenten sieht sie Christlich-Eigenständiges, das Überliefertes nicht einfach übernimmt, sondern in seinem Sinn verwendet und gegebenenfalls neu gestaltet. Ausschlaggebend dafür ist die eschatologische Sicht des Christlichen: sie setzt das Irdisch-Weltliche mit seinen Ordnungen nicht absolut, erkennt aber in ihnen den bewahrenden Willen des Schöpfers und respektiert so auch den Staat als zwar relative, aber für das irdisch-geschichtliche Dasein bedeutsame Größe. Von da her sieht sie in der Übernahme jüdisch-hellenistischen Gutes keinen Anlaß, grundsätzlich an der Authentizität der mit Hilfe dieser Motive zum Ausdruck gebrachten eigenen Meinung des Apostels zu zweifeln. Sie geht ferner davon aus, daß trotz Vorliegens paränetischen Einzelgutes Motivverbindungen bestehen, die die Einzelstücke unter übergeordnete Gesichtspunkte stellen. So gelangt sie zu einem Zusammenhang von Forderung und Begründung, in dem kein Teil prinzipiell gegen den anderen gesetzt wird. Sie widerspricht einer unmittelbaren Ableitung eines allgemeinen lehrmäßigen Systems aus Röm 13,1–7, sieht jedoch grundsätzliche Bestimmungen und darin Ansätze zu verallgemeinerungsfähigen Aussagen über das Verhältnis der Christen zum Staat.

4. DIE HALTUNG JESU ALS VORBILD FÜR DIE PAULINISCHEN AUSSAGEN
ZUM STAAT

Erst jetzt ist der Stand der Erörterungen erreicht, der eine Betrachtung der christokratisch-politischen Interpretation erlaubt. Chronologisch müßte sie der naturrechtlich-ordnungstheologischen Auslegung folgen, gegen deren Verständnis sie sich mit ihren alle bisherigen Vorstellungen und Maßstäbe umstürzenden Konzept wendet, aber ihr theologischer Ansatz und die sie bewegenden Fragen sind so anders als die der übrigen Interpretationsmodelle, daß, um eine angemessene Betrachtung anstellen zu können, zunächst diese aufgezeigt werden mußten. Bei aller Unterschiedenheit in den Absichten und Einsichten der drei bisher dargestellten Interpretationstypen ist ihnen doch eines gemeinsam: ein methodischer Grundzug, der sichtbare Anstrengungen macht, die theologische Erkenntnis in engem Zusammenhang mit den Gegebenheiten von Text, Kontext, Situation, Tradition und literarischer Form zu gewinnen oder doch durchaus erkennbare theologische Vorentscheidungen an diesen Gegebenheiten einschließlich der Auseinandersetzung mit der bestehenden Auslegungstradition zu messen und zu bewähren.

a. Zum Methodischen

Die christokratisch-politische Interpretation geht demgegenüber andere Wege. Ihr theologischer Kerngedanke — Gegenwart der eschatologischen Herrschaft Christi — ist derart bestimmend, daß die exegetisch-textlichen Bezüge, in Auswahl und Gewichtung, ganz den Charakter der Bestätigung eines schon feststehenden Ergebnisses tragen. Suchten sich die anderen Auslegungsrichtungen den Gegebenheiten des Textes und der überkommenen Auslegung oft bis ins mühevolle Detail zu stellen, zieht die christokratisch-politische Auslegung, nahezu unbelastet von solchen Differenzierungen — eine Auseinandersetzung um Situation, Tradition und literarische Form fehlt vollständig, kontextliche Fragen (im engeren Sinn) werden nur am Rande berührt —, große Linien und gibt sich in unkomplizierter Selbstgewißheit: bündig, selbstverständlich, einfach plausibel. So werden die verschiedenen Quellen und Belege — die Synoptiker und Johannes, die Briefe und die Apokalypse — problemlos zu einem Gesamt neutestamentlicher Schriftaussagen über das Thema Christ — Staatsgewalt integriert, in dem Röm 13, sonst Kernstück der Auseinandersetzung, lediglich noch einen Punkt, und nicht den wichtigsten, ausmacht[168]. Die Abhängigkeit solch souveräner Schriftauffassung von der sie stimulierenden Lehraussage be-

---

[168] Vgl. Barth, Römerbrief XIII, wo er sein Auslegungsprinzip der »entschlossenen Zuwendung zum Text« folgendermaßen beschreibt:

»Tunlichst wenig darf übrig bleiben von jenen Blöcken bloß historischer, bloß gegebener, bloß zufälliger Begrifflichkeiten, tunlichst weitgehend muß die Beziehung der Wörter auf das Wort in den Wörtern aufgedeckt werden. Bis zu dem Punkt muß ich als Verstehender vorstoßen, wo ich nahezu nur noch vor dem Rätsel der Sache, nahezu nicht mehr vor dem Rätsel

dingt es, daß das herangezogene Belegmaterial, d.h. die für den Entwurf dieser Gesamtschau erforderlichen textlichen Einzelbestandteile, jeweils nur in engem Rückbezug zur theologisch-dogmatischen Voraussetzung verstehbar wird. Dem hat die folgende Darstellung Rechnung zu tragen[169].

b. Zur theologischen Grundaussage

Entscheidend für die Überlegungen der christokratisch-politischen Interpretation ist die Einheit der Herrschaft Christi über Kirche und Staat. Christus herrscht nicht nur in der Gemeinschaft der Seinen, die bereits in der Enderwartung leben, sondern, weil ihm alle Macht im Himmel und auf Erden gegeben ist (Mt 28,18), auch über den Staat[170]. Auch der Staat hat es daher, ob er es weiß oder nicht, mit der Enderwartung des Reiches Gottes, die freilich nur im Glauben erkannt wird, zu tun: nicht im Sinne eines eigenen Auftrages zur aktiven Verwirklichung des Eschaton, wohl aber im Raum- und Schutzgeben für die Kirche als der Gemeinschaft der um das kommende Reich Wissenden und dieses Reich in der Welt Verkündenden und Vorauslebenden. Die Christen können, von ihrer Seite her, auf die umfassende Herrschaft Christi nur in der Einheit ihres christlichen Lebensvollzugs in beiden Sphären — Kirche und Staat — antworten. Sie werden daher dem Staat das Seine geben, das angesichts der Bestimmung der Welt mit Anbruch der Herrschaft Christi — Zeit der Gnade Gottes für die Umkehr aller Menschen — nur in der Sicherung seiner Existenz als solcher bestehen kann, d.h. seiner Erhaltung als bloßer »Institution«, als durchsetzungsfähiger Macht, die die äußeren Belange von Ruhe und Ordnung wahrt, damit Raum für die Verkündigung von der Rechtfertigung in Christus gegeben sei. Einen inhaltlichen Eigenbereich, der über diesen Legiti-

der Urkunde als solcher stehe, wo ich es also nahezu vergesse, daß ich nicht der Autor bin, wo ich nahezu so gut verstanden habe, daß ich ihn in meinem Namen reden lassen und selber in seinem Namen reden kann.«
G. Eichholz, Der Ansatz Karl Barths in der Hermeneutik, in: Ders., Tradition und Interpretation, München 1965, 198—209, merkt hierzu an: »Wird bei Karl Barth nicht zuletzt ›nahezu‹ der Text beiseite geschoben, und redet nun nicht der Exeget (nach Karl Barths eigenen Worten!) ›selber in seinem Namen‹? Was ist das anderes als die Formel eines ›Pneumatikers‹? Muß hier nicht gewählt werden zwischen besonnener ›wissenschaftlicher‹ Exegese und einem unkontrollierbaren Sprung zur ›Sache‹, wobei die Sache in den Verdacht gerät, mit der Theologie nicht des biblischen Autors, sondern seines Exegeten zusammenzufallen?« (195).
[169] Die Beiziehung der dogmatischen Aussagen erfolgt hier allerdings nur in knappster Form, weil sie ihren angemessenen Platz im Rahmen der inhaltlichen Erörterungen erhalten, vgl. unten III und IV.
[170] Die Abhandlungen Barths »Rechtfertigung und Recht« und »Christengemeinde und Bürgergemeinde« und die Abhandlung Cullmanns »Königsherrschaft Christi und Kirche im Neuen Testament« sind ganz dieser Thematik gewidmet.

mationsrahmen hinausgehe, hat der Staat nicht. Bestimmungsgemäß und daher rechtmäßig kann der Staat nur unter Berücksichtigung dieser von der Herrschaft Christi selbst bedingten Grenzziehung handeln, d.h. aber stets nur im Blick und engster Hinordnung auf die diese Zukunft in der Welt vertretende Gemeinschaft: auf die Kirche und ihr Wissen. In solcher Zuordnung verantwortlich handelnd, ist der Staat rechter Diener Gottes. Diese Sicht und daraus zu folgernde weitere Ableitungen für die Auffassung vom Staat und für das Verhältnis der Christen zu ihm werden von der christokratisch-politischen Interpretation an der wiederholt sich zeigenden Einstellung Jesu selbst gegenüber dem Phänomen des Staates exemplifiziert. Die Stellungnahme Jesu wird sich als »komplex«, alles Wesentliche für die Beurteilung des Staates enthaltend, erweisen[171] und findet sich dann bei Paulus und den anderen Verfassern des Neuen Testaments nur noch bestätigt und entfaltet.

c. Die Bezogenheit des Staates auf die Kirche

Für Barth zeigt sich das Grundlegende bereits im Gegenüber von Jesus und Pilatus gemäß Joh 18—19. Die »exousia«, die Pilatus hat, wird von Jesus ausdrücklich als auch ihn betreffend, über ihn gegeben, anerkannt (19,11). Sie ist weder zufällig, noch angemaßt, sondern — wie Jesus bestätigt — »von oben«. Und dies durchaus in ihrer ambivalenten Möglichkeit: zum Recht, zum Freisprechen Jesu, oder zum Unrecht, zum Abirren, zur Feindschaft gegen Jesus und seinen Anspruch. Denn die Bestätigung Jesu folgt auf die Nennung der beiden Möglichkeiten durch Pilatus: »Ich habe Macht, dich freizusprechen, und ich habe Macht, dich zu kreuzigen« (19,10). Freilich stehen die beiden Anwendungsformen staatlicher Macht nicht gleichwertig nebeneinander. Angesichts Jesu wird der Staat aus seiner Neutralität gegenüber der Wahrheit herausgerufen. Der Staat, der bei seiner Sache bleibt, möchte Jesus freilassen, er zeigt sein »wahres Gesicht« darin, »die Gerechtigkeit Christi ausdrücklich und öffentlich zu bestätigen«[172]. Daher erklärt er Jesus, bevor er ihn dann doch verurteilt und vor seiner eigentlichen Aufgabe versagt, für unschuldig, für einen Gerechten (Mt 27,19.24; Mk 15,14; Lk 23,14.15.22; Joh 18,38; 19,4.6). Deshalb sucht ihn Pilatus freizulassen (Joh 19,22). Hier wird sichtbar, daß das Abirren des Staates, sein Dämonisieren, dort geschieht, wo er »im entscheidenden Augenblick sich selber treu zu sein unterläßt«[173].

---

[171] Cullmann, Staat 26.
[172] Barth, Rechtfertigung 13.
[173] Barth, Rechtfertigung 14; vgl. auch Steck 302ff.

Aber gerade im Abirren des Staates zeigt sich eine weitere Dimension: auch dort, wo er Unrecht zuläßt oder selbst tut, wo er seiner Bestimmung zuwiderhandelt, »kann er seinem Dienst nicht entlaufen«. Indem er Jesus ans Kreuz schlagen läßt, wird er das Werkzeug der durch die Kreuzigung ein für allemal zu vollziehenden Rechtfertigung des sündigen Menschen. Nichtwissend, was er tut, wird er zum »Mittelsmann« aller Verheißungen des Gottesvolkes. »Was wäre aller Rechtsschutz, den der Staat dort der Kirche gewähren konnte und sollte, gewesen neben diesem Tun, in welchem er ja, menschlich gesehen, geradezu zum Begründer der Kirche wurde«[174]. So ist es gerade der ungerechte menschliche Richter, der »als solcher in eminenter, in direkter Weise den Spruch des höchst gerechten göttlichen Richters« vollstreckt[175].

Daß der Staat sich und seine Begrenzung nur im Schauen auf die Kirche erfahren kann, erweist sich auch an der zweiten Kernstelle Barths, 1 Tim 2,1ff, wo in Verbindung mit Danksagung und Gebet der Gemeinde für die Machthabenden deren Bedeutung und Aufgabe für ein »ruhiges und stilles Leben in aller Frömmigkeit und Ehrbarkeit« hervorgehoben wird. Die Erhaltung äußerer Ordnung zum Zwecke der Ermöglichung eines frommen, d.h. in der Rechtfertigung Christi gelebten Lebens ist die eigentliche Aufgabe des Staates. Das heißt nun aber nicht — »bürgerlich« — Ruhe und Ordnung als Selbstzweck, als »Erhaltung irgendeines Weide-Glücks«, sondern bezieht sich auf die Rettung aller Menschen (1 Tim 2,3f), auf den apostolischen Auftrag zur Ausbreitung der Botschaft von der Rechtfertigung[176]. Die der kirchlichen Verkündigung raumschaffende Ordnungsfunktion des Staates geht also nicht auf Bestehendes, auf einen festgelegten Besitzstand, sondern ist dynamisch auf den Handlungsauftrag der Kirche gegenüber der Welt ausgerichtet. Weil dieser Auftrag allen Menschen gilt — »Leistet allen, was ihr schuldig seid! ...«, Röm 13,7—8; »Bitten, Gebete, Fürbitten und Danksagung für alle Menschen« darbringen, 1 Tim 2,1; »Erweiset Sanftmut gegen alle Menschen«, Tit 3,2; »Alle Menschen ehrt ...«, 1 Petr 2,17[177] —, ist der Staat als die das Zusammenleben aller Menschen ordnende Macht gefordert. Er kann in seiner Ordnungsfunktion »gewollt oder ungewollt, sehr indirekt, aber tatsächlich, der Botschaft von der Rechtfertigung freie, gesicherte Bahn geben« und so der Kirche »gerade als echter und rechter Staat« den ihm möglichen Dienst leisten[178].

---

[174] Barth, Rechtfertigung 11.
[175] Barth, Rechtfertigung 12.
[176] Barth, Rechtfertigung 28; vgl. auch Schlette 41f; Steck 301f.
[177] Barth, Rechtfertigung 27f.
[178] Barth, Rechtfertigung 19.

Die Stelle 1 Tim 2,1ff enthält zugleich die Grundnorm allen Verhaltens des Christen gegenüber dem Staat: das fürbittende Gebet. Es ist der alle anderen Mahnungen umfassende und radikalisierende Mittelpunkt christlicher Haltung, die »Leistung« der Kirche für den Staat. Aus der priesterlichen Funktion des Gebets erwächst jegliche Haltung des Christen auch im politischen Bereich. So ist gerade das »Sich-Unterordnen« gemäß Röm 13,1 ganz unter den Vorrang »jener wesensgemäß übergeordneten ersten Mahnung gerückt«[179]. »Sich-Unterordnen« kann nun nicht ein absolutes »Untertan-Sein« bedeuten, sondern: jemanden in seiner ihm zukommenden Stellung respektieren. Das Zukommende aber ist durch den Rahmen, in dem es geschieht, durch die »taxis«, die »Ordnung«, in der es steht, bestimmt und begrenzt. So kann der Staat nur als »Diatage tou theou« (13,2) als in die »Ordnung Gottes« hineingenommene und unter ihrer Geltung stehende Kraft das »hypotassesthai«, das »Sich-Unterordnen« der Christen erwarten und verlangen[180]. Der Christ entspricht in einem so von Gott her gestellten Anspruch des Staates nur der Ordnung, in der er selbst steht. Der Staat ist »gewissermaßen hereingenommen in den Zug der Ordnungen, in dem die Christen ihre ὑπο-ταγή Gott, und zwar den in Jesus Christus offenbaren Gott gegenüber zu betätigen haben«[181].

Diese Hereinholung begründet Barth außer mit der Exousia-Engel-These (s. unten III.1.a) auch mit dem kontextlichen Standort von Röm 13,1—7 im Rahmen der »paränetischen Kapitel« Röm 12,1—15,13[182], d.h. mit der Gesamtschau paulinischer Paränese überhaupt[183]. Danach bilden diese Kapitel »eine einzige und unzerreißbare Einheit« des für eine christliche Gemeinde Lebensnotwendigen[184]. Dazu gehört neben dem Verhalten der Christen untereinander (Übung der Liebe) ihre Weltbewährung und hierin ihr verant-

---

[179] Barth, Rechtfertigung 35; vgl. auch 43: ... »das Gebet der Christen für den Staat (ist) das Maß und die Norm des ὑποτάσσεσθαι und dies ein Annex zu jenem« ...; vgl. auch Steck 307: Die Gemeinde erkennt im Gebet für die Machthabenden »die eigentliche Summe und Quintessenz ihres politischen Dienstes.«

[180] Barth, Rechtfertigung 35f; vgl. G. Bauer 119f, der auf das »hypo theou« als jene Setzung Gottes verweist, die »nicht losgelöst gedacht werden darf von dem Werk und der Person Christi... Von diesem Gott in diesem Christus ist hier die Rede«.

[181] Barth, Rechtfertigung 33, mit Bezug auf Röm 13,1; Tit 3,1; 1 Petr 2,13; siehe auch 35f; vgl. KE Römerbrief 193: Weil der Staat zum Reich Christi gehört, »eben darum hat sich Jedermann — Jedermann gerade in der Gemeinde — der Staatsgewalt zu fügen und sich einzuordnen«.

[182] Hier ergibt sich einmal eine Parallele zu den Erörterungen in den anderen Auslegungsrichtungen.

[183] Barth, KD II/2 796ff, Rechtfertigung 33f, KE Römerbrief 184ff, 192; vgl. G. Bauer 118, Steck 297, 300.

[184] Barth, KD II/2 796, KE Römerbrief 180ff, 185.

wortliches Mitwirken im politischen Bereich. Zwischen beiden Sphären herrscht nicht Trennung, sondern »notwendige Kontinuität«[185].

Der innere sachliche Zusammenhang ist schon an der Abfolge der Ermahnungen zu erkennen; sie kann einmal unter stärker formalem Aspekt (Stichwort: »Öffentlichkeit«), zum anderen mehr inhaltlich betrachtet werden (Stichwort: »Erneuerung des Denkens«). In der ersten Linie zeigt sich, daß sich die Mahnungen, ob sie das Leben der Christen untereinander (12,9—13), ihr Verhalten zu allen Menschen (12,14—21) oder ihre Einstellung zum Staat (13,1—7) betreffen, stets auf ihr Leben in der Gemeinschaft, auf die öffentliche Seite ihres Lebens beziehen. Und auch die Einschätzung des alles in sich fassenden Gebotes der Liebe (13,8—10) »beschreibt offenbar, unter Betonung seiner Öffentlichkeit vor aller Welt, jenen Gemeinschaftsakt«[186]. Im Zuge dieser das Zusammenleben der Christen in den verschiedenen Bezügen ordnenden Weisungen findet die Mahnung zum Sich-Einfügen in die Staatsordnung ihren sinnvollen Ort.

Der zweite, inhaltliche Strang wird von der Mahnung zur Erneuerung des Denkens (12,1—2) beherrscht. Dieses äußert sich, am Maßstab des Willens Gottes, in ungeheuchelter Liebe, Verabscheuung des Bösen und Festhalten am Guten (12,9)[187] und spezifiziert sich näher als Nichtvergelten des Bösen mit Bösem und als Eintreten für das Gute (12,17), als Verzicht auf Kampf und Rechtverschaffung in eigener Sache (12,19) und als Unnachgiebigkeit gegenüber der Verlockung zum Bösen und gegenüber dem Verzicht auf Gemeinschaft auch mit dem Feinde (12,21)[188]. Der Begriff der »agape« (12,9; 13,8—10) bestimmt schlechthin das ganze in der Reihe der Mahnungen von Paulus geforderte Tun der Christen mit Einschluß dessen, was über ihr Verhältnis zur Staatsgewalt gesagt wird[189].

Davon ist nun aber auch das Staatliche selbst betroffen. Es steht nicht als ein Fremdes in der Reihe christlicher Mahnungen, etwa als naturrechtlich-außerchristlicher Sonderbereich, vielmehr findet es sich ganz im Raum »spezifisch christlicher« Prägung. Nicht die Christen werden einem Allgemeinbereich zugewiesen, vielmehr wird dieser in die Sphäre des christlich erneuerten Denkens einbezogen. »Die Mahnung erhebt sich, wo sie zur politischen Verantwortlichkeit wird, ohne ihren christlichen Adressaten auch nur einen Augenblick aus den Augen zu verlieren, ausdrücklich (πᾶσα ψυχή) zur Anrede an Jedermann«[190]. Der Kontrast zwischen spezifisch

---

185 Barth, KD II/2 797.
186 Barth, KD II/2 803, KE Römerbrief 184ff.
187 Barth, KD II/2 797.   188 Barth, KD II/2 805.
189 Barth, KD II/2 803.
190 Barth, KD II/2 797, Rechtfertigung 33; zur Ablehnung eines »allgemein moralischen oder religiösen« Verständnisses von Röm 13 aus dem Kontext vgl. auch Steck 300.

Christlichem und allgemein Menschlichem in der Ermahnungsreihe besteht nur scheinbar, in Wirklichkeit sind die Unterschiede »offenbar absichtlich verwischt«[191].

Die Frucht des Hereingenommenseins des Staates in die Ordnung Gottes, das ihm hier Zukommende, ist nicht allein das Enthobensein aus einer naturrechtlich konstruierten Eigengesetzlichkeit, sondern — komplementär hierzu — die »gründlich« (»*dia ten syneidesin*«, Röm 13,5) zu bewährende »Verantwortung« der Christen gegenüber dieser von Gott eingesetzten Gemeinschaftsordnung[192]. In dieser Verantwortung werden die Christen dem Kaiser das Seine geben (Mk 12,17). Das ist nicht eine »neutrale moralische Bravheit«, sondern einfach ihr im Glauben an Jesus Christus gelebtes Leben, ihr Leben als Kinder Gottes. Im Gebet für die Herrschenden, in der Verkündigung der göttlichen Rechtfertigung, im Erinnern des Staates an die umfassende Herrschaft Christi wird die Kirche dem Staat das geben, was er bedarf, um rechter Staat zu sein. Das heißt: die entscheidende Leistung der Kirche für den Staat besteht darin, »daß sie ihren Raum als Kirche behauptet und ausfüllt«[193]. Indem sie das Ihre tut, sorgt sie auf's Beste auch für das Seine.

d. Das Provisorische des Staates angesichts des Eschaton

Wie Barth sieht auch Cullmann den Staat und die Christen ganz unter der Bedingung des »Noch« aller irdischen Ordnung[194]. Angesichts des in der Herrschaft Christi bereits angebrochenen Eschaton kommt dem Staat nichts Letztes zu. Von Gott zwar für die Dauer dieses Äons noch gewollt, ist er eine Erscheinung des Vorläufigen, Provisorium. Ein weiterer Akzent — bei Barth nur indirekt mitgegeben — äußert sich darin, daß das Provisorische in seiner zeitlich eingeschränkten Dimension zugleich auch den Charakter defizienter Kompetenz in Hinsicht auf das inhaltliche Gestalten der Welt trägt. Temporäre und sachliche Beschränktheit des Staates stehen in engstem Zusammenhang. Das eine folgt aus dem andern. Der Christ, in

---

[191] Barth, KD II/2 797; S. 808 sieht Barth das Reden vom »besonderen christlichen Weg, dann von dessen politischem Charakter und dann wieder von dem besonderen christlichen Weg« als »gleitenden Übergang«, der ein Verständnis des politischen Mittelteils als »Fremdkörper« ausschließt.

[192] Barth, KD II/2 797. Das schließt als politischer Gottesdienst »immer ein kritisches, scheidendes, zwischen rechtem und schlechtem Staat unterscheidendes Tun« ein, G. Bauer 122; es hat, gerade auch in der Fürbitte, »sowohl einen kritischen wie einen aktiven Charakter«, Steck 307.

[193] Barth, Rechtfertigung 45.

[194] Cullmann, Staat z.B. 2, 13, 25f, 37, 38, 40, 43, 45, 47; Schlette 24f, 34, 37f, 39, 42; Marsch 403; Meinhold 33, 35, 36.

der Einheit seines Glaubens und Lebens allein am Maßstab der endgültigen Gottesherrschaft ausgerichtet, kann, von diesem Letzten her, dem so vorkommenden Staat nur kritisch begegnen. Nur unter der Voraussetzung dieses vom Eschaton bewirkten Kritischen, d.h. nur aus der Sicht des Christlichen heraus, kann der Staat in seiner noch bestehenden Gegebenheit angemessen gewürdigt und das Verhältnis der Christen zu ihm beschrieben werden.

Diese innere Struktur des neuen Seins — Relativierung des Bestehenden und Ermächtigung der Christen zu kritischer Prüfung des Bestehenden am Maßstab des Endgültigen — kann in Wort und Werk Jesu selbst wahrgenommen werden. Cullmann vermag dies anhand der, wie er feststellt, zahlreichen Äußerungen Jesu zu den politischen Verhältnissen seiner Zeit. Angesichts der ihm begegnenden extrem konträren Auffassungen vom Staat — Zelotismus auf der einen, Staatsverabsolutierung auf der anderen Seite — drückt sich seine Haltung in jeweils gegenläufiger Betonung aus. Den Zeloten, die — aus theokratisch-nationalen Gründen — den (weltlichen) Staat als solchen ablehnen, hält er sein grundsätzliches Ja zur Einrichtung des Staates entgegen; den Staat, den Jesus nach Annahme von Cullmann anscheinend nur als totalitäre, seine Grenzen überschreitende und sich selbst absolut setzende Macht erfährt, weist er auf seine Vorläufigkeit und Beschränktheit hin. Jesus korrigiert, vom Anspruch des Eschaton her, die weltlich-irrigen (= dämonischen) Staatsverständnisse des Alles oder Nichts und weist dem Staat für die Dauer des »Noch« seinen Platz in einem Ja — Aber zu.

Konkret zeigt sich die Kritik Jesu, in der er den Staat relativiert, an der Charakterisierung seines von den Römern eingesetzten Landesherrn als »Fuchs« (Lk 13,33) oder im ironischen Sprechen über die Sitte der Herrscher, sich mit dem Ehrentitel »Wohltäter« zu schmücken (Lk 22,25) oder in der Bergpredigt, wo dazu aufgefordert wird, dem Bösen — das bezieht Cullmann auch auf den römischen Staat — nicht zu widerstehen[195]. In Letzterem wird zugleich den Zeloten der (berechtigte) Geltungsanspruch der Staatsmacht entgegengehalten. Im Wort Jesu vom Schwert[196] — »Wer kein Schwert hat, verkaufe sein Kleid und kaufe ein Schwert« (Lk 22,35ff) — wird wiederum zunächst Kritik sichtbar: Der Staat kann Jesus, seinem Evangelium und denen, die es verkünden, gefährlich werden. Gegen solchen Übergriff gilt es gerüstet zu sein. Die Verkündigung des Evangeliums muß, trotz Verfolgung und Tod, weitergehen. Als die Jünger jedoch in ihrem Eifer sagen: »Herr, siehe, da sind zwei Schwerter« und so zelotische

---

[195] Zu den genannten Beispielen siehe Cullmann, Staat 13, 14; Schlette 29.
[196] Cullmann, Staat 22ff, siehe auch Schlette 29.

Tendenzen zu erkennen geben, weist sie Jesus mit seinem »Genug!« in die Schranken. Ihren zu weit gehenden Absichten werden augenblicklich Grenzen gesetzt. Freilich steht Jesus selbst in der Versuchung des Zelotismus, so wenn er im Garten Gethsemane im Blick auf die Bereitschaft seiner Anhänger zum Kampf — sie hatten Schwerter bei sich — in der Bitte, den Kelch vorübergehen zu lassen, jene Möglichkeit zu aktiver Wendung seines Geschicks ins Politische erkannte. Aber daß er dieser Versuchung widerstand, macht umso deutlicher, wie sehr das Politische vor dem Letzten, für das Jesus lebt und stirbt, zurücktreten muß, wie wenig der Staat im Letzten gültige Gegebenheit ist. Vor dem Eschaton muß alle irdische Macht scheitern[197].

Ganz parallel zur Haltung Jesu verhält es sich mit Paulus. Auch hier stehen zweierlei Aussagen zum Staat nebeneinander, Positives in Röm 13,1ff, Minderndes in 1 Kor 6,1ff und 1 Kor 2,8. Die in den Korintherstellen markierten Grenzen des Staates werden durch Erfahrungen wie Offb 13, wo der Staat, sich von seiner anderen Seite zeigend, zur satanischen Macht wird, noch verdeutlicht und in ihrer äußersten Möglichkeit erlebt. Ihre Einheit finden diese gegensätzlichen Aussagen wiederum in der eschatologischen Formel des Ja — Aber: ein Ja zum Staat als solchen, das Aber zum Staat als Provisorium.

Die Positivität des Staatlichen in Röm 13, oft als Vergöttlichung mißverstanden, erfährt bereits aus dem Kontext erhebliche Einschränkung: dort ist vom Gebot der Liebe die Rede, Böses soll nicht mit Bösem vergolten werden, den Feinden soll man Gutes tun. Dann folgt für den Staat das Gegenteil dessen, was für das Leben des Christen gilt: er rächt, straft Böses mit Bösem. Für Cullmann liegt hierin eine tiefe Minderung des Staates, der so ganz unchristlich, wenn auch in Gottes Auftrag, handelt. Konnte Barth den Christen die Unterordnung unter die den Zorn Gottes bezeugende

---

[197] Cullmann, Staat 28.
Neben den erwähnten Beispielen bezieht sich Cullmann, weit ausholend, auf zahlreiche weitere Belege — das Wort über die »Gewalttätigen«, die das Reich Gottes an sich reißen (Mt 11,12; Lk 16,16); das Wort über den »wahren Hirten« (Joh 10,8); die Selbstbezeichnung Jesu als »Menschensohn« und die Vermeidung des politisch-theokratisch mißdeutbaren Titels »Messias« (Mk 8,29ff; 14,61; 15,2); die Verurteilung Jesu durch Pilatus (Joh 18—19 und Par); das Wort vom »grünen Holz« (Lk 23,28—30) —, die alle dasselbe Ziel verfolgen: Aufweis der Souveränität Jesu gegenüber dem Zelotismusproblem. Jesus denkt zwar von der gleichen eschatologischen Erwartung her wie die Zeloten, zieht aber nicht ihre Konsequenzen. »Wir sehen: genau von der gleichen eschatologischen Einstellung aus muß Jesus zugleich jede Verabsolutierung des römischen Staates und das Unternehmen des Krieges gegen diesen römischen Staat verurteilen. Jesu Haltung scheint nur widerspruchsvoll zu sein. In Wirklichkeit ist sie durchaus konsequent, da in derselben Enderwartung begründet« (38). Sachlich übereinstimmend: Cullmann, Jesus und die Revolutionären seiner Zeit, Tübingen 1970.

Macht des Staates als der von Gott gerade zu diesem Zweck eingesetzten Ordnung empfehlen, weil sie wissen, daß in solchem Tun für die im irdischen Dasein notwendige Wahrung des Rechts gesorgt ist[198], erscheint Cullmann eine solche Anerkennung durchaus nicht selbstverständlich. »Gerade deshalb ist es nötig, daß er (Paulus) die Römer ... dazu (zu Anerkennung und Unterordnung) auffordert. Es ist nicht selbstverständlich, denn der Staat verfährt nicht nach dem Prinzip der Liebe, sondern der Vergeltung«. Darum kann die Forderung Paulus' zum Gehorsam nur unter dem Vorbehalt eines »Trotzdem« recht verstanden werden[199].

Vom Kontext her kommt auch — im Verweis auf die eschatologische Stunde (13,11) — jener andere Vorbehalt, der grundsätzlicher noch jede Staatsbejahung relativiert. Das schlägt auf den Text selbst durch, wo das Provisorische des Staates in der Häufung der Wörter mit dem Stamm »tag-« zum Ausdruck kommt, insoweit der Staat hier in die Ordnung Gottes gestellt wird, die ihm »jetzt noch«, für die Dauer dieses Äons, einen Stand gibt[200]. Im ersten Korintherbrief wird die in Text und Kontext von Röm 13 eröffnete Sicht bestätigt durch ergänzende Aussagen zum Verfallensein staatlicher Geltungsmacht angesichts des Eschaton. Das äußert sich einmal in der Anweisung an die Christen 1 Kor 6,1ff, den Staat selbst in seinen legitimen Aufgaben, wie der Rechtsprechung, nicht als Letztes anzusehen, ihn, wo seine Existenz als solche nicht bedroht ist, zu übergehen[201] — hier wird die Verbindung von zeitlicher und inhaltlicher Beschränkung im Provisorium deutlich! —, zum andern in der Unwissenheit der »Herrscher dieser Welt«, die sich, ohne es zu ahnen, im eschatologischen Ereignis der Kreuzigung selbst besiegen (1 Kor 2,8)[202].

Aus der Zuordnung des Staates in den Bereich eines anerkannten Ja — Aber folgt nun aber nicht ein wie auch immer näher zu umgrenzender Raum zu selbständiger Weltgestaltung. Diese an sich in der Disposition lie-

---

[198] Barth, KD II/2 805, KE Römerbrief 192, 193f; vgl. auch Steck 298ff.

[199] Cullmann, Staat 42, 49; vgl. auch Marsch 403, der den Staat hier in »zutiefst zweifelhafter Gestalt« dienen sieht angesichts des »Schmutzes, der dem politischen Geschäft nun einmal anhaftet«; Meinhold 30ff: »Obwohl der Staat so unchristlich handelt, muß man ihm untertan sein« (33).

[200] Cullmann, Staat 45, vgl. auch 41; im übrigen schwächt Cullmann »tetagmenai« (V1) zu »gottgewollt« bzw. von Gott »geordnet« ab.

[201] Cullmann, Staat 45. Den gleichen Gedanken — prinzipielles Kritischsein aufgrund des Provisorischen des Staates, auch dort, wo der Staat in seinen Grenzen bleibt — erkennt Cullmann schon bei Jesus im Gegenüber zum römischen Staat (39f). Vgl. auch Meinhold, 35ff (37).

[202] Cullmann, Staat 46f. Neben Röm 13, 1,1 Kor 6,1ff und 1 Kor 2,8 gibt Cullmann noch einen kurzen Hinweis auf Phil 3,20 und Eph 2,19: Weil das Staatswesen der Christen im Himmel ist, sind sie im irdischen Staat nur Beisassen.

gende Möglichkeit wird durch die Auskunft des Zinsgroschenwortes Jesu im Sinne einer rein äußerlich-finanziellen Existenzwahrung des Staates geklärt. Jesus gibt zwar keine genaue Definition dessen, was des Staates ist, aber: »Die Tatsache, daß in Mk 12,17 das, was dem Kaiser zu geben ist, das Geld ist, kann immerhin ein Fingerzeig sein«[203]. Der Fingerzeig wird dann von Cullmann zu umfassender Fundamentierung des Angedeuteten benutzt: das dem Staat Zustehende ist das »Geld«, »die Steuer«, »der Mammon«. Gott gehört der ganze Mensch. »Dem Kaiser gehört der Mammon, er hat sein Bildnis darauf prägen lassen. So mag er ihn haben!«[204] Die Existenzwahrung als solche ist dem Staat zugesagt: »Er hat das Recht, das zu verlangen, was zu seiner Existenz nötig ist, aber nicht mehr«[205].

Dem entspricht die Haltung der Christen. Sie werden sich, »solange es sich wirklich nur um das Steuerzahlen handelt, um das Geld, das ja dem Kaiser gehört«, nicht gegen die Existenz des Staates wenden, sie werden »dem Staat alles das ... geben, was zu seiner Existenz nötig ist«, ja sie werden dies »sogar dem totalitären Staat nicht verweigern« und »die Institution des Staates nicht als solche bekämpfen«[206]. Auch in Röm 13 sieht Cullmann nichts anderes ausgedrückt: es geht darum, »daß hier genau wie in der Lehre Jesu nur eine prinzipielle Ablehnung der Existenz des Staates verworfen wird«[207]. Freilich agiert der Staat beständig an der Grenze zum Totalitären und überschreitet sie, denn das Mehr, das ihm nicht zusteht und worin er in den Bereich dessen, was Gottes ist, eingreift, ist jedes über die Erhaltung seiner Existenz als solcher hinausgehende Tun. »Sobald ... der Staat mehr verlangt, als was er zu seiner Existenz benötigt, sobald er das verlangt, was Gottes ist, also seine Grenzen überschreitet«, wird er zum »totalitären Staat«[208]. An dieser Grenze entscheidet sich, ob er »Diener Gottes« oder »Instrument des Teufels« ist[209]. Nur die Wahrung der Institution als Institution läßt ihn legitim bleiben. In der Ordnung Gottes steht er nur, »wenn er Staat bleibt und nicht mehr zu sein sucht als Staat«[210].

Ein Mehr kann dem Staat nach Anbruch des Eschaton in der Herrschaft Christi nicht zukommen. Er ist vor diesem Letzten ein Unwissender, der

---

[203] Cullmann, Staat 38.
[204] Cullmann, Staat 25.
[205] Cullmann, Staat 26.
[206] Cullmann, Staat 26, 47 (66), 37, 43; vgl. Schlette 33f.
[207] Cullmann, Staat 43, 52. Bei Schlette äußert sich derselbe Gedanke unter dem Begriff der »Faktizität« des Staates, die als solche hinzunehmen und zu respektieren ist, vgl. 22, 31, 33, 38.
[208] Cullmann, Staat 37; weitere Belege für die Polarität zwischen reiner Existenzwahrung und Totalität z.B. 39, 40, 47, 50f, 52, 63.
[209] Cullmann, Staat 63, vgl. auch 51.
[210] Cullmann, Staat 65.

um den eschatologischen Auftrag Jesu und der Seinen, ja um sein eigenes Dienen in Gottes Ordnung im noch bestehenden Äon nicht weiß[211]. So hat er wesentlich instrumentellen Charakter, Gott »bedient« sich seiner[212], und auch dort, wo er abirrt und seine Grenzen überschreitet, wie bei der Kreuzigung Jesu, vollzieht er das Heilswerk Gottes[213]. Aus dem Verhaftetsein des Staates im »Noch« erwächst das »Darum« prinzipieller Kritik des Christen an ihm[214]. Die Verbindung des Provisorischen und des Kritischen in einer die gesamte Lebenswirklichkeit des Menschen durchdringenden Weite ist Konstitutivum christlich verantworteter Staatsbeurteilung[215]. So ist die Funktion des rechten Staates in der Spannung zwischen bloßem Existieren und Totalitär-Werden auf die äußeren Momente notwendiger Selbstorganisation und die Wahrung einer Mindestordnung einschließlich der dafür benötigten finanziellen Mittel beschränkt.

Im Rahmen so gewährleisteter Ordnung kann die Kirche ihren eschatologischen Auftrag der Verkündigung des Evangeliums erfüllen. Der Staat braucht sie nur gewähren zu lassen. Daß ihr Verkündigen sich auch auf die politischen Verhältnisse erstreckt und so mit weltgestaltendem Willen in den Raum aller Menschen eingreift, kann dem Schwertwort Jesu (Lk 22,38) entnommen werden: die Jünger dürfen zwar die Machtverhältnisse nicht mit Gewalt ändern — davor steht das »Genug!« —, aber »sie haben ... zu allen Fragen Stellung zu nehmen, auch den politischen«[216].

Überschreitet der Staat seine Grenzen, widersteht ihm die Kirche. Sie tut weiter das Ihre und leistet dem Staat ihren Dienst, indem sie sein Abirren namhaft macht und es als »widergöttlich« bezeichnet[217]. Aus ihrem Wissen um die Stelle, die der Staat in Gottes Heilsökonomie einnimmt, und in Treue zu ihrer eschatologischen Grundhaltung leistet sie ihre dem Staat geschuldete Aufgabe zu prinzipieller Kritik und zur Ausübung ihres »Wächteramtes«, »daß er an keinem Punkt aus der göttlichen Ordnung herausfalle«[218]. Sie dient dem Staat aber auch in »einer restlos positiven Beziehung«: im Gebet für ihn (1 Tim 2,1ff), und zwar auch da noch, wo er sich als Tier

---

211 Cullmann, Staat z.B. 42, 46, 65.
212 Cullmann, Staat z.B. 42, 43; Schlette 39; Marsch 404; Meinhold 31, 33.
213 Cullmann, Staat 47.
214 Cullmann, Staat 47, wo die Parallelisierung von Provisorium und Kritik, die die ganze Darlegung Cullmanns beherrscht, in der Kausalkette: »Noch« — »Darum« — »kritische Haltung« ausdrücklich gemacht wird; vgl. hierzu die bereits genannten Beispiele prinzipiell kritischer Haltung auch dort, wo der Staat in seinem Legitimitätsbereich bleibt, Anm. 201.
215 Cullmann, Staat 63ff; bei Schlette heißt es: der Staat ist »akzidentiell« (30), er hat für den Christen »nur sekundäre und tertiäre Bedeutsamkeit« (34), bleibt »uninteressant« und »nebensächlich« (41).
216 Cullmann, Staat 24.
217 Cullmann, Staat 66.
218 Cullmann, Staat 65f.

aus dem Abgrund erweist (Offb 13). »Weil der Christ nie den Staat als Institution ablehnt, wird er stets für ihn beten«[219/220].

e. Zusammenfassung

Fassen wir die Hauptlinien des von Barth und Cullmann entworfenen Staatsbildes zusammen, soweit es in Bezug zum exegetisch abgesteckten Rahmen steht, ergibt sich folgender Aufriß[221]: der Staat ist, unwissend um das Eschaton, nichts Letztes, nichts Absolutes. Er erkennt sich und seine Begrenzung nur im Schauen auf die Kirche (Barth), ist für die Dauer des »Noch« dieses Äons nur vom Christlich-Kritischen her angemessen einzuordnen (Cullmann). Das bedeutet — aus der Sicht der Kirche — Reduktion seiner Aufgabe auf die Wahrung der formal-äußeren Existenz. In solcher Beschränkung fungiert er als antichaotische Abwehrmacht. Inhaltliche Kompetenz zur Gestaltung des vom Chaos verschonten Raumes kommt

---

[219] Cullmann, Staat 62.

[220] Der hier zugrundeliegende Institutionsbegriff ist unklar. Sein Mangel resultiert aus der Verkürzung der verwendeten Begriffe »Staat«, »Recht«, »Institution«, »Ordnung« allein auf ihre äußerlich-statische Struktur hin unter Zurückdrängung der inhaltlich-aktmäßigen Komponente.

Genauer noch geht es bei Barth und Cullmann nicht um eine Begriffsunschärfe, sondern um die Destruktion des Staates als Institution selbst, ein Vorgang, der sprachlich durch die Beibehaltung »institutioneller« Begriffe nicht unmittelbar erkennbar wird. Im Grunde geht es darum, das, was mit »Staat« und »Institution« bezeichnet wird, im Kerngehalt — Vorgegebenheit, Unverfügbarkeit — zu beseitigen, und zwar durch einen Vorrang jener Größe, die gegenüber diesem nur Formalen eine inhaltliche, *die* maßgebliche inhaltliche, weil geistliche Dimension vertritt: das ist die Kirche. Die Institution des Staates ist demnach von vornherein als mehr oder weniger formaler, geist-unbegabter und schon deswegen fragwürdiger Rahmen gesehen, wie dies auch sprachlich in formelhaften Beschreibungen wie »Institution als solche« oder »Staat als Staat« oder »Existenz des Staates als solche« zum Ausdruck gebracht wird.

Dombois hat darauf hingewiesen, daß die protestantischen Staats- und Soziallehren aus einem Mißverständnis der Institution (als einem »kontinuierlichen Sein an einem Standort, der in einem bestimmbaren und geordneten Verhältnis zu anderen Orten steht« und in solcher Bezüglichkeit auch eine geistig-aktmäßige Seite besitzt) zu einer Verkürzung ihrer Bedeutung kommen, die sich bei den Lutheranern in einseitiger Betonung des Statischen, bei den Calvinisten umgekehrt in ebenso einseitiger Betonung der freien Verfügbarkeit über alle Bezüge unter Verkennung ihrer unabdingbaren Struktur niederschlägt (H. Dombois, Das Recht der Gnade, Ökumenisches Kirchenrecht I, Witten 1969, 902ff).

Die sich hier zeigende Gebrochenheit im Institutionsverständnis rührt wohl letztlich her aus der Negation jeden geschöpflichen Eigenseins gegenüber der alleinigen Herrschaft Christi. So entsteht die Aporie, von den gleichwohl noch geltenden irdisch-geschöpflichen Ordnungen in einer Terminologie sprechen zu müssen, die vom theoretischen Ansatz her schon überholt ist und nur durch Umprägung ihrer Begriffsmerkmale mit der veränderten Sicht in Einklang gebracht werden kann.

[221] Die übrigen Autoren, die im Gefolge von Barth und Cullmann eine christokratisch-politische Interpretation vertreten, fügen diesem Bild nichts Eigenes bei; im wesentlichen bleibt es bei der Übernahme der hier skizzierten Position.

ihm aus eigenem Recht nicht zu. Sein Auftrag erfüllt sich vielmehr im werkzeuglichen Dienst für Christus und die Kirche, im Zur-Verfügung-Halten des von ihm geschützten Raumes für die Verkündigung der christlichen Botschaft, die als Weltverantwortung alle Bereiche des menschlichen Lebens umfaßt und darin die Verantwortung für den Staat selbst einschließt.

Ihren Gehorsam unter den Staat vollzieht die Kirche so, daß sie dem Staat das zur Erhaltung seiner Existenz als solcher Notwendige gibt. Das ist, abgesehen von dem materiell-äußerlich zu leistenden Beitrag, die Beanspruchung des von ihrem Auftrag selbst erforderten Raumes. Ihr Gehorsam, ihm das Seine zu geben, ist vorrangig Verkündigung und Gebet und erst von diesem Ihrigen her Unterordnung. Ihr Sich-Unterordnen wird ganz bestimmt von den Bedingungen und Notwendigkeiten ihres Auftrages.

Die konkrete Weisung in Röm 13 fügt sich in dieses Bild ein. Sie meint — in der Haltung fürbittenden Betens (1 Tim 2,1ff) bei grundsätzlich staatskritischer Einstellung (1 Kor 6,1ff) — nichts anderes als die Verpflichtung des Christen zur Erhaltung des Staates in seiner Existenz als solcher. Sie ist daher nichts Fremdes im Kontext paulinischer Paränese, sondern — ganz im Gegensatz zum Verständnis der übrigen Interpretationsrichtungen, die an der Weltlichkeit des Redens Anstoß nehmen — speziell christlich.

Eine gewisse Spannung in der Sicht Barths und Cullmanns deutet sich an hinsichtlich der Intensität der Inanspruchnahme des Staates durch die Kirche. Während Barth den Staat der Kirche direkt und aktiv zuordnet als Schutz- und Rechtsmacht, die in ihrem Tun den dynamisch auf Sendung gehenden Auftrag der Kirche folgt, läßt Cullmann das Zuordnungsverhältnis nur als indirekt-passives gelten, als Pflicht des Staates zum Gewährenlassen der Kirche neben sich. Groß ist die Differenz der Betrachtungsweisen in ihrer Auswirkung allerdings nicht, insofern das Gewährenlassen — das dynamische Moment liegt wiederum bei der Kirche — den Staat ebenfalls zu duldend-ermöglichendem Tun für die Kirche zwingt.

Die im ganzen optimistischere Sicht Barths zeigt sich bei der Beurteilung der Gerichtsfunktion des Staates: für Barth ist sie positiv irdische Ordnung und damit den Auftrag in diesem Äon ermöglichende Gewalt, für Cullmann steht sie mehr abwertend als christlich-fremdes Tun unter dem Vorbehalt eines »Trotzdem«. Überhaupt ist für Barth der Staat, trotz aller Möglichkeit zum Abirren, stärker in seinem eigentlichen Auftrag, Diener Gottes zu sein, verankert, während ihn Cullmann skeptischer schon gedanklich gleichermaßen zwischen der Möglichkeit zum »Diener Gottes« und zum »Werkzeug des Teufels« schwanken, faktisch aber doch stärker zum Abgrund tendieren sieht.

III. AUSSAGEN ÜBER DEN STAAT

Nach Erörterung der Fragen um Kontext, Anlaß und Tradition, die bereits die ganze Problematik unserer Textstelle aufweisen, sind nun die Aussagen des Textes selbst herauszuarbeiten. Deutlich ergibt sich hier eine Zweiteilung: solche Aussagen, die den Staat selbst betreffen (III.) und solche, die Auskunft über das Verhältnis der Christen zum Staat geben (IV.). Was den Komplex des Staates selbst angeht, stehen 1. die »Herkunft« des Staates, näher: die Staatsqualität der *exousiai hyperechousai*«, der »übergeordneten Gewalten«, die Allgemeinheit und Konkretheit ihrer Geltung sowie ihr »Verhältnis« zu Gott und 2. ihr Auftrag und ihre Grenzen in Frage.

1. DIE HERKUNFT DES STAATES — »VON GOTT EINGESETZT«

Das Bedenken der »Herkunft« des Staates und der damit in Zusammenhang stehenden Überlegung, was »von Gott eingesetzt« eigentlich bedeutet, wirft zunächst eine grundsätzlichere Frage auf: ob mit den *»exousiai hyperechousai«* überhaupt der Staat, wie er in der sichtbar-erfahrbaren Welt vorkommt, gemeint sei oder ob ein anderes Verständnis der »übergeordneten Gewalten« das in Röm 13,1ff Gesagte richtiger zum Ausdruck bringt. Solches Fragen mag befremden, ist doch die gesamte traditionelle und der weitaus größte Teil gegenwärtiger Schriftauslegung der Überzeugung, der Begriff *»exousiai hyperechousai«* beschreibe nichts anderes als »Staat«, »Obrigkeit«, »öffentliche Ordnung«, »weltliche Autorität« u.a. (unten 101ff). Gegenüber dieser verbreiteten Auffassung sind jedoch in verschiedener Richtung Modifikationen versucht worden, um die im so verstandenen Begriff des Staatlichen liegenden Momente an Positivität, Selbständigkeit, Geltungsmacht und Institution zu relativieren und den Christen eine gegenüber dem Staat kritischere Praxis nahezulegen. Erst nach Klärung der Differenz in der Beurteilung des Begriffs *»exousiai hyperechousai«* kann sinnvoll danach gefragt werden, wie sich das »Verhältnis« der Staatsgewalt zu Gott darstellt, als Stiftung von Gott her, als charismatisch-situative Inanspruchnahme vorhandener politischer Machtstrukturen durch die christliche Gemeinde oder als christokratische Indienstnahme der Staatsgewalt für den Weltauftrag der Kirche.

a. Die »exousiai hyperechousai« als staatliche Gewalten

Die Bedeutung der *»exousiai hyperechousai«* als Staatsgewalt wird in zwei Richtungen infrage gestellt. Einmal handelt es sich um die angelologische

Deutung der »übergeordneten Gewalten«, die den Staat als Ausführungsorgan hinter ihm stehender Engelmächte sieht, und um deren christokratische Variante, wonach sich Christus alle Mächte und Gewalten und so auch die in ihrer Hand liegenden Staatsgewalten unterworfen und dienstbar gemacht hat. Zum anderen geht es um ein personales, nichtinstitutionelles Verständnis der »übergeordneten Gewalten«. Hier liegt die Auffassung zugrunde, im Gegenüber von Bürger und staatlichem Funktionsträger gehe es nicht eigentlich um eine Beziehung des Einzelnen zum größeren Ganzen des Staates oder umgekehrt um ein Handeln der (öffentlich-geordneten) Allgemeinheit gegenüber dem Einzelnen, sondern wesentlich um ein sachlich-konkretes Miteinander unter Gleichen, gewissermaßen um ein Handeln von Mensch zu Mensch.

aa. Die angelologische und christokratische Deutung der »exousiai hyperechousai«

Die angelologische Deutung der »übergeordneten Gewalten« — in den dreißiger Jahren unseres Jahrhunderts aufgekommen[1] — empfindet die positive Staatsbeurteilung in Röm 13 angesichts der schon in urchristlicher

[1] Die These von einem Zusammenwirken zwischen Engelmächten und Staat wurde in ausgebauter Form zuerst (1936) von Dehn, Engel 90ff (100ff), vorgelegt, nachdem sie ansatzweise bereits von K.L. Schmidt, Zum theologischen Briefwechsel zwischen Karl Barth und Gerhard Kittel, in: Theologische Blätter 13 (1934) 332, geäußert worden war.
Davor hatte M. Dibelius eine angelologische Deutung der »exousiai« erwogen (Die Geisterwelt im Glauben des Paulus, Göttingen 1909, 200), von ihr aber 1941 wieder Abstand genommen, Rom und die Christen im ersten Jahrhundert 180ff.
Bereits in der frühen Kirche hat es gelegentlich Deutungsversuche in angelologischer Richtung gegeben, wie der abwehrenden Stellungnahme des Irenäus zu entnehmen ist, Contra Haer. V, 24, 1 (PG 7, 1187).
Etwa gleichzeitig mit Dehn äußerte Barth, Volkskirche 412f, seine christokratische Version, indem er die staatliche Ordnungsmacht mit jenen Engelmächten in Verbindung brachte, »die (nach dem Philipper-, Kolosser- und Epheserbrief), ohne ihren an sich widergöttlichen Charakter und ihre Gefährlichkeit eingebüßt zu haben, Jesus Christus dienstbar geworden sind.«
Die angelologische Position Dehns wurde aufgenommen von K.L. Schmidt, Das Gegenüber von Staat und Kirche in der Gemeinde des Neuen Testaments, in: Theologische Blätter 16 (1937) 1ff (mit gewissen Bedenken, weil die These bisher nie von kirchlichen Kommentatoren vertreten worden sei); Schweitzer 9ff; dann einfach zugrundegelegt bei Bieder 28ff; Asmussen 264; Meinhold 35ff.
Weiter ausgebaut wurde die Staats-Engel-Theorie, freilich im Sinn der christokratischen Variante, von Barth, Rechtfertigung 14ff (1. Auflage 1938), KD III/3 534ff, und Cullmann, Königsherrschaft 25ff, 44ff, Staat 46ff, 68ff.
Die Inanspruchnahme Schliers für die Begründung der angelologischen Auslegung der »exousiai« (vgl. Dehn, Engel 103; K.L. Schmidt 14; Schweitzer 55; Cullmann, Königsherrschaft 44; Barth, Rechtfertigung 15; Gaugler 141; Käsemann, Röm 13 359) ist m.E. unzutreffend. Sie beruht auf einer bereits im Sinne der angelologischen Staatsdeutung vorentschiedenen Interpretation des Satzes: »Es ist nicht zufällig, daß die staatliche Obrigkeit, die Macht also, die zwar Macht ist in einzelnen Menschen, die Gewalt haben, und doch ganz abgesehen

Zeit bestehenden tatsächlichen Verhältnisse zwischen Gemeinde und Staat als nur schwer zu lösendes Rätsel und vermerkt einen Widerspruch zu entsprechend anders lautenden, staatskritischen Aussagen der Schrift[2].

Gegenüber der traditionellen (naturrechtlich-ordnungstheologisch geprägten) Auffassung zu Röm 13,1—7, die mit dem Eingesetztsein von Gott eine betont positive Rolle des Staates verband und ihn der Tendenz nach zum Stellvertreter Gottes in den irdischen Dingen machte, dessen Entscheid kaum noch anzuzweifeln war (unten 121f), versuchte sie, die verdorbene, dämonische Seite des Staates hervorzuheben. Dies schien mit Hilfe der Deutung der »Gewalten« auf Engelmächte möglich.

Sprachlicher Anknüpfungspunkt für diese Vorstellung ist die Pluralbildung »exousiai«, die an verschiedenen Stellen des Neuen Testaments Engelmächte bezeichnet und häufig in Verbindung mit anderen himmlischen Wesen — »archai« (Mächte), »thronoi« (Throne), »kyriotetes« (Herrschaften), »aggeloi« (Engel), »dynameis« (Kräfte) — genannt wird, in Röm 13 aber, ebenso Tit 3,1 und Lk 12,11, erkennbar die staatlichen Gewalten meint[3]. Besondere Beweiskraft für eine »unmittelbare Coinzidenz himmli-

---

von den Trägern dieser Macht da ist, die ein Gebilde ist, das nur in der Schicht des öffentlichen Lebens vorkommt, ἀρχαὶ καὶ ἐξουσίαι genannt wird«, Schlier, Mächte I 292. Weder der Satz selbst noch der Zusammenhang, in dem er steht, legen eine Wertung der »exousiai« im Sinne eines Doppelcharakters als Staats- und Engelmacht nahe. Der Satz kann ebensogut dahin verstanden werden, daß die die persönliche und sachliche Autorität (Macht) des einzelnen Funktionsträgers übersteigende Macht der »Gesamtgestalt« Staat eine wirkliche und effektive ist, auch wenn sie als solche nicht in derselben Weise greifbar ist wie die eines einzelnen Trägers dieser Macht. Daß die »übergeordneten Gewalten« bei Schlier unzweideutig irdische Staatsgewalten sind, ergibt sich aus Beschreibungen wie »Die *exousiai hyperechousai* sind nach verbreitetem Sprachgebrauch die staatlichen Gewalten«, Staat II 203, oder aus ihrer Kennzeichnung als »politische Gewalten« bzw. als »staatliche Macht«, Römerbrief 386, 387. Vgl. auch den umfangreichsten Beitrag Schliers zum Thema »Mächte und Gewalten im Neuen Testament«, in: Quaestiones Disputatae 3 (1958), in dem er bei der Darstellung der verschiedenen himmlischen Kräfte und Mächte nirgendwo auch nur andeutungsweise vom Staat spricht. In der Betrachtung der zahlreichen Begriffe für himmlische Wesen (11f) nimmt er bei den »exousiai« lediglich Bezug auf Röm 8,38; 1 Kor 15,24; Eph 1,21; 3,10; 6,12; Kol 1,16; 2,10.15; Röm 13,1 hingegen fehlt.

[2] Dehn, Engel 92f. Das Bewußtsein des Gegensatzes der urchristlichen Gemeinde zum Staat sieht Dehn — außer in der Offenbarung des Johannes — vor allem in den Belegen, die das Herrsein Christi über alle Mächte betonen, z.B. Phil 2,10; 3,20 und in der Häufung sakraler Kaiserprädikate auf Christus bzw. auf Gott, z.B. 1 Tim 6,14f; Tit 2,11-13; 3,4; 2 Tim 1,10; Lk 22,25f.
Die geheime Mitte der Haltung der Urgemeinde gegenüber der weltlichen Obrigkeit sei jedoch das Denken Jesu selbst gewesen, das äußerste Distanz gegenüber Fürsten und Machthabern zum Ausdruck bringe. Dehn sieht dies in Äußerungen wie der von den »weichen Kleidern« in den »Häusern der Könige« (Mt 11,8) und der vom »Fuchs« in Bezug auf Herodes (Lk 13,32) hinreichend belegt. Die Bedeutung des Zinsgroschenwortes (Mk 12,17) liege in einer leidenschaftslosen und objektiven Abgrenzung der staatlichen von der göttlichen Sphäre.
[3] Dabei tritt besonders häufig das Begriffspaar »archai« — »exousiai« auf. Barth, KD III/3 534, faßt die philologischen Beobachtungen prägnant zusammen: zu den »archai« und»exousiai« (1

schen und irdischen Herrscherhandelns« wird den Aussagen in 1 Kor 2,6.8, 1 Kor 6,1ff und 1 Kor 15,24f beigelegt: die »*archontes tou aionos toutou*«, die »Herrscher dieses Äon« (1 Kor 2,6.8), erweisen sich im geschichtlichen Akt der Kreuzigung zugleich als die in der irdischen Sphäre handelnden politischen Machthaber (Pilatus und Herodes)[4]; das eschatologische Gericht, das die Christen über die Engel halten werden (1 Kor 6,1ff), ist selbstverständlich auch auf die staatliche Obrigkeit zu beziehen[5]; in Kor 15,24 deutet Paulus die Völkerschicksale des Ps 110 auf die Herrschaften, Gewalten und Mächte der Geisterwelt[6]. Alle diese Kräfte »haben eine politische Note und Tragweite; es geht um die die menschliche Geschichte beherrschenden und gestaltenden Mächte«[7].

Ausgehend von diesem Befund und im Rückgriff auf spätjüdische Vorstellungen der Beziehung von Engelmächten auf obrigkeitliches Walten (Völkerengel)[8] wurde ein Doppelcharakter der »*exousiai*« als (politische) Obrigkeit und als Engelmächte angenommen. Dies bedeutet nicht einfach Identität der beiden Sphären, wohl aber sind die Staatsmächte auf die Engelmächte als ihre »von Gott aufgezeichneten Originale« bezogen[9]. Der Staat erscheint nun als Ausführungs- und Hilfsorgan der hinter ihm stehenden, ei-

Kor 15,24; Kol 1,16; 2,10; Eph 1,21; 3,10; 6,12; Tit 3,1) treten hinzu die »*dynameis*« (1 Kor 15,24 und 1 Petr 3,22), die »*kyriotetes*« (Kol 1,16 und Eph 1,21), die »*thronoi*« (Kol 1,16), die »*kosmokratores*« (Eph 6,12), die »*aggeloi*« (Röm 8,38). Da die »*archai*« (außer 1 Petr 3,22) und die »*exousiai*« (außer Röm 8,38) an keiner Stelle fehlen, schließt Barth: »Auch die ἄρχοντες τοῦ αἰῶνος τούτου (1 Kor 2,6f) sind darum hier zu erwähnen.«

[4] Dehn, Engel 104f; Cullmann, Königsherrschaft 45, Staat 46, 48f; Barth, Rechtfertigung 15; Schweitzer 22.

[5] K.L. Schmidt 11; Schweitzer 22. Cullmann, Königsherrschaft 47f, hält diese Anschauung, wonach Engelmächte hinter dem Staat stehen, »gerade für Paulus durch 1 Kor 2,7-8 und 1 Kor 6,3 so eindeutig belegt ..., daß es geradezu undenkbar wäre, daß er in Röm 13,1, um vom Staat zu sprechen, das Wort ἐξουσίαι in einem anderen als dem ihm geläufigen Sinn von ›Engelmächten‹ gebraucht hätte«. Vgl. auch Cullmann, Königsherrschaft 25 und Staat 48f.

[6] Dehn, Engel 104; Barth, Rechtfertigung 16; Schweitzer 22.

[7] Barth, KD III 3,535; vgl. Dehn, Engel 102f: »Die Mächte (haben) Öffentlichkeitscharakter, ...(sie) wirken in die Welt hinein«.

[8] Schriftgrundlage dieser Vorstellung sind hauptsächlich Deut 32,8 (LXX); Dan 10,13 und Jes 24,21 (vgl. auch Hen 61,9-11), wo ein Zusammenhang zwischen den »Königen auf Erden« und dem »Heer, das im Himmel ist«, gegeben scheint. Gelegentlich ist von Schutzengeln die Rede, durch die Jahwe die heidnischen Völker regiert (Dan 10.13.20 betr. Schutzengel Persiens und Griechenlands; Schutzpatron Israels ist der Erzengel Michael, Dan 12,1; Hen 20,5) — siehe hierzu Dehn, Engel 103ff; Schweitzer 14ff. Dehn zieht diese Linie bis ins Neue Testament aus, wo er das Thema Engel und Obrigkeit in nur geringfügigiger Weise variiert wiederfindet: Off 1,20 (Engel und Gemeindeleitung); Gal 3,19; Apg 7,38.53; Hebr 2,2 (Teilnahme der Engel am Gesetz — »Gesetz hat es mit der Leitung zu tun!«). Eine Deutung von Völkerschicksalen auf Engelmächte sei auch bei Paulus gegeben: 1 Kor 15,24 i.V.m. Ps 110 oder Phil 2,20f i.V.m. Jes 45,23.

[9] Barth, KD III 3,535.

gentlich die Macht ausübenden unsichtbaren Gewalten[10]. Da die Engelmächte, ihrem Auftrag nach, Gottes Willen repräsentieren und ausführen — »die Engel sind Geschöpfe Gottes, sie sind Gottes verlängerter Arm« —, ist die »überwältigende Positivität der Aussagen des Paulus, die jenseits jeder apostolischen Pädagogik stehen«, zu begreifen[11]. Von hier aus kann, in Anspielung auf Bezeichnungen wie »Diakon Gottes« und »Liturgen Gottes« in Röm 13,4.6, dem Staat sogar liturgisch-sakrale Qualität zugesprochen werden[12], und es wird verständlich, warum hier eine so dezidierte Gehorsamsforderung angemeldet wird: es geht zuerst nicht um eine Bindung der Christen an Engel, sondern an Gott bzw. an Christus[13].

Dies ist aber nur eine Seite der Engel. Die andere ist die Tendez zur Eigenmacht. Dadurch können Engel zu gottfeindlichen Mächten werden. In ihre eigene Dämonisierung ziehen sie den Staat, ihr irdisches Ausführungsorgan, hinein. Die Gefahr und Realität solcher Dämonisierung ist das eigentliche Thema der angelologischen Theorie. Nach der Grundlegung der *exousiai* im Willen und Auftrag Gottes, die gerade die Positivität von Röm 13 erklären soll, sieht man die Engel allenthalben fallen[14]. Auch dort, wo nicht eine »zwangsläufige Affinität zwischen Menschenmacht und Dämonenmacht«[15] angenommen, sondern »echte Obrigkeit«, die im Willen Gottes steht, für möglich gehalten wird, ist der Staat stets »hoch versucht«, dämonisch zu werden: »Die Gefahr des Abfalls besteht jeden Augenblick«[16]. So hat »Staatstum Dämonisches in sich«[17], sind seine Repräsentanten »Werkzeuge dämonischer Mächte«[18]. Für den Christen folgt aus dieser Gefährdung menschlich-staatlicher Macht die Notwendigkeit zur Unterscheidung der Geister. Er weiß wohl um den positiven Auftrag des Staates

[10] Z.B. Cullmann, Königsherrschaft 25, 27, 33, 34, 45, 47; Schweitzer 48, spricht von den »irdischen Verbindungsmännern« der Engelmächte, durch die Gott den Staat regiert.
[11] Dehn, Engel 105; vgl. auch 101: Geschöpflichkeit der Engel gem. Röm 8,38.
[12] Dehn, Engel 105, verweist dazu auf Hebr 1,7.14, wo die Engel als *leitourgika pneumata eis diakonian apostellomena* bezeichnet werden; vgl. auch Barth, Rechtfertigung 20, 34, Christengemeinde 10, KE Römerbrief 193f; Cullmann, Königsherrschaft 33,46; Diem 367 (»kultische Termini«); Dehn, Leben 80, 84f.
[13] Schweitzer, 48; Cullmann, Staat 50.
[14] Z.B. 2 Kor 4,4 (Satan — »Gott dieses Äons«); 2 Kor 12,7 (Satansengel); Eph 1,21; 6,12; 1 Kor 15,24 (die gottfeindliche Haltung der »Mächte« ist vorausgesetzt); Dan 7,12; Offb 13,4; 20,10; Lk 4,6 (mitten im Aufstand der Mächte behauptet Gott seine Suprematie), s. Dehn, Engel 101, 102, 107; zu Abfall und Dämonie der Engel siehe ferner: Barth, Rechtfertigung 15, 16, 17; Cullmann, Königsherrschaft 24, 26, 27, 33, 46; Schweitzer 15f, 34ff, 42; Asmussen 266; Meinhold 36f.
[15] K.L. Schmidt 11; vgl. auch Heiler 229 mit Bezug auf Lk 4,5ff: »...schon Jesus hat einen Zusammenhang zwischen Weltherrschaft und Satansdienst geschaut«.
[16] Dehn, Engel 106.
[17] K.L. Schmidt 11.
[18] Meinhold 36.

als einer das irdische Leben bewahrenden Ordnung — insoweit ist ihm relatives Eigenrecht zugestanden —, aber er muß stets mit dessen Herausfallen aus der ihm von Gott zugewiesenen Aufgabe rechnen. Die Fragwürdigkeit staatlichen Tuns wird zur entscheidenden Maxime christlicher Staatsbeurteilung. Ergebnis dieser Theorie ist die deutliche Abwertung des Staates[19].

Die christokratische Deutung der »exousiai« bedient sich der angelologischen These, um die prinzipielle Herrschaft Christi über alle Mächte und Gewalten als bereits gegenwärtig zu proklamieren und so auch den Staat aus seiner Eigen-Macht in die Bindung an Christus zu überführen[20].

Unter Bezugnahme auf urchristliche Hymnen und Bekenntnisse, die das Herrsein Christi in seiner Schöpfungsmittlerschaft[21] und dann in seinem Sieg über alle Feinde[22] verkünden, gelangt diese Deutung zur Unausweichlichkeit der »Indienstnahme«[23] der unterworfenen Gewalten für das Regnum Christi. Dieses umfaßt nicht nur die unsichtbare, kosmische Welt, sondern auch den irdischen Bereich, wo es seine Herrschaft über Kirche und Staat ausübt. Freilich nicht in derselben Weise: Während Regnum Christi und Kirche »wesenhaft zusammengehören«, Kirche der »Herzpunkt des Regnum Christi« ist[24], gehört der Staat, vermittelt durch die Engelmächte, in eine »sekundär-christologische Sphäre«[25]. Er »hat also keine vom Reich Jesu Christi abstrahierte, eigengesetzlich begründete und sich auswirkende Existenz, sondern ist — außerhalb der Kirche, aber nicht außerhalb des Herrschaftsbereichs Jesu Christi — ein Exponent seines Reiches«[26].

---

[19] K.L. Schmidt 11; Kittel 48; Kümmel 136; Brunner, Staat 4; v.Campenhausen 106; Strobel 69; H.W. Schmidt 220; Käsemann, Römer 13 359; Zsifkovits 62.
[20] Grundlegend: Cullmann, Königsherrschaft 5ff, und Barth, Rechtfertigung 14ff; darüber hinaus: Diem 365ff; G. Bauer 118f.
[21] Kol 1, 14-20; 1 Kor 8,6; Joh 1,2ff.
[22] Hierher gehören alle Stellen, wo das »Sitzen zur Rechten Gottes« und die »Unterwerfung aller Feinde« Ps 110 auf Christus gedeutet wird, z.B.: Röm 8,34; 1 Kor 15,25; Kol 3,1; Eph 1,20f; Hebr 1,3; 8,1; 10,13; 1 Petr 3,22; Apg 2,24; 5,31; 7,55; Off 3,21; Mt 22,44; 26,64; Mk 12,36; 14,62; 16,19; Lk 20,42; 22,69; vgl. Cullmann, Königsherrschaft 5, Anm. 1.
Das Herrsein Christi wird ferner betont: Mt 18,18f; Phil 2,6ff; 1 Tim 3,16.
[23] Barth, Rechtfertigung 16f, begründet die »Indienstnahme« mit der (im Gegensatz zur übrigen Exegese stehenden) Übersetzung des »katargein« in 1 Kor 15,24 als »unterwerfen« statt »vernichten« und deutet dann das Unterworfensein unter Bezug auf 1 Kor 15,25; Phil 2,9f; Eph 1,21; 1 Petr 3,22 und Kol 2,15 als souveränes Verfügenkönnen Christi über die Mächte. »Nicht vernichtet, sondern zum Dienst und zur Verherrlichung Christi und durch ihn Gottes gezwungen zu werden, ist danach die in Christi Auferstehung und Parusie sichtbar werdende Bestimmung der störrischen Engelmächte.«
[24] Cullmann, Königsherrschaft 28, s. auch 8,24.
[25] Barth, Rechtfertigung 20; G. Bauer 120, spricht von der Kirche als »innerer Sphäre« und vom Staat als »äußerer Sphäre« des »christologischen Bereichs«.
[26] Barth, Christengemeinde 10.

Allerdings ist der Sieg Christi und damit seine Herrschaft noch nicht voll-
endet, so daß bis zur endgültigen Vernichtung aller Gegner in der Parusie
der Satz des »Schon und Nochnicht« gilt[27]. In der Zwischenzeit können
sich die Mächte durch »Emanzipationsbestrebungen« aus ihrer grundsätzlichen Unterstellung durch Jesus Christus — freilich nur zeitweilig und pro-
visorisch — lösen und so eine dämonische Eigenmacht entfalten[28]. Aber
selbst wenn sie dies tun, wenn sie »verwildern« und dämonisieren, können
sie doch dem Dienst für Christus nicht entrinnen, und sei es, daß sie ihn
nur »störrisch« und »widerwillig« tun. Aus dem, »was dieser dämonisierte
Staat will und versucht, (kann) unter allen Umständen nichts werden, er
wird zähneknirschend dennoch und gerade da dienen, wo er herrschen, da
bauen, wo er zerstören, da Gottes Gerechtigkeit bezeugen, wo er menschliche Ungerechtigkeit offenbaren möchte«[29].

Dieses Erklärungsmodell, das »so etwas wie eine christologische Ontologie«[30] darstellt, hat einschneidende Konsequenzen für Einschätzung und
Einordnung des Staates in das Ganze der irdisch-politischen Wirklichkeit.
Anders als bei der nur angelologischen Deutung, deren Skopos, ausgehend
von überkommenen ordnungstheologischen Vorstellungen[31], eine Minderung übergroßer Staatsgeltung zum Ziel hatte, wird mit der Indienst-
nahme-These der Staat — unbeschadet provisorischer Dämonisierenkön-

---

[27] Cullmann, Königsherrschaft 11, unterscheidet zwei aufeinanderfolgende Phasen des Regnum Christi: die *Unterwerfung* der Mächte, wie sie in Tod und Auferstehung Jesu grundgelegt
sei, liegt in der Vergangenheit und wirkt so bereits die Gegenwärtigkeit dieses Reiches, vgl.
Kol 1,13; 2 Tim 1,10; 1 Kor 15,55; Mt 28,18; 1 Petr 3,22, die endgültige *Vernichtung* ist den
zukünftigen eschatologischen Ereignissen vorbehalten, die den »Schlußakt« des Regnum
Christi bilden, vgl. 1 Kor 15,23ff, Hebr 10,13, 1-20. So besteht für den gläubigen Menschen eine Spannung zwischen Gegenwart und Zukunft, zwischen dem Schon der Herrschaft Christi
und dem Nochnicht seiner Vollendung. »Sie kommt letzten Endes daher, daß die Entscheidung bereits in Tod und Auferstehung Christi, also ganz innerhalb des gegenwärtigen Äons,
gefallen ist, und daß sie doch noch einmal fallen muß, wenn dieser gegenwärtige Äon selbst
verschwindet«, (16).
[28] Cullmann, Königsherrschaft 24, 26, 33, 46; Barth, Rechtfertigung 15, 16, 17.
[29] Barth, Rechtfertigung 15ff (18); vgl. auch 30, 36.
Denselben Gedanken äußert Cullmann, Königsherrschaft 28, im Bild von der »Leine«, an die
die Mächte durch Christi Sieg mehr oder weniger fest gebunden sind. Es sei ein Irrtum, zu
glauben, die dämonisch entfesselten Mächte seien wirlich der Herrschaft Christi entronnen.
»In Wirklichkeit hat sich nur die Leine, an die sie gebunden sind, in diesem Fall so weit ver-
längert, daß sie die Grenzen überschreiten konnten. Aber die Leine bleibt«; vgl. auch Königsherrschaft 17 und Staat 50.
[30] Käsemann, Römer 13 372.
[31] Dehn, Engel 102, 108; K.L. Schmidt 15; Schweitzer 29ff; Die Hinweise auf Schöpfungsordnung und Schöpfungsmittlerschaft werden jedoch nicht über die Zuordnung der Gewalten zu Gott/Christus hinaus spekulativ ausgebaut.
Schweitzer 12, 43ff, lehnt eine konkrete christologische Bindung des Staates ausdrücklich ab:
»Indem der Staat die Krise dieser Welt so lange aufhält, bis die von Gott bestimmte Zeit des
Endes gekommen ist, tritt er nur indirekt in den Dienst Christi, denn seine Aufgabe hat sich

nens — weitgehend entmächtigt: die inhaltliche Füllung seiner Aktionen geschieht nunmehr legitim nur noch in Orientierung am Reich Christi, d.h. aber unter entscheidender Mitwirkung und Verantwortung der Christen, der Gemeinde/Kirche, die primärer Exponent dieses Reiches auf Erden ist. Von dieser Grundlegung her ergeben sich alle weiteren Folgerungen für die nähere Verhältnisbestimmung zwischen Christen/Gemeinde und Staat, die hier nur stichwortartig angedeutet seien (unten 111ff, 131ff, 149ff): Es gibt kein Eigenrecht des Staates; das bessere Wissen um den Staat haben die Christen; die Christen tragen aktive Mitverantwortung (das ist ihr Gehorsam) für die Gestaltung der staatlichen Sphäre; Ziel des Staates ist letztlich seine »Verkirchlichung«; Hauptaufgabe des Staates ist der Schutz für die Kirche und ihre Verkündigung.

Die Geltung des Staates als eigenständiger und Autorität beanspruchender Kraft wird durch die christokratische Deutung somit von zwei Seiten her geschmälert: einmal durch das Dämonisch-Provisorische seiner Existenz, zum anderen durch die missionarisch-eschatologische Kraft des weltgestaltenden Auftrags der Gemeinde.

Der angelologisch-christokratischen Deutung der »*exousiai*« ist auf breiter Front widersprochen worden[32]. Die Kritik verfolgt dabei drei Hauptlinien:

— Unstimmigkeit mit dem kontextlichen Sinnzusammenhang einschließlich lexikalisch-philologischer Differenzen;
— Fehlinterpretation der alttestamentlich-jüdischen Engelvorstellungen;
— Unvereinbarkeit mit der neutestamentlichen Christologie.

Danach macht bereits der neutestamentliche Wortgebrauch von »*exousiai*« die angelologische These unwahrscheinlich. Das Neue Testament, besonders auch das Corpus Paulinum[33], verwendet »*exousiai*« fast durchweg neutral im Sinn von »Macht, die jemand hat« (etwa achtzig Mal); in lediglich

gegenüber dem, was sie ante Christum natum charakterisierte, in keiner Weise geändert«, (48). Schweitzer kommt freilich bei den konkreten, das Verhältnis Christ/Gemeinde-Staatsgewalt betreffenden Folgerungen in vieler Hinsicht den Ergebnissen der christokratische Variante sehr nahe.
[32] Grundlegend: Kittel 48ff; Gaugler 145ff; v.Campenhausen 97ff; Strobel, Römer 13 67ff; Delling 20ff.
Weiter: Zsifkovits 59ff; Neugebauer 168ff; H.W. Schmidt 220; Althaus 130f; Koch-Mehrin 380f; Käsemann, Römer 13 351ff, Römerbrief 338; Michel 405; Ridderbos 227; Duchrow 141; Schlier, Staat II 203; Goppelt, Staat 197f; Schrage, Einzelgebote 222f (Anm. 166); Wilckens, Römer 13 214, Römerbrief 32; Schneemelcher 12; Brunner, Staat 4; M. Dibelius 180f; Bartsch, Staat 379f (anders: Römer XIII 404); Kümmel 136; Bornkamm, Christus 169ff; Stauffer, Staatsideen 16.
Vgl. auch Hillerdal, Gehorsam gegen Gott und Menschen, Stockholm-Göttingen 1954, 214ff; Hauser 24, vgl. auch Hauser, Autorität und Macht, Heidelberg 1949, 71ff.
[33] Siehe Delling, 22f.

acht Fällen scheint eine Beziehung auf Engelmächte mehr oder weniger sicher[34], während an drei Stellen — Röm 13,1—7, Tit 3,1 und Lk 12,11 — der Staat gemeint ist[35]. Eine Doppelbedeutung der Mächte sei bei keinem der Belegstellen angezeigt, und auch der außerneutestamentliche Sprachgebrauch kennt eine ins Transzendente gehende Bedeutung der »exousiai« nicht. Im zeitgenössischen Griechisch wird der Begriff einfach zur Bezeichnung der verschiedenen öffentlichen Ämter (»Amt«, »Obrigkeit«, »Behörde« u.ä.) verwendet[36].

Legt sich somit vom Gesamtbefund des neutestamentlichen und außerneutestamentlichen Sprachgebrauchs ein Verständnis der »exousiai« als Engelmacht durchaus nicht nahe[37], scheitert diese Vorstellung vollends am Sinnzusammenhang, in dem die den Staat betreffenden Stellen erscheinen; bei Röm 13 ist es das Verhältnis der Christen zur Welt und zu den konkreten politischen Gewalthabern (V 1,3)[38], exemplifiziert bis zur Zahlung von Steuer und Zoll, ein Akt, dessen diesseitig-amtstechnischer Gehalt nicht auf jenseitig-unsichtbare Mächte bezogen werden kann[39]. In Tit 3,1f stehen die »Herrscher und Machthaber« in deutlichem Zusammenhang mit »allen Menschen«[40] und Lk 12,11 erscheinen die »archai« und »exousiai«, »vor die man euch schleppt«, als weltliche »Behörden und Ämter« neben der Institution der Synagoge[41]. 1 Petr 2,13ff bezeichnet die staatlichen Gewalten ausdrücklich als »menschliche Ordnung«[42].

Über diese Vergleiche hinaus kommt Strobel[43] in einer die Zusammenhänge in Röm 13,1—7 selbst betreffenden Sprachanalyse zu der Präzisierung, daß das gesamte, auf die »übergeordneten Gewalten« bezogene Vokabular auf alltäglich-greifbare, rechtliche Verhältnisse verweise und allein die

---

[34] 1 Kor 15,24; 1 Petr 3,22; Kol 1,16; 2,10; 2,15; Eph 1,20f; 3,10; 6,11.

[35] Grundlegend: Kittel 50;
Ferner: H.W. Schmidt 220; Althaus 130; v.Campenhausen 99; Zsifkovits 59; Wilckens, Römer 13 214; Delling 22; Neugebauer 168; Strobel, Römer 13 69.

[36] Belege bei Foerster, ThWB II 560ff; vgl. auch Kittel 50f; Strobel, Römer 13 72; H.W. Schmidt 220; Althaus 130; Michel 405; Käsemann, Römer 13 360; Schneemelcher 12.

[37] Verworfen wird auch der Versuch, über 1 Kor 2,6.8 (»archontes tou aionos toutou«) zu einem Doppelverständnis der staatlichen Gewalten bei Paulus zu gelangen, weil die angeblich angelologische Beziehung zweifelhaft, wenn nicht ausgeschlossen sei; vgl. v.Campenhausen 100f, 103f; Delling 33; Neugebauer 173f; Wilckens, Römer 13 214; Brunner, Staat 4.

[38] Kittel 49; v.Campenhausen 99; Strobel, Römer 13 79; Kümmel 136; Schlier Staat II 203; Römerbrief 386f; Delling 23; H.W. Schmidt 220; Althaus 131; Zsifkovits 60; Wilckens, Römer 13 214; Neugebauer 169f.

[39] Zsifkovits 60; Strobel, Römer 13 87f; vgl. Ps.-Basilius, Const. 22,1 (PG 31, 1402f); Irenäus, Contra Haer. V.24 (PG 7,1187).

[40] Vgl. Wilckens, Römer 13 214; Neugebauer 168; Strobel, Römer 13 72ff; Althaus 130.

[41] Strobel, Römer 13 72-75 mit ausführlichen Analysen; vgl. auch Anm. 40.

[42] Kittel 52; Koch-Mehrin 380; Schlier, Staat II 203; Goppelt, Staat 197f.

[43] Strobel, Römer 13 67ff, 79ff.

praktische öffentliche Ordnung im Sinn habe: das »Lob« (V 3) meine die in kaiserlichen Schreiben öffentlich ausgesprochene Belobigung verdienter Bürger, entsprechend sei das zu tuende »Gute« (V 3) als normales bürgerliches Wohlverhalten zu verstehen; die »Liturgen« (V 6) sind einfach Amtsträger, die einer Aufgabe im Gemeininteresse dienen (hier: Steuereinziehung); das Tragen des Schwertes (V 4) weist auf das ius gladii, das im Rahmen der ordentlichen römischen Kapitaljurisdiktion grundsätzlich dem Kaiser zusteht; »ekdikos« (V 4) schließlich, gemeinhin mit »Rächer« übersetzt, bezeichne ein öffentliches Vermittlungsamt: den »Anwalt«, der die Geschäfte zwischen Statthalter und Stadt vermittle und die Interessen des Staates wahrnehme. Darüberhinaus seien Begriffe wie »time«, »tetagmenai«, »hypotassein«, »apodidonai«, »tas ofeilas« für das konkrete Über- und Unterordnungsverhältnis zwischen Bürger und Staat/Behörden übliche Redewendungen[44]. Der Gesamteindruck der Stelle ist danach weltlich-politisch, er läßt keinen Raum für die Beteiligung unsichtbarer Geister im politischen Geschehen erkennen[45].

Neben den mangelnden sprachlich-kontextlichen Voraussetzungen für eine neutestamentliche Staatsangelologie fehlt es aber auch an der Stimmigkeit solcher Vorstellungen mit der alttestamentlich-jüdischen Engellehre. Im Zentrum der Kritik steht hier die angeblich zwischen gottgemäßem und gottfeindlichem Agieren schwankende Neigung der Engel, gewissermaßen ihr metamorphotischer Charakter[46]. Die jüdische Angelologie kennt, ganz im Gegensatz zu heidnischen Vorstellungen von mittlerischen, halb guten, halb bösen himmlischen Wesen, nur eine streng dualistische Aufteilung der Völkerengel. Sie sind entweder »Schutzengel«, die zur Schar der Gott dienstbaren Geister gehören, oder »Strafengel«, die — zwar Vollstrecker des göttlichen Strafgerichts — ganz Glieder der satanischen Welt sind (Hen 53,3; 54,6). Dieses Verhältnis besteht seit Urzeiten und ist definitiv; es wird erst am Ende der Tage mit der Vernichtung der letzteren

---

[44] Ferner weist Strobel, Römer 13 75ff, auf die Parallelität des Begriffspaares »archai kai exousiai« im lateinischen imperia et potestas bzw. imperia et magistratus hin mit sehr konkreter verwaltungssprachlicher Bedeutung: einmal die zivilen Staatsämter (potestas, magistratus), zum anderen die außerordentliche obrigkeitliche Befugnis, z.B. militärische Funktionen (imperia).

[45] Diese Auffassung kann, ihrem Ergebnis nach, als repräsentativ für die Gegner der angelologischen Deutung angesehen werden; vgl. z.B. Kittel 49; v.Campenhausen 99; M. Dibelius 180f; Kümmel 136; Bornkamm, Christus 223f; Schlier, Staat II 203; Delling 23; Schnackenburg 189; H.W. Schmidt 220; Althaus 131; Zsifkovits 60; Neugebauer 169f; Käsemann, Römer 13 360; W. Bauer 180f; Wilckens, Römer 13 214.

[46] Z.B. Gaugler 145f; Strobel, Römer 13 68ff; Neugebauer 169f; vgl. Strack-Billerbeck IV, 501ff (Exkurs zur altjüdischen Dämonologie).

aufgehoben[47]. Abgesehen hiervon finden sich für eine so enge Relation zwischen den den Völkern geltenden Engeln und deren Obrigkeiten, daß eine Identität zwischen diesen und den Engeln angenommen werden könne, keine Belege. Dazu kommt die philologische Beobachtung, daß die Völkerengel an keiner Stelle durch den Begriff *exousiai* wiedergegeben werden[48]. Schließlich widerspricht die Vorstellung von Verbindungen zwischen himmlisch-dämonischen und irdisch-politischen Gewalten der Bewertung des politischen Amtes im Spätjudentum, wo die irdischen Herrscher den antidämonischen Abwehrkräften zugerechnet werden.

Entscheidender Punkt der Auseinandersetzung ist jedoch die Christologie. Wie bereits das Judentum, treffe auch das Christentum eine klare Scheidung der Geister[49]. Den guten Engeln, die das Antlitz des himmlischen Vaters schauen (Mt 18,10) und die himmlische Liturgie vollziehen (Offb 4,4.6; 5,11; 8,2), die die Befehle und Aufträge Gottes ausführen (Offb 7,1ff; 8,2ff; 14,14ff; 15,1ff) und Christus in seinem Erlösungswerk dienend zur Seite stehen (Lk 1,11f; 1,26; 22,43; Mt 4,11; 26,53; 28,2; Joh 1,51), stehen die bösen Geister gegenüber, die ein Reich des Bösen unter Führung Satans bilden (Mt 25,41; 2 Kor 12,7; Eph 2,2; Offb 12,7) und Christus widerstreiten (Mt 12,24ff; Joh 8,44; 1 Joh 3,8—12; Offb 12,7)[50]. Der Herrschaftsanspruch dieser Mächte ist durch Christi Erhöhung gebrochen (Hebr 1,13; Kol 2,15; Eph 1,21; 1 Petr 3,22; vgl. Lk 10,18; 11,20; Mt 28,18; Joh 6,11; 12,31; 16,11), freilich nicht im Sinne einer vollständigen Unwirksamkeit schon jetzt — diese folgt erst im endeschatologischen Ereignis ihrer Vernichtung, 1 Kor 15,24 (vgl. 2 Thess 2,8 und 1 Kor 15,26)[51] —, aber die Gläubigen sind der Herrschaft der Finsternis entnommen[52], sie unterstehen allein Christus (Kol 1,13) und sind — von allen Engelmächten befreit (Röm 8,38; Joh 4,3; Kol 2,8; 2,20) — zum Kampf gegen jene Mächte aufgerufen (Eph 6,11ff; Offb 2,7; vgl. Röm 8,38f; 1 Kor 5,8f; 2 Kor 12,7; Eph 13,2; 1 Tim 4,1). Daß die außerhalb der Christuswelt noch dämonisierenden Geister in Dienst genommen oder angeleint seien, wo sie, gebunden, gleichwohl ihr Eigen-

---

[47] Vgl. Kittel, ThWB I, 84f; Strack-Billerbeck I, 781ff; III, 818ff; Neugebauer 169; Strobel, Römer 13 69; Delling 24f.

[48] Vgl. Foerster, ThWB II, 568f.

[49] Zsifkovits 61; Strobel, Römer 13 68; v.Campenhausen 104ff: »Die Geister prüfen (1 Joh 4,1; 1 Kor 12,3; vgl. 2 Kor 11,14) bedeutet im Urchristentum niemals, daß man ihre jeweilige Stellung und ihr Verhalten prüfen soll, sondern man soll es verstehen, sie als das, was sie sind, zu unterscheiden und als gute oder böse Geister zu durchschauen«, (105, Anm.2).

[50] Vgl. Zsifkovits 61 mit weiteren Nachweisen.

[51] v.Campenhausen 105, Anm. 7; Strobel, Römer 13 71; Delling 31.

[52] Brunner, Staat 4; Gaugler 147; v.Campenhausen 105; Strobel, Römer 13 71; Delling 29, 30, 32; Zsifkovits 61.

wesen treiben, ist nirgends belegt[53]. Als gänzlich ausgeschlossen gilt, daß die in Christus Befreiten dennoch dämonisch gefährdeten mittlerischen Wesen Gehorsam zu leisten hätten. An den wenigen Stellen im Neuen Testament, wo solches erörtert wird, geschieht dies unter schroffer Zurückweisung dieser Möglichkeit: Gegenüber vielen sogenannten Göttern und Herren heißt es ... »einer ist Herr, Jesus Christus« (1 Kor 8,6); Kennzeichen der Freiheit der Christen ist, daß sie es gerade nicht mehr mit dem Gesetz zu tun haben, »das durch Engel erlassen wurde« (Gal 3,19); dem kolossischen Engeldienst, diesem Dienst am »Schatten«, wird der Christusdienst entgegengestellt (Kol 2,1ff)[54]. Schließlich widerspreche das Eingesetztsein der Gewalten »von Gott« in Röm 13 selbst einer christologischen Deutung, denn hier komme es gerade nicht auf eine Entmächtigung und dann wieder Indienstnahme der »exousiai« durch Christus, sondern auf den von Gott verliehenen Machtcharakter der Gewalten an[55].

Die angelologisch-christokratische Deutung wird heute nicht mehr vertreten. Zuletzt hat sie Cullmann 1961 verteidigt, nicht ohne ihren hypothetischen Charakter einzuräumen[56]. Gleichwohl hatte diese Deutung große wirkungsgeschichtliche Ausstrahlung, weniger von ihrem spekulativen Gehalt her als in der mit ihr verbundenen konkreten politischen Relation Christ — Staatsgewalt. Die aus der christokratischen Deutung abgeleiteten Folgerungen und Ergebnisse haben Eingang gefunden in das Konzept der konkret-charismatischen Auslegung, das, mit anderem theoretischen Unterbau, die politische, weltgestaltende Linie der »Christokraten« fortführt. Das wird sich im Folgenden wiederholt aufweisen lassen.

bb. Das personale, nichtinstitutionelle Verständnis der »Gewalten«

Aber noch in anderer Hinsicht ist das Verständnis der »übergeordneten Gewalten« als Staat in Frage gestellt worden. Ansatzpunkt hierfür sind die Mehrzahlbildungen »exousiai« und »archontes« in Röm 13,1.3. Unter Verwendung der von Strobel im Rahmen der angelologischen »exousiai«-Diskussion gewonnenen Forschungsergebnisse über den profansprachlichen Bedeutungsgehalt der die Aussagen in Röm 13,1—7 bestimmenden Begriffe wird nun entdeckt, daß in den »Gewalten«, den »Herrschern« und »Liturgen« nicht von der öffentlichen Gewalt, vom Staat als solchem, von der Institution gesprochen werde, gemeint seien vielmehr die konkreten Einzel-

---

[53] Brunner, Staat 4; v.Campenhausen 105; Delling 27f; Neugebauer 170; Zsifkovits 61f.
[54] Gaugler 146f; v.Campenhausen 105; Neugebauer 170.
[55] Neugebauer 170; vgl. auch Gaugler 147; Kümmel 136f; M. Dibelius 180f; Bornkamm, Christus 224f; Käsemann, Römer 13 354.
[56] Cullmann, Staat 81, 82.

behörden, Magistrate und Amtswalter, wie sie zahlreich im Römischen Reich anzutreffen gewesen wären[57]. In diesen Amtsträgern, Funktionären, Organen sei weniger der Staat als Institution, sondern das personale, je konkreter Gegenüber des Bürgers angesprochen[58].

Friedrich ergänzt das Bild, indem er die *exousiai hyperechousai* lediglich noch als »politische Instanzen« gelten läßt, die dazu ihre Macht nur mit je konkreter »Einwilligung« Gottes, d.h. in mitverantwortlicher Bindung an Gottes Willen und Wollen, besitzen und ausüben können. Die »Einwilligung« Gottes ist dabei an die Stelle des auf einen Stiftungscharakter des Staates hinweisenden »Von-Gott-Eingesetzt« getreten. Die »übergeordneten Gewalten« stehen damit in ähnlicher Verpflichtung gegenüber Gott wie sie für die Christen aufgrund der »Prüfung des Gotteswillens kraft des in Christus erneuerten kritischen Verstandes« gilt[59]. Der Staat wird hinsichtlich seines Gegenübers zum Einzelnen in das Verhältnis einer im Grunde gleichen Gebundenheit an den Willen Gottes gesetzt. Unterschiede in den Rollen und Aufgaben werden zwar nicht bestritten (unten 123ff, 142ff), aber im Sinne der beiderseits bestehenden Verpflichtung, den Willen Gottes zu tun, nivelliert. So wird auch der Begriff *diatage* (V 2) »Anordnung«, ganz im Sinn eines Einzelaktes verstanden, der je konkret, abhängig von der Situation, gefordert sei. Das Moment des Bestehens, der Dauer, der Verläßlichkeit des Angeordneten, das darin zum »Angeordnet-Sein« wird und so Anordnung zu »Ordnung« werden läßt, wird ausdrücklich verneint[60]. Damit ist ein in sich konsistentes Bild gegeben von zwischen Bürger (Christ) und einzelnem staatlichen Beamten bzw. einer Behörde konkret ablaufenden Akten im gemeinsamen, wenn auch unterschiedlich bewußten, Verpflichtetsein gegenüber dem Willen Gottes.

cc. Der Staat als Einheit von Institution und persönlichem Funktionsträger

Dieser Sicht ist aus den Reihen der eschatologisch-realistischen Interpretation widersprochen worden, die damit allerdings nur die Kontinuität der

---

[57] Käsemann, Römerbrief 341f, Römer 13 374; Grundsätzliches 208f; Friedrich 135, 139f; Bornkamm, Paulus 216, 218; Schlette 22, spricht von »konkreten Obrigkeiten« als »faktisch existierenden Realitäten«, mit denen es der »faktisch existierende, von Gott geschaffene Mensch zu tun hat.«
Vgl. auch Aland 26 und 47f mit nicht eindeutiger Stellungnahme. Einerseits versagt er es dem Neuen Testament, vom Staat als solchem zu reden (sondern lediglich von dessen Erscheinungsformen), andererseits widerspricht er Käsemanns »personaler Redeweise«.
[58] Käsemann, Römer 13 374; vgl. auch Bartsch, Staat 381ff (387, 389f).
[59] Friedrich 160ff.
[60] Z.B. Käsemann, Grundsätzliches 209; Paulus spricht »nicht vom himmlischen oder irdischen ordo, sondern von der göttlichen ordinatio, also von der Anordnung, dem verordnen-

allgemein herrschenden Verstehensweise zum Ausdruck bringt, wie überhaupt die personale, nichtinstitutionelle Auffassung der »Gewalten« allein ein Phänomen konkret-charismatischer Interpretation ist. Duchrow lehnt die Gegenüberstellung einer Alternative von »personaler« und institutioneller Komponente des Staates als unhaltbar, weil letztlich willkürlich, ab. Besonders die Allgemeinheit der Rede von den Gewalten in Röm 13,1 und 2 lasse die Ausklammerung der institutionellen Seite des Staates und die Annahme eines bloßen Ad-hoc-Handelns Gottes durch die Person der Machtträger nicht zu[61]. Wilckens stellt einfach die Übereinstimmung der Gewalten und all ihrer Repräsentanten fest und verweist hierfür auf parallele Traditionen in 1 Tim 2,2 und 1 Petr 2,14 (oben 66ff)[62]. Sein Urteil, die Gewalten seien göttliche Institutionen, entspricht der auch sonst verbreiteten Auffassung von der Identität des Staates und seines Auftrages und den einzelnen, diesem Auftrag dienenden Organen und Funktionsträgern.

Freilich wird dieser Zusammenhang von Institutionen und ihrer Repräsentanz nur vereinzelt ausdrücklich gemacht, etwa in Umschreibungen wie »der Staat mit seinen Machtorganen«[63] oder in der Nennung der »Inhaber«, »Träger«, »Vertreter« und »Organe« der »politischen Gewalt« bzw. der »Staatsmacht«[64] oder es heißt: »Die ἐξουσία ist konkret da in den jeweiligen ἐξουσίαι und ἄρχοντες. Diese repräsentieren jene. Und will man der Obrigkeit gehorchen, so kann es nur in der Weise geschehen, daß man den jeweiligen Beamten, in denen sie präsent ist, gehorsam ist«[65]. Weit häufiger wird — ohne ausdrücklichen Bezug auf einzelne Handlungsträger oder organisatorische Teilbereiche — die hinter allem konkreten Amtswalten stehende Ganzheit genannt, wie es in den zahlreichen Varianten singulari-

den Willen Gottes, nicht von den Ordnungsbereichen, auf welche Metaphysik alsbald abzielt«. Vgl. auch Michel 400; Walker 23f.
Friedrich 136ff (139), versucht außerdem nachzuweisen, daß »diatage« keinen eindeutig rechtlichen Charakter aufweise (wie man anderen Autoren angenommen), und kommt von da her nochmals zu einer Reduzierung des ordnenden, rechtlichen Moments des Staates.
61 Duchrow 157; vgl. auch 172, wo Duchrow auf die allgemeine Notwendigkeit von Institution im geschichtlich-gesellschaftlichen Prozeß aufmerksam macht. Vgl. ferner Delling, ThWB VIII 29; Schnackenburg 169; Wilckens, Römer 13 216f.
62 Wilckens, Römer 13 213, 217. So auch Schlier, Staat I 9f, Staat II 203; Delling 53f.
63 Schnackenburg 167; vgl. auch Althaus 131 »die Obrigkeit mit ihren verschiedenen Ämtern«; Kittel 49 »Behörden und Beamten des Staates«; Zahn 555 »die obrigkeitlichen Ämter« und die »durch sie repräsentierte Staatsordnung«.
64 Zahn 557; Prümm 165; Cullmann, Königsherrschaft 25; Gaugler 134f; Delling 53; Zsifkovits 64; Schlier, Römerbrief 387, 389, 391.
65 So Schlier, Staat I 10, gegenüber dem Versuch, lediglich eine Idee, ein Prinzip des Staates anzuerkennnen, sich der konkreten geschichtlichen Gegebenheit des Staates aber zu verweigern.
Ähnlich Delling, ThWB VIII 29f: »Einerseits bezeichnet ἐξουσία in Röm 13 kein Abstrak-

scher Bezeichnung der öffentlichen Ordnungsmacht geschieht, in Begriffen wie »der Staat«[66] oder »die Staatlichkeit«[67], »die Staatsgewalt«[68] oder »die Staatsmacht«[69], wie »die Obrigkeit«[70], »die staatliche Obrigkeit«[71] oder »die obrigkeitliche Gewalt«[72], wie »die öffentliche Ordnung«[73] oder die »politische Ordnung«[74], »die staatliche Ordnung«[75] oder »die obrigkeitliche Ordnung«[76], »die Ordnungsmacht«[77] oder schlicht »die Ordnung«[78], wie »das politische Amt«[79], »die politische Macht«[80] oder »die politische Gewalt«[81], wie im Begriff der »Institution«[82] und der »institutionellen Autorität«[83]. In

tum, wenn auch die Aussagen grundsätzliche Gültigkeit beanspruchen; ebensowenig meint ἐξουσία aber auch nur einfach die einzelne Behörde bzw. den Beamten, so konkret es sich um die zur Zeit von Röm 13 bestehende Amtsgewalt handelt, mit der der Christ es jeweils zu tun hat«.

Foerster, ThWB II 563, meint: »Diese Macht, die zu sagen hat, (ist) wirksam in einem nach Rechtsnormen geordneten Ganzen, besonders im Staat und allen von ihm getragenen Machtverhältnissen.«

Nieder 94: »Die ἐξουσίαι, die persönlichen Träger der Gewalt, sind Organe der römischen Staatsmacht«.

[66] In den Anmerkungen 66 bis 83 werden jeweils nur einige Beispiele aus dem nahezu unüberschaubaren Belegmaterial angeführt. Zum Begriff »Staat« siehe: Schlier, Staat II 205; Goppelt, Kaisersteuer 218, 219; Staat 195f, Schnackenburg 167; Schrage, Einzelgebote 224f; Staat 58, 59, 61; Schelkle, Th NT 333; H.W. Schmidt 218, 220; Koch-Mehrin 381f, 394f; Heiler 231; Schlatter 350ff; Asmussen 267; Althaus 130; Nygren 305; Nieder 94; Eck 85; Kittel 19; Brunner, Römerbrief 90; Kürzinger 49; Zahn 559; Schiwy 94f; Kosnetter 352; Zsifkovits 51ff; Gaugler 133ff; Prümm 165; Pieper 36; Dehn, Engel 90; K.L. Schmidt 1 ff; Schweitzer 9; Barth, Rechtfertigung 14ff, Christengemeinde 9f; Cullmann, Königsherrschaft 24ff, 45, Staat 37ff, 40ff; G. Bauer 118f; Bieder 29; Meinhold 30ff; Steck 297.

[67] Goppelt, Kaisersteuer 219f; Steck 297.

[68] Schrage, Staat 57; Delling 54, 57ff, 64; Heiler 232; Koch-Mehrin 380, 381; Kittel 49; Kürzinger 48f; Zsifkovits 64f; Barth, KE Römerbrief 192f; Cullmann, Königsherrschaft 25ff

[69] H.W. Schmidt 219, 220; Zsifkovits 71.

[70] Lietzmann 111f; Zahn 555; Huby-Lyonnet 434; Prümm 167; Heiler 231; Koch-Mehrin 381; Brunner, Römerbrief 90; Kühl 432; Kürzinger 49; Kosnetter 347, 352; Althaus 131; H.W. Schmidt 219, 220; Schelkle, Theologie NT 334, 339; Nygren 304ff; Zsifkovits 53; Barth, Rechtfertigung 20; Schweitzer 9ff; Dehn, Engel 90; Steck 296; Schmithals 191; v.Campenhausen 106, 108, 112; Schlier, Staat I 9; Ridderbos 223; Neugebauer 160, 165; W. Bauer 263ff.

[71] Kürzinger 48; Pieper 36; Cullmann, Königsherrschaft 45 (»weltliche Ordnung«); Barth, Rechtfertigung 15 (»politische Ordnung«).

[72] Kühl 432; Brunner, Römerbrief 90.

[73] Brunner, Römerbrief 91.

[74] v.Campenhausen 101; Delling 53; H.W. Schmidt 218; G. Bauer 121.

[75] v.Campenhausen 107; Brunner, Römerbrief 90; Kürzinger 48; Gaugler 136; Zahn 555, 559; Steck 296.

[76] Kühl 332.   [77] Nieder 94.

[78] Pieper 41; Ridderbos 224.

[79] Schlier, Staat II 204.   [80] Zsifkovits 68.

[81] Schlier, Staat II 203, 204, 205, Römerbrief 389.

[82] Goppelt, Theologie NT 497; Wilckens, Römer 13 217; Cullmann, Staat 37, 38, 40, 43, 44, 52.

[83] H.W. Schmidt 220.

all diesen Bezeichnungen und Beschreibungen ist mit problemloser Selbstverständlichkeit das Institutionelle der »übergeordneten Gewalten« zum Ausdruck gebracht. Die konkret sich äußernde Dimension des Staates in den einzelnen Amtsträgern und Behörden ist darin nicht unterschlagen — sie ist, wo nicht ausdrücklich erwähnt, ebenso selbstverständlich vorausgesetzt —, es ist aber auf die Autorität der öffentlichen Ordnungsmacht als Legitimationspunkt allen konkreten Einzelhandelns verwiesen[84]. Selbst Strobel, auf dessen Erkenntnise die personal-nichtinstitutionellen Deuter setzen, faßt seine Ergebnisse über die konkreten Amtsträger und das behördliche Situationshandeln in den Allgemeinbegriffen »Staat«, »staatliche Gewalt« und »staatliche Obrigkeit« zusammen[85] und führt damit jene Begriffe und Vorstellungen des — ebenfalls allgemein ausgedrückt — »römischen Verwaltungs- und Staatsrechts«, die die konkret-praktische Seite des bürgerlichen Lebens betreffen, auf ihre tragenden Grundlagen zurück. Die Inanspruchnahme Strobels für die personal-nichtinstitutionelle Deutung der »übergeordneten Gewalten« erweist sich somit als einseitig.

b. Die Allgemeinheit der Geltung des Staates

Das Bemühen, die als apodiktisch empfundenen Aussagen in Röm 13 zu relativieren, hat auch hinsichtlich der Allgemeingültigkeit der Aussagen über den Staat zu Anfragen und modifizierenden Überlegungen geführt. An sich erscheinen die Textaussagen klar: Paulus formuliert ganz allgemein, sowohl was die Adressaten als auch die Gewalten angeht. »Jedermann« ist angesprochen, und seine Gehorsamspflicht bezieht sich ohne Einschränkung auf die »exousiai hyperechousai« (V 1a). Das wird in der Begründung noch verstärkt durch die Aussage, daß jede bestehende staatliche Gewalt gemeint sei (V 1b).

aa. Die vorgegebene Seinsordnung als Grund allgemeiner Geltung des Staates

Die naturrechtlich-ordnungstheologische Auslegung schließt aus der Allgemeinformulierung, daß Paulus eine Feststellung über jegliche Staatlichkeit trifft, die unabhängig von der konkreten Verwirklichung des von Gott gegebenen Auftrags und unabhängig von dem Wissen der Staatsgewalt um ihr »Von-Gott-Eingesetzt« gilt. Dabei sieht sie die Aussagen in Röm 13,1ff als Ausdruck und Bestätigung einer vorgegebenen Ordnung Gottes, in der

---

[84] Summarisch bejahen die Einheit von Funktionsträger und Staat: Schelkle, Theologie NT 331; Delling ThWB VIII 8; Koch-Mehrin 381; Aland 26, 47.
[85] Strobel, Römer 13 91.

Staatlichkeit, d.h. übergeordnete Gewalt als allgemeine, umfassende und soziale Größe vorkommt. Dieser Röm 13 umgebende Rahmen ist das Angelegtsein des Menschen auf Gemeinschaft und daraus hervorgehende Gemeinschaftsformen wie der Staat (»ens sociale«, »zoon politikon«, »Naturordnung«, Naturrecht«, »sittliche Ordnung«, »göttliches Prinzip«)[86] oder es ist die Ordnung der ursprünglichen Schöpfung (»Schöpfungsordnung«, »Ordnung dieses Äon«, »Ordnung dieser Welt«, »Gottesordnung«)[87] oder eine nach dem Sündenfall gegebene Ordnung (»Erhaltungsordnung«, »Notordnung«)[88] oder das selbstverständlich vorausgesetzte Walten Gottes in der Geschichte (»Geschichtswirksamkeit Gottes«, »Gottes totale Geschichtsmacht«, »Weltregierung Gottes«)[89]. Weil das so ist, erscheinen die Aussagen in Röm 13 einem großen Teil der Autoren als Weitergabe einer »Lehre«, als ein geordnet-vollständiges Konzept des Apostels vom Staat, wie es in Begriffen von einer »Theologia Imperii«, von »staatstheologischer Vorstellungswelt«, von »erhabener Staatslehre«, von »allgemeiner Wahrheit«, von »Doktrin«, von »allgemeiner Regel«, von »Abriß der Staatsethik«, von »Obrigkeitstheologie«, von »magna charta der christlichen Staatstheorie« zum Ausdruck kommt[90].

Das Rekurrieren auf vorgegebene Ordnungen und Seinsverhältnisse und ihr ins Lehrhaft-Vollständige gehobener Anspruch lassen die Aussagen in Röm 13,1—7 als wesentlich gesteigert und verdichtet erscheinen. Allerdings um den Preis, daß der Text in seinem Selbst-Verständnis gemindert wird und an Bedeutung verliert, erhält er doch die Fülle seines Gewichts gerade nicht aus sich, sondern von außen, von eben dem systematischen Ganzen her, das die bescheideneren Aussagen des Textes verstärkt. Das führt, wie zu zeigen sein wird, zur Vernachlässigung der inhaltlichen Komponente des Textes — Dienen zum Guten —, die in dieser Akzentsetzung in dem zugrunde gelegten systematischen Horizont nicht vorkommt.

bb. Das eschatologisch bestimmte Handeln der Christen als Grund beschränkter Geltung des Staates

Gegen den von der naturrechtlich-ordnungstheologischen Auslegung herausgestellten prinzipiellen Charakter von Röm 13 werden in mehrfacher

---

[86] Z.B. Gaugusch 530; Stratmann 68; Zsifkovits 69f; Bardenhewer 183; Sickenberger 280; Huby-Lyonnet 434f; Gutjahr 416; Pieper 39; Prümm 165, 167; Hick 34, 49ff, 52, 53, 56, 64.
[87] Schelkle, Römerbrief 196, Theologie NT 339; Althaus 132; Nygren 303, 304; Brunner, Römerbrief 90, 91; Pieper 39.
[88] Z.B. Böld 63; Gaugler 138, 148; Dehn, Leben 72; Koch-Mehrin 382.
[89] Schlatter 351, 352; Grundmann, ThWB III 481; H.W. Schmidt 219, 220; Gaugler 135, 141.
[90] Weithaas 435; Böld 58; Schlatter 355; Gutjahr 416; Huby-Lyonnet 434, Zahn 557; Heiler

Hinsicht Bedenken geäußert. Für die konkret-charismatische Richtung ist es einmal die geschichtliche Situation, die als Einschränkungsmotiv herangezogen wird. Sie interpretiert die Äußerungen des Apostels als gezielte Stellungnahme zu aktuellen römischen Vorkommnissen, etwa eines überschwenglichen Enthusiasmus oder einer speziell verschärften Steuerproblematik und wertet die »apodiktisch und vorbehaltlos klingende Paränese«[91] als »Nothilfen«[92], deren sich der Apostel bedient, während es ihm eigentlich nur um eine »Beratung« und Unterstützung in ungewohnter Situation gehe[93]. Oder es wird die Tatsache, daß in Röm 13,1—7 die negativen Möglichkeiten der politischen Gewalt nicht zur Sprache kommen, zum Anlaß genommen, die Allgemeingültigkeit des Textes zu bezweifeln[94]. Hier liegt die stillschweigende Voraussetzung zugrunde, daß eine Aussage nur dann als allgemein und grundsätzlich anerkannt werden könne, wenn sie alle Probleme erörtert, die je in geschichtlicher Zeit im Verhältnis des »Jedermann« zum Staat aktuell werden können. Folgerichtig vermißt Käsemann die Berücksichtigung demokratischer Verhältnisse, die notwendig zu einer dialektischen Entfaltung der Mahnung im Text hätte führen müssen[95]. Zu dieser Voraussetzung tritt die Unterstellung, der Text berücksichtige weder die komplizierten Verhältnisse noch die persönlichen Erfahrungen des Apostels[96]. Die Möglichkeit, daß Paulus trotz schlechter Erfahrungen allgemeingültige Feststellungen trifft, weil es eine Wirklichkeit geben könnte, die für den Staat wie für den Christen in all ihrem Versagen Geltung beansprucht, bezieht Käsemann nicht in seine Überlegungen ein.

Die Auffassung mangelnder Allgemeingültigkeit wird weiter durch die Annahme verstärkt, der Apostel gebe hier, entgegen dem positiv-dezidierten Klang seiner Worte, eine in Wirklichkeit argumentative Begründung, die in ihrer Ausführlichkeit spiralenähnlich-wiederholend Grundsätzliches und Praktisches gleichermaßen enthalte[97]. Argumentiert und berät aber hier der Apostel nur, verkündet er nicht autoritativ den Willen Gottes, so wäre die Annahme allgemeiner Verbindlichkeit seiner Aussagen in der Tat

---

231; Prümm 163; Pieper 142f; Hick 41, 56. Ferner für die prinzipielle Geltung der Aussagen in Röm 13: Foerster ThWB II 563; Gaugler 134, 136; Asmussen 265, 266; Stauffer, Staatsideen 9, Aland 27, 116, 118.

[91] Michel 395.

[92] Käsemann, Grundsätzliches 219.

[93] Friedrich 159, 162, 165 u.a.; für Marsch 402, sind es »einfach ein paar Anweisungen«.

[94] Käsemann, Römerbrief 346f; Michel 397.

[95] Käsemann, Römerbrief 345, Grundsätzliches 213, 215. Bornkamm, Paulus 219 (»Undifferenzierte Einseitigkeit«).
Friedrich 165 (»Erstaunlich undialektische Argumentation«).

[96] Käsemann, Römerbrief 345.

[97] Käsemann, Römerbrief 343; Friedrich 153; vgl. auch Michel 396. Zur Kritik unten 164 und 110 Anm. 115.

unzulässig. An dieser Stelle zeigt sich, daß der Begründung der Mahnung von der konkret-charismatischen Auslegung im Sinne ihrer Konzeption doch eine größere Bedeutung beigelegt wird: einmal, um das Argumentativ-Offene der Textaussagen herauszustellen, zum andern, um das Grundsätzliche durch seinen Zusammenhang mit dem Praktischen als weniger bedeutsam erscheinen zu lassen[98]. Ein solch »argumentatives« Verständnis der die Mahnung begründenden Sätze steht freilich im Widerspruch zu der die konkret-charismatische Auslegung sonst charakterisierenden Grundposition, die in ihrer Kritik gerade das apodiktisch-undifferenziert Einseitige dieser Sätze angreift, als traditionell-nichtchristlich wertet und von da her einen anderen Verständniszusammenhang sucht. Abgesehen von diesem Widerspruch bleibt die Interpretation der konkret-charismatischen Auslegung auch in anderer Hinsicht zwiespältig: neben der die Allgemeingeltung stark relativierenden »Beweisführung« erscheinen gelegentlich Hinweise darauf, daß Paulus in Röm 13,1—7 einen Anhalt für eine Theologie der Ordnungen gebe, »daß er über Ursprung und Wesen und also auch über den Sinn des Staates nicht völlig schweigt«[99]. Gerade der Umstand, daß die Paränese derart begründet werde, sei das Kernproblem des Textes. Es wird auch eingeräumt, daß die Wortgruppe mit dem Stamm »tag-«, in dem sich »Ordnung« ausspricht, in unserem Abschnitt auffallend häufig vorkommt, und Paulus hier offensichtlich auf allgemeine Vorgegebenheiten zurückgreift[100]. Gleichwohl wirkt dieses im Text enthaltene Moment von Ordnung und Allgemeingeltung wie neben die übrige Argumentation gestellt; es fehlt die Entfaltung des »Ordnungsgedankens« im Blick auf die Gesamtaussage des Textes. Vielmehr werden entsprechende Feststellungen sogleich dahin eingeschränkt, daß es sich bei den Ordnungsmotiven nur um »recht fragmentarische« Andeutungen handele und eine »Ausweitung« dieses Gedankens unterbleiben müsse[101]. So bleibt das Moment »Ordnung« dahingestellt und sein Stellenwert, abgesehen von einer allgemeinen Abminderungstendenz, ungeklärt[102].
Aber noch in grundsätzlicherer Weise wird die Allgemeingeltung der von

[98] Auf diesen Schluß scheint Käsemanns Argumentation hinauszulaufen, Römerbrief 343. Vgl. auch Friedrich 160f, bei dem der argumentativ-begründende Stil seine Ergänzung in der kritischen Prüfung des Gotteswillens in je konkreter Situation findet.
[99] Käsemann, Römerbrief 344, Grundsätzliches 215, 216, Römer 13 373.
In ähnlicher Weise »schwankt« Michel 395ff zwischen der Anerkennung von »Ordnungs«-Aussagen und dem eigentlich nicht im Sinne von »Ordnung« bzw. »Grundsatz« zu verstehenden Skopos des Textes.
[100] Käsemann, Römerbrief 339, 343, Grundsätzliches 214f; Michel 398f.
[101] Käsemann, Römerbrief 344, Römer 13 373.
[102] Friedrich vermeidet es an dieser Stelle ganz, auch nur einschränkend von Grundsatz, Ordnung oder Allgemeinheit zu reden, obwohl er sonst im Text mehrfach »Grundsätze« ent-

Gott eingesetzten staatlichen Gewalt in Frage gestellt. Dazu gehört das bereits erörterte eschatologische »Solange noch« des Staates bei Dibelius, das auch in den Ausführungen der anderen Vertreter einer konkret-charismatischen Auslegung stets mitschwingt. Die die staatliche Geltung mindernde Wirkung des Eschaton findet ein Komplement in der Auffassung, daß ein allgemeines Verpflichtetsein des Christen nicht aus vorgegebenen Seinsstrukturen, etwa metaphysischen Notwendigkeiten, abgeleitet werden dürfe, weil solcher Gehorsam lediglich Antwort auf ein Naturgesetz, nicht aber dankbare Bewährung der Gnade wäre[103]. Das Verständnis der Worte des Apostels im Sinne einer allgemeinen Ordnung wertet Friedrich daher als »fragwürdiges Transzendieren« in die Gültigkeit einer »Schöpfung vor und außer Christus«[104]. Hier wird deutlich, daß es bei der Frage der allgemeinen Geltung vorgegebener Größen wie der des Staates letztlich um das Verhältnis der Christen zur Schöpfung geht, um die Geltung der Schöpfung im gegenwärtigen, in der Zeit Christi und der Kirche sich vollziehenden Wirken Gottes und um deren Zurücktreten, weil sie als »gefallene Schöpfung« von Christus überwunden und erlöst sei. Das Wissen um die »Gefallenheit« der Schöpfung spielt bei der Frage ihrer Weitergeltung für den Christen eine entscheidende Rolle. Gerade dem paulinischen Denken sei ein Rekurrieren auf die Schöpfungswirklichkeit, auf vorgegebene Seinsumstände und -Strukturen (Ordnungen) fremd. Von da her wird dem Staat kaum die Qualität eines mit geschöpflichem Eigensein ausgestatteten Potentials zugestanden: »Paulus vergißt nicht, daß die Welt gefallene Schöpfung ist, und der Text handelt allein von Gottes souveränem Tun, das Anordnungen trifft, sich Werkzeuge schafft und statt irdischer Gleichheit die Verhältnisse von Über- und Unterordnung sanktioniert«; aber eben als unmittelbares und freies, nicht wesentlich an das Naturrecht oder die Schöpfungsordnung gebundenes Handeln[105]. Aber auch hier besteht keine Eindeutigkeit, setzt doch die »Sanktionierung« von Verhältnis-

---

deckt, etwa in VV 3.4 hinsichtlich der Funktion der Staatsgewalt, »das Tun des Guten und Gerechten zu fördern und gleichzeitig dem Übel und der Ungerechtigkeit zu wehren« (163) oder in V 5 bezüglich des Gehorsams aus »kritischer Einsicht« (163f) oder in V 6 im Blick auf das Zahlen der Steuer aus Klugheit (164f). So scheint er das Denken im Grundsätzlichen und Allgemeinen nicht eben für unpaulinisch zu halten. Am entscheidenden Punkt aber, wo es um das *ai de ousai hypo theou tetagmenai eisin* geht, spricht Friedrich, das Allgemeine übergehend, nur von »nicht an Gott vorbei« oder von »Gott gewollter Funktion« des Staates (162f).

103 Käsemann, Römerbrief 344, Römer 13 345; Michel 395; Friedrich 162; vgl. auch Bornkamm, Paulus 217.
104 Friedrich 161f.
105 Käsemann, Römerbrief 344, Römer 13 373. Zur Theologie Käsemanns im ganzen s. P. Gisel, Vérité et Histoire. La théologie dans la modernité Ernst Käsemann (Théologie historique 41), Paris 1977 (Beauchesne).

sen deren Gegebenheit voraus, die an anderer Stelle auch als von Gott »zweifellos bei der Schöpfung ... angelegt« gesehen wird[106].

Sehen wir die Argumente der konkret-charismatischen Auslegung im Zusammenhang, zeigt sich, daß die Geltung der Aussagen in Röm 13 für alle staatliche Gewalt anerkannt wird, aber nur in einem sehr formalen Sinn. Die durch die jeweilige Situation, durch Unvollständigkeit der Aussagen über den Staat, durch argumentierendes Begründen und Beraten und durch das letztliche Überwundensein aller Ordnungen umrissene Wirklichkeit gilt zwar uneingeschränkt für jeden Staat, aber in einer durch eben diese Merkmale inhaltlich relativierten, je noch zu konkretisierenden Weise. So entsteht eine Art »Mitkompetenz« bei der Ausübung von Staatlichkeit für jene, die in einer bestimmten Situation in kritisch-einsichtiger Beurteilung und im Wissen um die »Verfallenheit« der Schöpfung (Eschaton) staatliches Handeln konkretisieren: für die charismatisch handelnden Christen. Was nach »Allgemeinheit« und »Grundsätzlichkeit« aussieht, sind nur »Hinweise«, »Andeutungen«, »Weisungen« für das praktische Verhalten des Christen oder »kurze paulinische Feststellungen« als Hinweis darauf, daß keine Regierungsinstanz »Gottes Willen und Wollen entlaufen kann«[107]. Sie geben eine gewisse Orientierung nach der Richtung hin, in der Staat gedacht werden kann, aber immer unter dem Vorbehalt je neuer Einschätzungen. Die »wirklich charismatische Gemeinde« ist es, die aus dem Ruf in die konkrete Situation das paulinische Anliegen, Gott auch im politischen Bereich zu dienen, erfüllt, indem sie die »alte Forderung aus der neuen Wirklichkeit und ihren Problemen heraus (begreift)« und in die neue Wirklichkeit überträgt[108]. Das Staatliche ist so stets an das kritisch-konkretisierende Mittun des (christlichen) Bürgers und an seinen konkreten Gehorsam gebunden.

cc. Der generelle Skopos des Textes und die Fortgeltung der Schöpfung als Grund allgemeiner Geltung des Staates

Auch die eschatologisch-realistische Auslegung erhebt gegen die ins Lehrhaft-Unverrückbare gehende Allgemeingeltung, wie sie von der naturrechtlich-ordnungstheologischen Auslegungsrichtung vertreten wird, Einwen-

---

[106] Käsemann, Grundsätzliches 215; vgl. auch Römer 13 373: Gehorsam als Pflicht, die »von Haus aus eine Welt mit möglichen Über- und Unterordnungen voraussetzt«; vgl. Schneemelcher 15.
[107] Friedrich 162.
[108] Käsemann, Römerbrief 347.
Von der kritisch-charismatischen Rolle der Gemeinde ist auch ganz die Auslegung von Friedrich bestimmt, z.B. 160—165; vgl. auch Wolf 39f. Wolf, im ganzen der christokratisch-politischen Interpretation folgend (unten 150 Anm. 45), zeigt hinsichtlich der Ablehnung jed-

dungen. Nicht weil sie den grundsätzlichen Charakter der Worte in Abrede stellt, sondern der Eingliederung des Textes in ein vorgegebenes Ordnungsschema, das sich nicht aus dem Text selbst ergibt, wehren will. Ihr Ziel ist es, aus dem Wortlaut und aus den Beobachtungen am Text und Kontext selbst das von Paulus Gemeinte zu ermitteln. Mit den auf diese Weise gewonnenen Ergebnissen gerät sie allerdings in Gegensatz auch zur konkret-charismatischen Auslegung. Der Charakter allgemeiner Geltung unserer Stelle ist für sie nicht mittels situativer Umstände und eines »konkreten Gehorsams« wegzuinterpretieren. Daher kann von einem »bewußt generellen Skopos« oder einer »völlig allgemeinen Formulierung« in Röm 13 gesprochen werden[109]. Die textliche Grundlage für dieses Urteil sehen die Vertreter dieser Auffassung einmal in den alle Menschen und alle übergeordnete Gewalten umgreifenden Worten in V 1a.b, die keine Einschränkungen erkennen lassen, zum andern darin, daß zwar bestimmte (christliche) Adressaten angesprochen seien (VV 6.7, »ihr«), aber gerade in einem für alle Menschen gültigen Verständnis der irdischen Gewalten[110]. Die universale, Christen und Nichtchristen umfassende Formulierung liege im Zusammenhang paulinischer Theologie, die auch an anderer Stelle (Röm 2,6—16: das eschatologische Gericht Gottes) das anspricht, was jeden Menschen angeht[111].

Auch die Auffassung, Paulus habe angesichts des positiv klingenden Textes entweder nur gute Erfahrungen mit dem römischen Staat gemacht oder schlechte Erfahrungen nicht berücksichtigt, findet keine Zustimmung. Aus verschiedenen Schriftstellen wird belegt, daß der Apostel durchaus von bedrückenden Vorkommnissen weiß und sie selbst erlebt hat, etwa die drohende Verhaftung 2 Kor 11,32f, die Prügelstrafe 2 Kor 6,5 und 11,23—25, die Inhaftierung Apg 16,22f u.a.[112]. Wenn Paulus gleichwohl so allgemein vom Gehorsam des Einzelnen gegenüber jeder staatlichen Gewalt spreche, folge dies nicht allein aus dem Wissen um das alsbaldige Vergehen der Welt und ihrer politischen Verhältnisse, sondern weil sich der Christ nach Pau-

---

weder »Wesensaussage« über den Staat (keine metaphysische oder christokratische Staatslehre, vgl. 39, 40, 41, 53, 57f) und daraus sich ergebender Konsequenzen auch eine Nähe zur konkret-charismatischen Auslegung.

[109] Wilckens, Römerbrief 32, 39, 40, Römer 13 227; Schlier, Staat I 9. Im gleichen Sinn: Delling 62f; Schrage, Einzelgebote 222f, 227, Staat 56, 60; Goppelt, Kaisersteuer 216, 218; Ridderbos 224f; Duchrow 149, 150f; Schnackenburg 166f; v.Campenhausen 106; Kuß 322, 333; Blank 176. Vgl. auch Bornkamm, Paulus 216 ff.

[110] Wilckens, Römerbrief 39, Römer 13 221; Schlier, Römerbrief 387; Duchrow 150f; Goppelt, Kaisersteuer 216; Ridderbos 225; Delling 67.

[111] Duchrow 150f.

[112] Ausführlich: Delling 44ff; Vgl. auch Schrage, Staat 59f; Ridderbos 224f; Schlier, Römerbrief 389; Wilckens, Römerbrief 35f.

lus gerade in der konkreten Alltagswirklichkeit mit ihren Ordnungen und Verpflichtungen zu bewähren habe[113]. Gerade in der Tatsache, daß Paulus trotz seiner unguten Erfahrungen mit staatlichen Behörden so allgemein formuliert, sieht eschatologisch-realistische Interpretation ein Moment grundsätzlicher Einstellung des Apostels zur staatlichen Gewalt[114].

In diesem Zusammenhang wird auf die Dichte der die Allgemeinaussagen enthaltenden Begründung hingewiesen: auf ihre mehrfache Stufung und ihren theologischen Inhalt, durch die der Text sein Gewicht erhalte. Wilckens sieht in der sowohl negativen wie positiven Umschreibung in V 1b — keine »exouisia«, die nicht von Gott ist; die faktisch bestehenden Gewalten sind von Gott eingesetzt — eine Unterstreichung der Unbedingtheit der Mahnung[115]. Duchrow stellt heraus, daß die Geltung der einleitenden allgemeinen theologischen Begründung (V 1b—2) durch Exemplifikation anhand zweier weltlicher Gewaltformen — Gerechtigkeit und Steuer — erläutert und so in ihrer Bedeutung verstärkt werde[116]. Schlier verweist auf die doppelte Begründung der Mahnung in VV 1b—2 und VV 3—5 und die Wiederholung der Grundmahnung von V 1a in V 7[117]. Man wird sagen können, daß die eschatologisch-realistische Auslegung in ihrem Urteil davon bestimmt ist, daß der Apostel seine Formulierung hier gerade so (allgemein und grundsätzlich) und nicht anders begründet hat, und gegenüber der Gemeinde keineswegs nur eine argumentative Position einnimmt, sondern in der Vollgewalt seiner Sendung spricht, die kraft der ihm gegebenen Gnade (Röm 12,3) nichts anderes als den Willen Gottes ausdrückt[118].

Zunächst auch unter dem Gesichtspunkt der Allgemeinheit und Grundsätzlichkeit werden Umfang und Bedeutung des Gebrauchs der Wörter mit der Wurzel »tag« zur Sprache gebracht. In einer ausführlichen Untersu-

---

113 Schrage, Staat 59f.

114 Z.B. Schlier, Römerbrief 389, Staat II 203; Ridderbos 224f; Schrage, Staat 59f; Schnackenburg 167f; Duchrow 159ff

115 Wilckens, Römer 13 216ff. Vgl. auch Römerbrief 29f, wo auf die dreifach gestaffelte Begründung (V 1b-2; V 3-4; V 6-7) verwiesen wird. Die Angabe von Gründen in Röm. 13,1-7, die in stilistischem Kontrast zum Kontext steht, veranlaßt Wilckens, von »argumentativ-thematischer Paränese« zu sprechen, freilich nicht im Sinn der relativierenden Position Friedrichs, sondern mit Betonung ihres »geschlossenen« Charakters, der gerade deswegen die Frage nach der Einordnung in den Kontext aufwirft, 30, 39; vgl. auch 40, 41, wo Wilckens die Gehorsamsforderung als »generell« und »absolut« charakterisiert.

116 Duchrow 149f. Siehe zur Stufung der Begründung auch Schlier, Römerbrief 387, Staat I 8; Walker 6. Auch Friedrich spricht von einem »sorgfältig strukturiertem Text« (147) und von »ungewöhnlich ausführlicher Begründung« (153), erkennt darin aber, wie oben gezeigt, lediglich den argumentativen Stil des Apostels, nicht etwa die Allgemeinheit der die Aussagen stützenden Momente.

117 Schlier, Römerbrief 387, vgl. auch Wilckens, Römerbrief 29f.

118 So z.B. Neugebauer 165. Siehe auch Schlier, Römerbrief 393.

chung stellt Delling fest, daß 20 Bildungen vom Stamm »*tag*-« im Neuen Testament begegnen, davon 15 im Corpus Paulinum und hier wiederum 4 in Röm 13,1.2.5: »*tassesthai*« V 1, »*hypotassesthai*« VV 1.5, »*diatage*« V 2 und »*antitassesthai*« V 2. Delling kommt, nach Würdigung der durchaus unterschiedlichen Bedeutung der von Paulus verwendeten Wortbildungen mit der Wurzel »*tag*« zu dem Ergebnis, daß »der Gedanke der Ordnung bei Paulus auch für das Leben der Christen in den größeren sozialen und politischen Zusammenhängen Bedeutung hat«[119].

In der allgemeinen Formulierung und in der Verwendung des Ordnungsmotivs durch den Apostel sieht die eschatologisch-realistische Interpretation die Anerkennung der Schöpfung mit ihren Gegebenheiten und Strukturen des natürlichen Lebens, denen gerade der Christ seinen Respekt und seinen Dienst entgegenzubringen habe. Daß die bestehenden Ordnungen Gottes durch den Anbruch des neuen Äon nicht einfach überholt sind, sondern Geltung behalten, wenn auch unter dem Blickwinkel der zukünftigen Welt, erweise sich z.B. auch am Institut der Ehe, der der Herr, wiewohl der Schöpfungsordnung zugehörig, für die Zeit des vergehenden Äon Geltung beläßt (Mk 10,1ff, 12, 25ff) und im Wort des Apostels: »Jeder soll in dem Stand bleiben, in dem ihn der Ruf Gottes traf« (1 Kor 7,20ff). Es geht somit im Verhältnis von Schöpfung und Neuschöpfung nicht nur um den Willen Gottes, der die alte Welt aufhebt, sondern auch um den Willen, der ihr noch Bestand gibt[120].

dd. Die gegenwärtige Herrschaft Christi über Kirche und Staat als Grund umfassender Verfügbarkeit des Staates für das kommende Reich Gottes unter den Bedingungen noch gewährter irdischer Wirklichkeit

Die christokratisch-politische Interpretation scheint in der Frage prinzipieller Geltung des Staates auf den ersten Blick in der Nähe naturrechtlich-ordnungstheologischer Vorstellungen. Wie dort läßt die Tatsache, daß es sich in Röm 13,1ff um eine »Anrede an Jedermann« handelt, daß es um eine Ordnung von »überlegener Autorität und Gewalt« geht, die dem Einzelnen gegenübersteht, nicht daran zweifeln, daß hier gleichermaßen Christ wie Nichtchrist, Staat wie Staat angesprochen sind. »Wo immer staatliche Ordnung ist, da ist sie ... von Gott«[121]. Als »Konstante der göttlichen Vor-

---

[119] Delling 39ff, (42); ThWB VIII 44f. Im Ergebnis ähnlich: Schrage, Einzelgebote 225f, Staat 55f; Duchrow 151f; Bornkamm, Paulus 217.
[120] Neugebauer 163ff; Delling 49ff; 66; Schrage, Einzelgebote 226f; Goppelt, Kaisersteuer 213ff; Ridderbos 219f.
[121] Barth, KD II/2 792, 806; Christengemeinde 8, KE Römerbrief 193.

sehung« zugunsten der Menschen, als Raumgabe für die Geduld Gottes zu der noch unerlösten Welt, besteht ihr Auftrag »unabhängig von dem Ermessen und Wollen der beteiligten Menschen«[122]. Auch darin ähnelt die christokratisch-politische Interpretation der naturrechtlich-ordnungstheologischen Auslegung, daß sie den Staat unabhängig selbst vom Fall seiner Dämonie, als »Ordnung« Gottes gelten läßt und daß dies alles als Lehre, »Jesu Lehre« oder als »neutestamentliche Lehre vom Staat« aufzufassen sei[123].

Besteht in der Bewertung des formalen Geltens des Staates mit der naturrechtlich-ordnungstheologischen Auffassung wesentlich Übereinstimmung, kommt es im Inhaltlichen, im Woraufhin der Geltung zu unversöhnlichem Gegensatz. Anders als in den naturrechtlich-ordnungstheologischen Entwürfen geht es christokratisch-politischer Interpretation nicht um die Explikation allgemein-schöpfungsmäßiger Gegebenheiten. Das »hypo theou« des Staates meint nicht einfach eine »allgemeine göttliche Vorsehung«, nicht die »Leere eines allgemeinen Gottesbegriffes«[124], die dem Staat einen metaphysisch begründeten Eigenbereich eröffnet, sondern den, der »das Ebenbild des unsichtbaren Gottes«, der der »Erstgeborene aller Kreatur« ist (Kol 1,15). Die Geltung des Staates für alle Menschen hat es ursprünglich mit der Herrschaft Christi zu tun. Damit nun ist der Staat inhaltlich ganz auf die Kirche und ihre Sendung verwiesen, denn die Kirche allein ist es, die die Herrschaft Christi in der sichtbaren Welt repräsentiert. Ein schiedlich-einverständliches Nebeneinander von Kirche und Staat, in dem sich der Staat auf einen abgrenzbaren Eigenbereich berufen könnte, verbietet sich in solcher Zuordnung. Der Staat, vorläufig-vergängliche Größe, muß stets für den eschatologisch-endgültigen An-Spruch der Kirche

---

[122] Barth, Christengemeinde 10.

[123] Cullmann, Staat 3, 37, 43; vgl. auch 1 »prinzipielle Stellungnahme zum irdischen Staat« oder 26 »komplexe neutestamentliche Einstellung zum Staat«.
Barth, Christengemeinde 17, sieht »eine unter allen Umständen innezuhaltende Richtung und Linie; s. auch 22ff, 35f.
Vgl. G. Bauer 118ff, z.B. »Ordnung« oder »Staat«; ebenso Meinhold 30ff; vgl. Steck, z.B. »Wesen staatlicher Ordnung« (296) oder »Ordnung irdisch-weltlicher Staatlichkeit« (297) oder »ordentliche Lehre vom Staat« (303); vgl. Schlette, z.B. »faktisch bestehende menschliche Ordnungsformen« (31, 38) oder »Problem des Staates« (33).

[124] Barth, Rechtfertigung 6, 20; im gleichen Sinn: Rechtfertigung 14, 31, 33; Christengemeinde 17f; KE Römerbrief 192; vgl. auch G. Bauer 119f.
Schon im Römerbrief (1922) hatte Barth formuliert: »Denn es ist klar, daß das entscheidende Wort »Gott« hier nicht auf einmal im Gegensatz zum ganzen übrigen Römerbrief den Sinn einer metaphysischen Eindeutigkeit und Gegebenheit haben kann. Was hilft alle Treue gegen den Wortlaut, wenn sie mit der Untreue gegen das Wort erkauft ist?« (467).
Bei Cullmann ergibt sich dieser Ansatz aus seiner allgemeinen theoretischen Voraussetzung der gegenwärtigen Herrschaft Christi, Königsherrschaft 5ff.

verfügbar bleiben, weil im Reich Christi auch seine Sache »des einen Gottes Sache ist«[125].

So hat der Staat nach Barth in der einen und einzigen Herrschaftswirklichkeit Christi, in der Christus selbst das Zentrum aller Bewegung ist, die Stellung des äußeren Kreises, der in Aufgabe und innerer Legitimation auf die Kirche als inneren, enger mit Christus verbundenen Kreis hin zentriert ist, indem er ihr im Raum aller Menschen Schutz und Entfaltung gewährt[126]. Die Frage der Allgemeingeltung des Staates hat es daher entscheidend mit der Kirche zu tun, von der alles ausgeht und zu der alles zurückführt. Nur von ihr her läßt sich das, worin er für die Welt Geltung hat, bestimmen.

Cullmann[127] deutet diesen Sachverhalt näher aus der besonderen Stellung der Kirche zum Reich Christi aufgrund eines charakteristischen Spannungsverhältnisses von zeitlicher Kongruenz und »räumlicher« Inkongruenz zwischen ihr und der Gesamtwirklichkeit des gekreuzigten (auferstandenen) und wiederkommenden Herrn. Beide, Kirche und Reich Christi, nehmen ihren Anfang im Kreuzestod Christi, insofern gleichzeitig mit der Unterwerfung aller Mächte und Gewalten (Begründung des Reiches Christi) das endzeitliche Gottesvolk (Kirche) entsteht, und beide finden ihr Ende in der Wiederkunft Christi, insofern gleichzeitig mit der Vernichtung aller Feinde (Ende des Reiches Christi) die Kirche an der Herrschaft Christi »mitherrschend« Anteil erhält. Zur zeitlichen Kongruenz, die in solchem Herrschaftswechsel wesentlich inhaltlich bestimmt ist, kommt die »räumliche« Inkongruenz: indem sich die Herrschaft Christi über die ganze sichtbare und unsichtbare Schöpfung erstreckt — er ist das Haupt aller —, übt die Kirche ihre Herrschaft allein in der sichtbaren Welt aus, näherhin in der irdischen Gemeinschaft der Menschen[128]. Dies heißt aber nicht Reduzierung ihrer Bedeutung, nicht Beschränkung auf Untergeordnetes im Reich Christi, ist vielmehr Verdichtung, Konzentration auf den wesentlichen Punkt. Hier in der sichtbaren, leiblichen Welt hat die Kirche Christus nicht nur zum Haupt, sondern ist sein Leib, sein »irdischer Ort«. Das gibt ihr eine überragende, von allem wesenhaft unterschiedene Stellung. Sie ist »Zentrum«, »Herzpunkt« seiner Herrschaft, »der einzige Punkt, von dem aus das ganze Regnum Christi sichtbar wird, und was hier geschieht, wirkt sich in entscheidender Weise im Regnum Christi aus«[129]. Als Leib

---

125 Barth, Christengemeinde 13.
126 Barth, Christengemeinde 9ff, mit Bezug auf Cullmann, Königsherrschaft.
Das Bild von der Herrschaft Christi als konzentrischer Kreis ist entwickelt von Cullmann, Christus und die Zeit, Zürich ³1962, 169ff.
127 Cullmann, Königsherrschaft 8, 11ff.
128 Cullmann, Königsherrschaft 24ff.
129 Cullmann, Königsherrschaft 28; vgl. auch 29, 35, 38, 43.

Christi übt die Kirche Christi Herrschaft stellvertretend in und gegenüber aller Schöpfung und unter allen Menschen aus[130], und zwar in einem realen, vollmächtigen (Mit-)Herrschen »schon jetzt«[131]. Schon im Heute partizipiert sie an der Verheißung künftiger Herrschaft (1 Tim 2,12) und des Gerichts über die anderen Glieder des Regnum Christi (1 Kor 6,3). Dem eschatologischen Vorgreifen der Kirche ins Menschlich-Allgemeine und darin auch ins Staatliche entspricht umgekehrt das Verhalten der politischen Mächte: in Gestalt der unterworfenen Engel — das sind auch die unsichtbar staatstragenden Kräfte — dienen sie »um derer willen, die das Heil erben werden« (1 Hebr 1,14)[132].

Diese höchste Stellung, die die Kirche hat als Gabe für die Welt, verpflichtet sie zu höchster Aufgabe in der Welt, das ist ihr, des Leibes Christi, »Wachsen zum Haupte hin« (Eph 1,15—16), ihr stetiges Zunehmen im Reich Christi (= Ausbreitung in der Menschenwelt). Sie erfüllt das in der Verkündigung des Herrseins Christi über alles Irdisch-Menschliche und — integraler Bestandteil dieser Verkündigung — in der Sorge um dessen staatlich-politische Wirklichkeit. Weil Christus Herr über alles ist, »darf kein Gebiet aus der christlichen Verkündigung von vornherein ausgeschlossen werden«[133], hat der Jünger Jesu das Recht und die Pflicht, den Staat zu beurteilen[134], »gehen (von der christlichen Enderwartung) stärkste Impulse zum Handeln in der Welt aus«[135].

Der eschatologische Vorgriff der Kirche auf den Staat wird von Barth noch radikalisiert. Er sieht den irdischen Staat vollends von der Zukunftserwartung der Kirche her als Analogon zur eschatologischen Wirklichkeit, als Vorabbildung der himmlischen Polis. Denn die Hoffnung der Kirche zielt

---

[130] Cullmann, Königsherrschaft 33ff, 36ff.
Das Zulaufen alles Irdisch-Menschlichen auf die Kirche als Zentrum des Regnum Christi sieht Cullmann durch den Verlauf der Heilsgeschichte in einer Linie »progressiver Reduktion« bestätigt: von der (sündigen) Menschheit zum Volke Israel, von hier zum (heiligen) Rest Israels und zu dem Einen, zum Gottesknecht, zu Jesus Christus, und dann von Christus wieder zu den Vielen des endzeitlichen Gottesvolkes, das der Zielpunkt des göttlichen Heilsplanes ist (35ff). Näheres Cullmann, Heil als Geschichte, Tübingen 1965, 131—165, 225—245, 269—280.
[131] Cullmann, Königsherrschaft 39; s. auch 22ff; vgl. Barth, Rechtfertigung 25, der in 1 Kor 6,3 die »Umkehrung« der in diesem Äon gegebenen Verhältnisse sieht. Die Christen, hier Beisassen und als solche (dem Staat) untergeordnet, sind dort Glieder des endgültigen Staates und richten als solche jene, die als irdische Vollbürger im Eschaton Fremdlinge sind.
[132] Cullmann, Königsherrschaft 40; vgl. auch Staat 45.
[133] Cullmann, Königsherrschaft 42.
[134] Cullmann, Staat 37.
[135] Cullmann, Staat 2; vgl. auch Königsherrschaft 20: der Kirche fällt im Akt ihres Werdens die »höchste Mission« innerhalb der Schöpfung zu: »endzeitliche Verwirklichung einer durch den Geist Gottes bestimmten Gemeinschaft in Christus«.

auf Staatliches hin, auf die Ordnung des neuen Äon als einer politischen Ordnung: »Nicht in einem himmlischen Spiegelbild ihrer eigenen Existenz, sondern gerade in dem realen himmlischen Staat sieht die reale irdische Kirche ihre Zukunft und Hoffnung«[136]. Als »wahrer Staat«, der der irdische Staat sein und bleiben soll, bedarf er des Gleichnisses des himmlischen Staates, der die Kirche konstituierenden Wahrheit (Gleichnisbedürftigkeit), ist aber auch fähig, jener eschatologisch-politischen Ordnung in sich und seiner irdischen Rechtsordnung Entsprechung zu geben, Spiegelbild dessen zu sein, was den Inhalt des Bekenntnisses und der Botschaft der Kirche ausmacht (Gleichnisfähigkeit)[137].

Freilich steht solcher Gleichnisfähigkeit die Unwissenheit des Staates um seine eigentliche Bestimmung entgegen. Er bedarf daher des Dienstes der Kirche, die in ihrem Wissen um das Eschaton den Willen Gottes auch für die Ordnung menschlichen Zusammenlebens in diesem Äon erkennt und den Staat aus seiner Unwissenheit herausführt[138]. »Sie will, daß die vom Himmel her offenbar gewordene und tätige Gnade Gottes in dem auf Erden allein möglichen Material äußerlicher, relativer und vorläufiger Handlungen und Handlungsweisen der politischen Gemeinde abgebildet

---

[136] Barth, Rechtfertigung 22ff (24); vgl. auch Cullmann, Staat 1: »Gerade weil das Evangelium sich ganz auf das ›politeuma‹, das Gemeinwesen des zukünftigen Äons, einstellt, gerade deshalb muß es grundsätzlich die Haltung gegenüber der gegenwärtigen ›polis‹, dem gegenwärtigen Staat, als seine eigenste Angelegenheit ansehen.«

[137] Barth, Christengemeinde 23f; s. auch 41: »Der rechte Staat muß in der rechten Kirche sein Urbild und Vorbild haben«.
Vgl. auch Steck 304: Der Staat erkennt sich »in dem realen Gegenüber zum Faktum von Evangelium und Kirche«.

[138] Das Wissen der Kirche und — entsprechend — das Unwissen des Staates ist der entscheidende Punkt, an dem die christokratisch-politische Interpretation die Abhängigkeit des Staates von der Kirche festmacht. Barth und Cullmann belegen dies in zahlreichen Varianten. Hier einige Beispiele:
Barth, Rechtfertigung 31: Dem Glauben und der Verkündigung der Kirche steht der Staat gegenüber, der »als Staat nichts weiß von Geist, nichts von Liebe, nichts von Vergebung«;
Rechtfertigung 39: »... (es) gibt außer der Kirche keine Stelle in der Welt, in der ein grundsätzliches Wissen um die Berechtigung und Notwendigkeit des Staates vorhanden ist und zur Aussprache kommt«
Rechtfertigung 39: Für die Kirche ist in die Autorität ihres Herrn Jesus Christus die Autorität des Staates eingeschlossen. Aber: »Was wissen denn die Staatsmänner und Politiker selber von einer letzten Berechtigung und Notwendigkeit ihres Tuns?«;
Barth, Christengemeinde 8: »Die Christengemeinde — und im ganzen Ernst nur sie! — weiß um ihre (der Bürgergemeinde) Notwendigkeit«;
Christengemeinde 11f: Der Verkündigung der Herrschaft Christi und der Hoffnung auf das kommende Reich steht die Angewiesenheit des Staates auf den Dienst der Kirche gegenüber: »Sie (die Bürgergemeinde) ist blind für das Woher und Wohin der menschlichen Existenz, für deren äußerliche, relative, vorläufige Begrenzung sie zu sorgen hat; sie ist darauf angewiesen, daß es anderswo sehende Augen gibt«;
Christengemeinde 18: Die Getauften wissen, »daß auch die unwissende, die neutrale, die heidnische Bürgergemeinde im Reiche Christi ist, daß alles politische Fragen und alle politische

werde«[139]; sie wartet nicht beziehungslos und umsonst auf die künftige Polis, sondern verkündet die irdisch-vorläufige Rechtsordnung »primär und ultimativ in dieser ewigen Gestalt«[140]. Alle Initiative zur gleichnishaften Entsprechung des Staates geht daher von der Kirche aus. Sie »erinnert« den Staat an seine Gefährdung[141], sie »stößt« ihn an mit ihrer »heilsam beunruhigenden Gegenwart«[142], sie »verteidigt« den Staat gegen den Staat, wo er die Erwartungen nicht erfüllt[143]. Im Rahmen der politischen Möglichkeiten »unterscheidet«, »urteilt« und »wählt« sie, und zwar »immer zugunsten des Zusammenhangs mit Gottes Heils- und Gnadenordnung«[144].

In all dem verharrt die Kirche nicht in bloßem Zuwarten, in stiller Hoffnung darauf, ob vielleicht ihrer Verkündigung in der staatlichen Rechtsordnung entsprochen werde, vielmehr greift sie aktiv in die politischen Vorgänge ein: sie »beteiligt« sich an der Aufgabe des Staates im »tätigen Eintreten« für die Bürgergemeinde, ist im Raum der Bürgergemeinde »mit der Welt solidarisch« und setzt diese Solidarität »resolut ins Werk«[145],

Bemühung in Gottes gnädiger ... Anordnung begründet sind«;
Christengemeinde 21: »Die Bürgergemeinde als solche, die neutrale, die heidnische, die noch oder wieder unwissende Bürgergemeinde weiß nichts vom Reich Gottes. Die Christengemeinde inmitten der Bürgergemeinde aber weiß darum und erinnert daran. Sie erinnert ja an den gekommenen und wiederkommenden Jesus Christus«;
Christengemeinde 23f: »Sie ist ja als Bürgergemeinde dem Geheimnis des Reiches Gottes, dem Geheimnis ihres eigenen Zentrums gegenüber unwissend, dem Bekenntnis und der Botschaft der Christengemeinde gegenüber neutral.«
Christengemeinde 25: die Kirche weiß um die »vom Himmel her offenbar gewordene und tätige Gnade Gottes ...« (der Staat weiß nicht);
Cullmann, Königsherrschaft 35: Die Glieder der Kirche wissen, daß sie Glieder des Reiches Christi sind: »darin vor allem unterscheiden sie sich als Kirche von allen übrigen Gliedern des Regnums Christi, die im Dienste dieser Herrschaft stehen können, ohne es zu wissen«;
Königsherrschaft 38: Wissen ist das entscheidende Kriterium für das Mitherrschen der Kirche über die anderen Glieder des Regnum Christi: »Die Glieder dieser Gemeinschaft wissen also nicht nur um die Stellung der anderen Glieder, etwa des Staates, im Regnum Christi: Sie wissen vor allem um die Stellung, die sie selbst darin einnehmen.« »... Darum ist das Beherrschtwerden der Kirche durch das Haupt und das Mitherrschen der Kirche mit ihm für das Regnum Christi entscheidender als die Teilnahme aller seiner übrigen Glieder an der Herrschaft«;
Cullmann, Staat 65: Der Staat weiß nicht notwendig um seine Stellung in der gegenwärtigen Ordnung Gottes. »Der Christ allerdings weiß um die Stelle, die der Staat in Gottes Heilsökonomie einnimmt.« Vgl. auch Staat 42, 46f. Vgl. auch G. Bauer 121.
[139] Barth, Christengemeinde 25; vgl. G. Bauer 121.
[140] Barth, Christengemeinde 8.
[141] Barth, Christengemeinde 23.
[142] Barth, Christengemeinde 24.
[143] Barth, Rechtfertigung 39.
[144] Barth, Christengemeinde 24, Rechtfertigung 19; vgl. G. Bauer 122f.
[145] Barth, Christengemeinde 12, 13; Rechtfertigung 8; vgl. auch Christengemeinde 14f: »Indem die Christengemeinde sich für die Bürgergemeinde mitverantwortlich macht, beteiligt sie sich — von Gottes Offenbarung und von ihrem Glauben her — an den menschlichen Fragen nach der besten Gestalt, nach dem sachgemäßesten System des politischen Wesens«. Vgl. auch Cullmann, Königsherrschaft 42; G. Bauer 122; Steck 307; Marsch 402.

»(macht) sich für die Sache der Bürgergemeinde verantwortlich«[146] und »ruft« den Staat mit ihrem Zeugnis »aus der Neutralität, aus der Unwissenheit, aus dem Heidentum heraus in die Mitverantwortung vor Gott«[147], sie »wacht« über ihn, daß er nicht aus der göttlichen Ordnung herausfalle[148]. In diesem Sich-Verantwortlich-Machen für den Staat und darin den Staat zur »Mitverantwortung« Rufen tritt wohl am deutlichsten die Proportion hervor, die die christokratisch-politische Interpretation dem Verhältnis Staat — Kirche gibt: das Voraus der Kirche (eschatologischer Vorgriff) bestimmt das Worin der Geltung des Staates. Ihr eschatologisch-politischer Anspruch schon für das Jetzt macht ihn zum »Annex« und »Außenposten«[149] ihres Dienens in der Welt. Nur in seiner »Verkirchlichung«[150] kann der Staat legitim Geltung beanspruchen. Die Kirche ist die schlechthin maß-gebende Instanz, und der Staat, sofern er wirklich Staat ist, läßt sich von ihrem Eschaton ganz durchdringen. Sein Recht ist nichts als Freiheit für die allumfassende Dimension der Rechtfertigungsbotschaft und dies so sehr, daß man die Gleichung: Staatliches Recht = Freiheitsrecht für die Verkündigung = Inhalt der Rechtfertigungspredigt aufstellen kann[151]. Solches Recht erst, von der Kirche bewirkt und in Anspruch genommen, bedeutet Begründung, Erhaltung und Wiederherstellung allen Menschenrech-

---

[146] Barth, Christengemeinde 25; vgl. auch 13, 14f.
[147] Barth, Christengemeinde 24.
[148] Barth, Rechtfertigung 8; Cullmann, Staat 65, 66.
[149] Barth, Rechtfertigung 33, 43.
[150] Barth, Rechtfertigung 33; In eigentümlicher Umkehrung des Entsprechungsverhältnisses von der Kirche zum Staat/Recht findet eine »Politisierung der Kirche« statt. Die Kirche übernimmt vom irdischen Abbild ihrer Zukunftsordnung die staatlich-rechtliche Struktur: Ordnungen, Arbeitsteilungen, Gemeinschaftsformen, Kirchenrecht, 31ff (32).
[151] Barth, Rechtfertigung 46; der Gedanke wird von Barth in immer neuen Abwandlungen wiederholt, z.B.
Rechtfertigung 14: Der Staat macht selbst in seiner Rechtsbeugung sichtbar, »daß eine wirklich menschliche Rechtsprechung, ein wirkliches Zeigen des wahren Gesichts des Staates unfehlbar die Legitimierung der freien und bewußten Verkündigung derselben göttlichen Rechtfertigung, des Reiches Christi, das nicht von dieser Welt ist, hätte bedeuten müssen«;
Rechtfertigung 25: »... daß die Predigt der Rechtfertigung als Predigt vom Reiche Gottes schon jetzt und hier das wahre Recht, den wahren Staat, begründet«.
Rechtfertigung 36: Die Christen erwarten vom Staat »unter allen Umständen das Beste, nämlich das Recht und das heißt den Schutz der Predigt von der Rechtfertigung ...«;
Rechtfertigung 39: »Die Kirche erwartet vom Staate um der freien Predigt der Rechtfertigung willen, daß er Staat sei und also Recht schaffe und spreche«;
Rechtfertigung 40: »Die Kirche weiß, daß der Staat gerade das wirkliche und eigentliche menschliche Recht, das ius unum et necessarium, nämlich das Freiheitsrecht der Rechtfertigungspredigt weder aufrichten noch schützen könnte, wenn ihm das, was ihm gebührt ... nicht geleistet wird ...«;
Christengemeinde 8: »Sie (die Kirche) weiß, daß deren (der Bürgergemeinde) in ihrer Eigentlichkeit, Ursprünglichkeit und Endgültigkeit zu offenbarende Gestalt das ewige Königreich Gottes ist und die ewige Gerechtigkeit seiner Gnade«.

tes. Mehr noch: in der Verkündigung dieses Rechtes ist es die Kirche, die den Staat im geschöpflichen Raum begründet und erhält[152]. »Wie die göttliche Rechtfertigung das rechtliche Kontinuum ist, so ist die Kirche das politische Kontinuum«[153].

In diesem geschlossenen System der Entsprechung von Kirche und Staat, in dem die Kirche zugleich Initiator, Katalysator und Wächter des staatlichen Lebens ist, besteht, und das ist nur selbstverständlich, kein Raum für ein Eigenrecht des Staates, das über den Dienst am »wahren Recht« hinausgehen könnte. Indem der Staat zum Reich Christi gehört, hat er »keine der Kirche und dem Reich Gottes gegenüber selbständige Natur« ...[154]. Und wenn einmal von »relativ selbständiger Substanz, Würde, Funktion und Zielsetzung« des Staates die Rede ist, so bedeutet dies nichts anderes als den dienenden Einsatz der dem Staat verliehenen potentiellen Macht zur Erfüllung eben jenes von der Kirche erhobenen Rechtsanspruchs[155].

c. Zusammenfassung

Die naturrechtlich-ordnungstheologische Interpretation geht in unproblematischer Weise von der Allgemeinheit des in Röm 13,1—7 über den Staat Gesagten aus. Dabei sieht sie die Textaussagen auf dem Hintergrund einer vorgegebenen Seinsordnung (Naturrecht, Erlösungsordnung, Erhaltungsordnung, Geschichtstheologie), als deren Ausdruck sie erscheinen. Von da her kann auch von einer »Lehre« bzw. »Staatstheologie« des Paulus gesprochen werden.

Die konkret-charismatische Auslegung wertet die Institutionalität des Staates ab, damit aber ein wesentliches Merkmal von Staatlichkeit überhaupt. Sie kommt so zur Annahme personaler Einzelbeziehung zwischen staatlichen Funktionsträgern oder einer »Instanz« und dem Einzelnen, die formal auf Gleichordnung unter den Beteiligten hinausläuft. Inhaltlich ist dieses Verhältnis vom charismatischen Diensthandeln des Christen in der Welt bestimmt, das das vom Eschaton Gebotene in der jeweiligen Situation

---

[152] Barth, Rechtfertigung 45, 46; vgl. auch 39; Seite 25 heißt es: »Es ist wesentlich ..., daß die Predigt von der Rechtfertigung Gottes schon jetzt und hier das wahre Recht, den wahren Staat begründet.«
[153] Barth, Rechtfertigung 40.
[154] Barth, Christengemeinde 23; vgl. auch 10: Der Staat »hat also keine vom Reich Christi abstrahierte, eigengesetzlich begründete und sich auswirkende Existenz, sondern er ist Exponent dieses seines Reiches«; vgl. auch Cullmann, Königsherrschaft 33f.
[155] Barth, Rechtfertigung 18: Der Staat hat in seiner »relativen Selbständigkeit ... der Person und dem Werk Christi und also der in ihm geschehenen Rechtfertigung des Sünders zu dienen«; oder 35: Der Staat hat seine »für die Kirche so heilsame« Macht von Gott, »um der Predigt der Rechtfertigung willen ...«.

zu verwirklichen sucht. Das staatliche Gegenüber vertritt hierbei in einem notwendigen, enthusiastischen Überschwang wehrenden Mindestmaß die alte, durch den Sieg Christi schon überwundene Schöpfung. In diesem inhaltlich modifizierten Sinn besitzen die Aussagen in Röm 13 allgemeine Geltung.

Die eschatologisch-realistische Auslegung geht von der institutionell gegebenen Einheit des Staates als ganzem mit dem einzelnen, konkret handelnden Funktionsträger aus. Sie betont so gegenüber der konkret-charismatischen Auslegung das Institutionell-Übergreifende des Staates. Die Allgemeingeltung seines Auftrags und das Verhältnis des Christen zu ihm entnimmt sie dem Wortlaut des Textabschnittes, der keinerlei Einschränkungen seiner allgemeinen Formulierungen erkennen läßt, obwohl Paulus negative Erfahrungen mit römischen Behörden gemacht hat und von da her eine Differenzierung der Aussage nahegelegen hätte. Auch sprachlich zeigt sich in der häufigen Verwendung von Wörtern mit dem Stamm »tag-« die Nähe des Apostels zum Gedanken von Ordnung und Allgemeinheit. Die endzeitliche Situation des Christen wertet die eschatologisch-realistische Interpretation nicht im Sinne der Relativierung des alten Äon, seiner Ordnungen und Gegebenheiten, sondern im Sinne der Bestätigung und vollen (besseren) Respektierung.

Die christokratisch-politische Interpretation ähnelt der naturrechtlich-ordnungstheologischen darin, daß sie den Aussagen in Röm 13 eine umfassende formale Geltung zuspricht (»Lehre«), steht ihr aber dort, wo es um die inhaltliche Füllung des staatlichen Geltungsanspruchs geht, diametral entgegen. Der Staat ist — wie die übrige sichtbare und unsichtbare Welt — durch den Sieg Christi jedem nur geschöpflichen Sein entnommen und kann legitim nur noch in der Unterordnung unter die sich schon gegenwärtig auswirkende eschatologische Herrschaft Christi bestehen. Da die Kirche als Leib Christi diese Herrschaft in der sichtbar-irdischen Welt repräsentiert und vertritt, ist sie es, an deren eschatologisch-endgültigem Bild (himmlische Polis) er sich »schon jetzt« abbildartig zu orientieren hat. Seine Ordnung und sein Recht sind, sofern er wahrer Staat ist, Analogon zu dem, was der Botschaft von der Rechtfertigug in all ihren Dimensionen, auch und gerade der politischen, angemessen ist. Einen davon abgelösten Bereich eigenen Geltendürfens hat der Staat nicht. Die Geltung des Staates erwächst daher allein aus der Geltung der Kirche und ihres an die Welt gerichteten Auftrags.

2. Die Aufgabe des Staates — »Gottes Diener dir zum Guten«

In VV 3.4 kommt Paulus auf den Auftrag der staatlichen Gewalt zu sprechen, dessentwegen ihr jedermann Gehorsam schuldet (V 1a) und weswegen der Apostel so eindringlich auf die Einsetzung dieser Gewalt durch Gott hinweist (VV 1b—2): ihr Diener-Sein. Dabei sind ihr zwei Grundfunktionen übertragen: die Gewährleistung des Guten und die Unterdrückung des Bösen. Darüber, wie dies zusammenhängt und wie weit die Befugnisse des Staates im einzelnen gehen, hat die exegetische Diskussion vielfältige Gesichtspunkte zusammengetragen, die der näheren Erörterung bedürfen, z.B. ob die Diener-Aufgabe mehr (das Gute) aufbauenden oder (das Böse) abwehrenden Charakter habe, wie weit die dem Staat in seiner Diener-Eigenschaft gegebene selbständige Entscheidungsbefugnis gehe, was das Gute sei, ob Lob und Strafe des Staates auch Urteil Gottes sei und ob es gar endzeitliche Bedeutung habe, wo die Grenzen des Auftrages des Staates liegen. Je nach Grundduktus, den eine Auslegungsrichtung verfolgt, zeichnen sich hier recht unterschiedliche Gewichtungen ab.

a. Der Staat als »Stellvertreter« Gottes in den irdischen Belangen

Die naturrechtlich-ordnungstheologisch orientierte Auslegung sieht den Charakter des staatlichen Auftrags als aufbauend, das Gute fördernd an. Teil dieses Wirkens zum Guten ist die Abwehr des Bösen[156]. Die primäre Bestimmung, Gutes zu wirken, kann als umfassender Erziehungsauftrag verstanden werden, mittels dessen der Staat den Einzelnen dazu führt, das Gute (von sich aus) zu tun[157]. Oder das Gute wird als eine Gewährleistung des Staates gedeutet, die dem Einzelnen wie auch der Allgemeinheit Möglichkeiten der Entfaltung einräumt, wie die Aufrechterhaltung der »sittlichen Ordnung«[158], des »Rechtes und der Gerechtigkeit«[159], der »öffentlichen Ordnung«[160], der »bürgerlichen Rechtschaffenheit«[161], die Möglichkeit zu sicherem und ruhigem Leben (1 Tim 2,2)[162] oder die Erhaltung der

---

[156] Z.B. Schlatter 353; Huby-Lyonnet 438; Brunner, Römerbrief 91; Sickenberger 279; Schelkle, Römerbrief 196; Gaugusch 538, 541f; Zsifkovits 82; Grosche 180; Pieper 141f; Hick 60ff; Dehn, Leben 79, 81.
Anders z.B. Böld, 60f, der den Staat aus der »Erhaltungsordnung« begründet sieht (63) und so primär die Abwehrfunktion des staatlichen Auftrags betont; vgl. auch Heiler 233; Gaugler 136f, 148; Grundmann ThWB III 481.
[157] H.W. Schmidt 221; vgl. auch Weithaas 434.
[158] Gutjahr 420; Stratmann 79; Sickenberger 280.
[159] Gutjahr 419; Prümm 166.
[160] Brunner, Römerbrief 91; Böld 68; Kürzinger 48; Pieper 41ff.
[161] Dehn, Leben 80; Gaugler 137.
[162] Bardenhewer 184; Hick 60.

»Ordnung und des Friedens« (Röm 8,28 u. 15,2)[163]. Noch allgemeiner kann von der rechten Ordnung der Welt[164] oder vom allgemeinen Wohlergehen gesprochen werden[165].

Die Aufzählung zeigt, daß das »Gute« jeweils sehr allgemein umrissen wird und im Grunde das dem Einzelnen und der Gesamtheit aller Menschen Förderliche und sie Erhaltende meint: es geht um das Gemeinwohl[166].

Aber auch darin ist der Staat Diener Gottes, daß er richtet und straft gegenüber dem, der Böses tut, d.h. der das Förderliche und Erhaltende des menschlichen Zusammenlebens stört und so Gottes Ordnung für diesen Äon verletzt. Das Gericht, das den Übeltäter trifft, ist nicht nur Reaktion der staatlichen Gewalt auf Rechtsverletzungen, sondern Strafe Gottes, die den Ungehorsam durch das staatliche Handeln hindurch erreicht[167]. Die Züchtigung durch die staatlich Verantwortlichen »ist die praktische Manifestation von Gottes Gerechtigkeit«[168]. Diese Dienerrolle des Staates sieht die naturrechtlich-ordnungstheologische Auslegung mit weitreichenden Befugnissen zu selbständig-verbindlichen Setzungen ausgestattet. Der allgemeine Auftrag, das Gute zu fördern und das Böse zu ahnden, schließt die geschichtliche Konkretion des Guten und des Bösen ein, die sich in den staatlichen Ordnungen und Verfügungen niederschlägt. In solchen Setzungen begegnet göttlicher Wille und göttliche Ordnung selbst, so sehr, daß gesagt werden kann: »Wer Staatsrecht bricht, bricht Gottesrecht«[169]. Grundlage für diesen Rang staatlichen Handelns ist eine Sicht, die den Staat in die Nähe der Machtfülle und Dignität Gottes rückt. So wird der Staat charakterisiert als »Widerschein der Autorität Gottes selbst« oder als »göttliches Faktum«[170], als »göttliches Werkzeug«[171], als »Vollstrecker des göttlichen Willens«[172], als »Handlanger Gottes«[173], als »Abglanz und Ausfluß der göttlichen Autorität« oder als »Stellvertreter Gottes«[174], und einige Ausleger sehen die Träger staatlicher Gewalt gar in priesterlich-kultischer Funktion (»Liturgen« Gottes) im Sinne der Gleichung: Staatsdienst = Gottesdienst[175].

---

[163] Althaus 131.
[164] Gaugusch 542; Grosche 180.
[165] Stratmann 76; vgl. auch Bardenhewer 184; Hick 60.
[166] So ausdrücklich: Weithaas 433, 440; Gutjahr 421; Zsifkovits 77, 82ff; Huby-Lyonnet 436.
[167] Schelkle, Römerbrief 196f; Stratmann 73ff; Bardenhewer 184; Nygren 305; Althaus 131; Schlatter 353; Zahn 551; Huby-Lyonnet 437; Zsifkovits 88; H.W. Schmidt 220; Gaugusch 540; Gaugler 137; Grosche 180; Dehn, Leben 78, 81.
[168] Huby-Lyonnet 438.   [169] H.W. Schmidt 220.
[170] Huby-Lyonnet 434, 437.   [171] H.W. Schmidt 221; Pieper 41.
[172] Heiler 231.   [173] Prümm 176.
[174] Gaugusch 538, 539; Bardenhewer 184; Schlatter 352; Pieper 40, 41, 45; Hick 53.
[175] H.W. Schmidt 221; Gaugusch 443; Stratmann 73f; Sickenberger 280; Pieper 46; Dehn, Leben 84f; Heiler 231. Vgl. auch Kittel 4; Eck 41.

Dieser Würde entsprechend werden die inhaltlichen Befugnisse umrissen: der Staat hat das Vermögen, von sich aus zu handeln, aus seinem Willen ein Gebot zu machen[176], seiner Entscheidung ist es anheimgegeben, wieweit er vom Auftrag der Weltgestaltung Gebrauch macht — hier besteht wohl die Vorstellung einer das Irdische betreffenden »Generalvollmacht«[177] —, schließlich ist es ihm gegeben, an der Weltregierung teilzunehmen[178]. In all dem kommt ein Höchstmaß an Selbständigkeit zum Ausdruck, die lediglich darin begrenzt ist, daß sich der Staat seiner Einsetzung von Gott bewußt bleibt und sich nicht selbst für absolut und für die einzige Quelle seiner Macht halten darf. Diese Grenze wird überschritten, wo sich der Staat an die Stelle Gottes setzt und gottähnliche Anerkennung von den Menschen wie auch Totalität gegenüber den Menschen beansprucht[179]. Nichts Geringeres ist es als die Gottheit Gottes selbst, die der staatlichen Autorität Beschränkung auferlegt. Das Gesamtbild dürfte zutreffend in der Vorstellung vom Staat als Stellvertreter Gottes ausgedrückt sein, der in der vollen Macht seines Auftraggebers handelt und gegenüber den Betroffenen für dessen eigenes Tun steht.

Die so umrissene Aufgabe und Stellung des Staates besteht in der Vorfindlichkeit einer Welt, die im Widerspruch zur Ordnung Gottes lebt, in Selbstsucht, im Verstoß gegen das Sittengesetz, in ungerechter Gewalt. So ist der Staat in seinem Wesen ordnendes Gegenüber zur chaotisch-ungesetzlichen Zerstörungsmacht einer eigenmächtigen Welt[180], ja Voraussetzung jeglicher menschlicher Gesellschaft[181].

Vom Gegenüber des Staates zur Welt hin wird von einigen Autoren eine Verbindung zum Auftrag und Dienst der Kirche hergestellt. Der Plan Gottes mit den Menschen manifestiert sich nicht nur im Handeln des Staates auf das (irdisch) Gute hin und in der Bestrafung des Bösen, er ist auch Heilswille, der die übernatürliche Bestimmung des Menschen zum Ziel hat. Jener über das irdische Wohl hinausgehende Wille Gottes äußert sich im Auftrag und Bestand der Kirche. Da der Mensch auf Gemeinschaft hin angelegt ist, und gerade christliches Leben solidarisch auf Gott hingeordnete Beziehungen zu allen Menschen einschließt, ergibt sich eine Gemeinsam-

---

[176] Schlatter 351.
[177] Stratmann 78; ähnlich das »Handeln in Gottes Namen«, Bardenhewer 184.
[178] Gaugusch 541; Hick 49.
[179] Weithaas 439; Böld 59; Gaugusch 533, 539, 540; Stratmann 76, 79; Schelkle, Römerbrief 198; Zsifkovits 67, 71, 73, 95; Huby-Lyonnet 436; Althaus 134; Nygren 305; Brunner, Römerbrief 91; Pieper 41; Prümm 167; Hick 57, 64f.
[180] H.W. Schmidt 218, 220; Zahn 559; Gutjahr 419; Althaus 132; Böld 59, 61; Zsifkovits 77; Gaugler 148; Hick 61; Dehn, Leben 72.
[181] Bardenhewer 183; Stratmann 68.

keit zwischen Staat und Kirche. Beide stehen in einem komplementären Verhältnis zueinander. Beide haben es mit demselben Gegner zu tun: der Macht der Zerstörung und des Bösen. Beide nehmen an der Verwirklichung von Gottes Heilsplan in je eigener Weise teil: der Staat als Diener und Helfer Gottes in der irdischen Ordnung, die Kirche in ebensolcher Funktion für das ewige Heil, das, da es nur eine Welt gibt, den verantwortlichen Dienst an Schöpfung und Welt einschließt[182]. So kann gefolgert werden, daß sich Staat und Kirche »als die beiden notwendigen Gemeinschaftsformen ... nicht in disjunktiver Gegebenheit vorfinden, sondern in der Beziehung des Aufeinanderhin«[183].

b. Der Staat als »Schranke« gegenüber dem Enthusiasmus

Die konkret-charismatische Auslegungsrichtung wertet den Auftrag des Staates, anders als die naturrechtlich-ordnungstheologische Interpretation, weniger im Sinne einer aufbauenden, das Gute fördernden Tätigkeit als vielmehr das Böse abwehrend und Schutz bietend vor Übergriffen[184]. Die antienthusiastische Bedeutung unseres Textes, wie sie in der »Situationsfrage« herausgestellt wurde, kehrt hier wieder im Verständnis der staatlichen Aufgabe als einer das Minimum irdischer Ordnung schützenden Machtausübung. Dementsprechend sieht Käsemann »die Straffunktion der Machthaber in den Vordergrund gerückt«[185]. Nicht die Hinführung des Einzelnen zum Guten oder die Aufstellung und Gewährleistung einer guten (irdischen) Ordnung des Zusammenlebens durch den von Gott bevollmächtigten Willen des Staates ist das Entscheidende, sondern die Zurückdrängung individueller oder gruppenweiser Emanzipation, die aus einem menschlichen Autonomiedenken oder aus religiös begründeten Gleichheitsvorstellungen herrühren[186]. Solches Denken stehe im Widerspruch zu einer Grundgegebenheit allen Daseins, die in Röm 13,1–7 ihren Ausdruck finde: eine Welt mit der Wirklichkeit von Über- und Unterordnungen. Das Bestehen von Über- und Unterordnung ist für die konkret-charismatische Auslegung das zentrale Moment, in dem sich für sie die sonst nur fragmentarisch-andeutungsweise anerkannten Elemente von »Ordnung« bzw. ursprünglich vorhandener und von Gott »sanktionierter« Verhältnisse ausdrücken, die von jedem, auch dem Christen, zu respektieren sind[187]. Damit

---

182 Z.B. Weithaas 435f; Schelkle, Römerbrief 198f; Gaugusch 529f; Stratmann 73f.
183 Weithaas 436.
184 Käsemann, Römerbrief 345; Michel 395, 401; vgl. auch Steck 301.
185 Käsemann, Römerbrief 344.
186 Käsemann, Römerbrief 344.
187 Käsemann, Römerbrief 344, Römer 13 373; Friedrich 160f, 162; Michel 395ff.

ist freilich nur eine äußerste, formale Bestimmung gegeben. Durch die inhaltliche Füllung dessen, was im Raum zurückgedrängter menschlicher Überheblichkeit das Gute sein soll, und das Wie seines Vollzugs erfährt das Übergeordnetsein des Staates und das Untergeordnetsein des »Jedermann« eine spezifische Modifikation. Zunächst geht es bei der Frage nach dem Guten um Motive, die bereits von der naturrechtlich-ordnungstheologischen Auslegung her bekannt sind: »allgemeine Ehrbarkeit«[188], »bürgerliche Rechtschaffenheit«[189], »politisches Wohlverhalten«[190]. Hinweise auf die »sittliche Ordnung«, auf »Recht und Gerechtigkeit« oder andere Vorstellungen, die in stärkerem Maße »Ordnung« implizieren, fehlen jedoch. Friedrich empfindet — im Blick auf die Praxis der römischen Gerichtsbarkeit — allenfalls »Assoziationen« auf »Frieden und öffentliche Ordnung« hin[191]. Im Ganzen liegen solche Erwägungen über das Gute jedoch am Rande der Überlegungen und wirken eher wie beiläufig hingestellt. Statt dessen wird immer wieder jenes Eigentliche hervorgehoben, worum es allein für den Christen gehen kann: um die Bestimmung seiner Existenz als Dienst in der Welt und an der Welt. Entscheidend ist nicht Freiheit von lästigem Zwang, sondern dienende Bewährung des Christen im Alltag, d.h. Darbringung seines Engagements in der Welt als Gottesdienst[192].

Das dienende »In-der-Welt-Sein« des Christen ist die beherrschende Vorstellung, von der her die konkret-charismatische Auslegung ihre Aussagen über Auftrag und Grenze des Staates und das Verhältnis des Christen zu ihm trifft. Von da her ist es nur konsequent, wenn sie in ihrer Betrachtung nicht eigentlich die Frage nach der Aufgabe des Staates stellt, kann es doch in der paulinischen Paränese allein um das rechte Verhalten der Christen, nicht aber um das, was der Staat im allgemeinen bedeute, gehen. Einige Punkte, die bereits in den vorangegangenen Erörterungen eine wichtige Rolle spielten, gelangen hier zu ihrer vollen Bedeutung: indem jeweils dem Einzelnen nicht der Staat als ganzer, sondern nur in bestimmten Funktionen (wie Loben, Strafen, »Anwalt«-sein) und Funktionären (als personale Konkretisierungen) gegenübertritt, indem sich Gott je wieder, auch in Gestalt behördlichen Handelns, Werkzeuge schafft, die sein Weiterwirken in der Geschichte bekunden, indem Gott für hier und jetzt zur Durchsetzung seines souveränen Willens Anordnungen trifft, nicht aber im Staat selbst ei-

[188] Michel 401; Käsemann, Römerbrief 345.
[189] Käsemann, Römerbrief 345; vgl. auch Kümmel 137: »bürgerliche Ordnung«.
[190] Käsemann, Römerbrief 341; Friedrich 163.
[191] Friedrich 163.
[192] Käsemann, Römer 13 373f, Grundsätzliches 218, 222; Friedrich 160; vgl. Schneemelcher 13f.

ne dauernd gültige Ordnung setzt[193], erscheint die dem Staat verliehene Befugnis zu selbständigem Handeln als im ganzen gering und dazu noch situationsbedingt-disponibel. Die mögliche Geltung des so umrissenen Dienstes erfährt aber noch weitere Minderung dadurch, daß die inhaltliche Tragweite der angedeuteten Kompetenz, selbst in der zugebilligten Eingeschränktheit, offen, d.h. vieldeutig bleibt, was in sich einen möglichen Geltungsanspruch abwertet. Käsemann vermeidet es geradezu, auch nur das Wort »Diener« zu gebrauchen[194], wohl aus dem Grunde, weil eine solche Funktion auf Ganzheit des Staates, auf Kontinuität und Bedeutung seines Auftrags und in gewisser Hinsicht auf Repräsentation seines Auftraggebers geht. Die Ablehnung jedes Begriffes, der auf einen Status als fester Größe hinweisen könnte, dürfte auch der Grund sein, daß er das Wort vom »ekdikos eis orgen« (V 4) als »rätselhafte Wendung« empfindet und nicht, wie üblich, mit »Rächer«, sondern mit »Anwalt zum Zorn« übersetzt[195]. Der Anwalt als abhängige, vermittelnde Instanz hat aber eine gegenüber dem Rächer als eigenständiger, direkt handelnder Größe deutlich geminderte Machtbefugnisse. Und wenn Friedrich auch den »nötigen Handlungsspielraum« für die politische Gewalt durch Gott gewährt sieht, gibt er doch keinerlei materiale Anhaltspunkte über mögliche befugte, d.h. vom Willen Gottes gedeckte Setzungen des Staates, schränkt vielmehr den erwähnten Spielraum im gleichen Gedankengang durch die grundsätzliche und vorbehaltlose Unterstellung der staatlichen Gewalt unter das eschatologische Gericht Gottes wieder ein[196]. Es bleibt unklar, welche positiv zu formulierenden Möglichkeiten dem Staat — bei aller Einschränkung — eigentlich zustehen sollen. Daran ändert auch die Feststellung nichts, die staatliche Gewalt sei im Strafvollzug Gottes Werkzeug und nehme insoweit an der Vergeltung Gottes teil[197], weil auch hier das »Innenverhältnis« zwischen Gott als Vollmachtgeber und Staat als Vollmachtempfänger keine nähere Bestimmung erfährt.

Aus dem Gesagten ergibt sich nichts anderes als das bloße »In-Dienstgenommen-Sein« staatlicher Instanzen bei Unbestimmtheit des ihnen im Rahmen dieser Indienstnahme zustehenden Maßes selbständigen Handelns. Die Abhängigkeit und Eingeschränktheit des »Daß« staatlicher Mit-

---

[193] Käsemann, Römerbrief 344, Grundsätzliches 209; Friedrich 161; Michel 397f.
[194] Käsemann, Römerbrief 338ff.
Auch Friedrich 163 erwähnt den Begriff »Gottes Diener« nur einmal beiläufig mit dem Hinweis auf seine traditionelle Herkunft aus Weisheit 6,4.
[195] Käsemann, Römerbrief 341; vgl. auch Merk 162.
[196] Friedrich 162.
[197] Michel 402; Käsemann Römerbrief 345f. (»Die irdische Strafe vollstreckt Gottes Urteil«); Friedrich 163.

wirkung wie auch die Vieldeutigkeit und Unsicherheit des »Wieweit« läßt den Staat als sehr relative und veränderliche Größe im gesellschaftlichen Ganzen und im persönlichen Leben des Einzelnen erscheinen. Seine Funktion erfüllt sich im wesentlichen darin, gegenüber den weltgestaltenden Absichten und Aktivitäten des »Jedermann« das Moment sachlicher Nüchternheit des Irdischen zu repräsentieren und Schwärmer jeglicher Provenienz an die Realität zu erinnern. Die Frage nach den Grenzen staatlicher Gewalt in einem formalen und festgelegten Sinn stellt sich hier folgerichtig nicht, läuft doch die ganze Interpretation der konkret-charismatischen Auslegung auf eine bereits »weit unten« ansetzende Beschränkung staatlicher Legitimität hinaus. Die »Grenzfrage« kann sich eigentlich wiederum nur vom Einzelnen her stellen, nämlich von dort, wo er nicht mehr sinnvoll im Ganzen einer Gemeinschaft dienen kann (unten 144f).

Die durchgehende Tendenz zu beschränkter staatlicher Legitimität wirkt sich auch in dem »Dreiecksverhältnis« zwischen Staat, Kirche und Gesellschaft aus. Der Staat, besser: die Instanzen, Behörden, Ämter, Funktionsträger sind so dicht in den allgemein unter den Menschen ablaufenden Erkenntnis- und Entscheidungsprozeß eingegliedert, daß ihm keine besonders herausgehobene Stellung zukommt. Er ist eine Größe unter anderen, die an der Gestaltung menschlichen Lebens zu ihrem Teil — strafend und an die Realität des Irdischen erinnernd — mitwirkt wie andere Stände, Institutionen und Einzelne es auch tun. Spielen sich Entscheidungsvorgänge letztlich auf der Ebene »zwischenmenschlicher Relationen« ab, so bedeutet dies nichts anderes als die Gleichordnung der Partner. Daher kann festgestellt werden: »Der Staat ist grundsätzlich nicht von den anderen Ständen zu sondern«[198]. In zweifacher Weise sind hier die übergeordneten Gewalten eliminiert: einmal durch Wegfall des »Über«, in dem sich herausgehobene, vor-gesetzte Kompetenz ausspricht (und nicht Gleichordnung), und durch den Verzicht auf das »Geordnet« der Gewalt, wodurch Strukturen, Inhalte und Grenzen angesprochen sind (und nicht Unbestimmtheit und Vieldeutigkeit). Für Staat, Gesellschaft und Christen ergibt sich daraus ein inhaltliches und strukturelles Ineinander, das eine Unterscheidung bestimmter Aufträge und Sinngebungen kaum noch zuläßt. Der Staat als Gegenüber von Gesellschaft ist auf Abwehr eines das Ganze gefährdenden politischen oder religiösen Schwärmertums festgelegt, während der aktiv-aufbauend zu gestaltende Bereich des Guten, soweit er über die allgemeine Ehrbarkeit und politisches Wohlverhalten — das Minimum für staatliche Existenz als solcher — hinausgeht, »Jedermann« zukommt und hier der Staat, wenn

[198] Michel 405.

überhaupt, lediglich die Rolle eines der jeweiligen Situation entsprechenden Beteiligten hat.

Für die Kirche ergibt sich hieraus ein unterschiedliches Wirkungsfeld[199]. Zwar steht sie ebenfalls als ein Faktor im gesellschaftlichen Gesamtprozeß, den sie ebensowenig mittels eines institutionellen Vorrangs beeinflußen kann wie der Staat, andererseits gehören die Christen zu »Jedermann«, dem die Gestaltung der Welt und der in ihr möglichen Lebensverhältnisse aufgetragen ist. Sie, die Christen, werden hier bewußter mittun als die anderen, im Wissen darum, daß ihr Gestalten »missionarisches Tatzeugnis im politischen Alltag«[200], »pneumatischer Gottesdienst im Alltag der Welt«[201] sein soll. Den Christen scheint hier — in dem weiten, staatlich nicht geformten Raum — ein besonderer Gestaltungsauftrag gegeben, der den anderen — Staat und »Jedermann« — das tiefere Wissen um Gottes Plan mit den Menschen, dem Staat aber die größere inhaltliche Kompetenz voraushat. So trägt die Kirche über alles Mühen um das endgültige Heil des Menschen hinaus durch ihr Zeugnis und durch ihren Dienst an der Welt gerade auch die aktiv-diesseitige Gestaltung des politisch-gesellschaftlichen Lebens mit[202].

c. Der Staat als »Diener« Gottes zum gemeinen Besten

Für die eschatologisch-realistische Interpretation liegt der Sinn des Staates im Schutz und in der Förderung des Guten, in der »Verwirklichung des nach Gottes Willen für die Schöpfung elementar Leben Ermöglichenden«[203] und erst in zweiter Linie in der Abwehr und Bestrafung des Bösen, in der wiederum nur, wenn auch indirekt, das Gute gefördert wird[204]. Das Verständnis des Guten zielt im ganzen, ähnlich wie bei der naturrechtlich-ordnungstheologischen Auslegung, auf das Gemeinwohl, auch wenn die inhaltlichen Akzente variieren. Schlier spricht vom »bürgerlichen Rahmen«, in dem das Gute zu verstehen sei, aber nicht als bloß technisch-

---

[199] Die folgenden Ausführungen sind Schlußfolgerungen, die sich m.E. aus dem Vorangegangenen ergeben. Das Verhältnis Kirche — Staat — Gesellschaft wird von den Autoren der konkret-charismatischen Auslegung nicht ausdrücklich thematisiert.
[200] Friedrich 161.
[201] Käsemann, Grundsätzliches 207.
[202] Z.B. Käsemann, Römerbrief 347, Römer 13 376; Friedrich 160ff.
[203] Duchrow 162. So auch Schrage, Einzelgebote 227, Staat 57; Delling 57f; Ridderbos 224; Schnackenburg 166, 167; Wilckens, Römer 13 238, 245; Schlier Römerbrief 389, Staat II 204, 205.
[204] Delling 57f; Duchrow 155; Schlier, Staat II 204; Schrage, Staat 57. Vgl. auch Wilckens, Römer 13 210, 217f; Römerbrief 31, 34f, 37, 39.

formale Ordnung, sondern (gemäß 1 Tim 2,2) als inhaltliche Ermöglichung eines bürgerlich-ehrbaren und frommen Lebens. »Dabei ist das Gute das, was jeweils das Ganze erhält und fördert«[205]. Duchrow stellt ganz auf das »allgemein zu erkennende Wahre, Ehrbare, Beste und Lobwürdige« unter Verweis auf Phil 4,8 ab, das sich im Bereich der politischen Ordnung konstitutiv auf den Bestand der res publica beziehe und das Gute und das Böse als das dazu Förderliche bzw. Zerstörerische erscheinen lasse[206]. Delling versteht das Gute »im allgemeinen, sozusagen weltlichen, vorchristlichen Sinn des ethisch Geforderten und den Menschen und die Gemeinschaft Fördernden«[207]. Dies jedoch nicht nur als Gewährung des Staates an alle Bürger, sondern zugleich als Hilfe für den Einzelnen zum »Tun des Guten«[208]. Ähnlich auch Schrage, der in der »Sicherung eines geordneten Lebens und Zusammenlebens im Schutze des Rechtes« wie in der »Hilfe bei der Realisierung des dem Christen auch als Staatsbürger aufgetragenen guten Werks« den Nutzen des Staates für den Einzelnen erblickt[209]. Wilckens unterscheidet das Gute als die zu verwirklichende christliche Liebe je nachdem, auf welches Gegenüber sich das Handeln des Christen bezieht. Unter den Brüdern heiße es: »ungeheuchelte Liebe« (12,9), gegenüber dem Feind: dessen Böses durch Verzicht auf Vergeltung und Erweis von Liebeswerken zu überwinden (12,17.21), im Blick auf den Staat: durch Tun des Guten Lob zu erwerben (13,3f). Dabei kann auch für Wilckens dieses lobenswerte Gute im Bereich des politischen Lebens »nur dem Wohl der Gesellschaft, dem für alle ... Guten, also der Liebe, gelten«[210].

Das Dienersein für Gott in dieser Aufgabe zum Guten kommt besonders darin zum Ausdruck, daß das Loben und Strafen des Staates nicht eine bloß irdische, politisch-rechtliche Größe im Bereich bürgerlicher Ordnung ist, sondern daß sich im Tun der staatlichen Gewalt Gottes Wille selbst ausdrückt, d.h. daß »ihr Lob ... zugleich Gottes Lob (vgl. 2,29!), wie das κρίμα Vers 2 Gottes κρίμα ist«[211]. Noch mehr: Gott nimmt staatliches Urteilshandeln zu vorwegnehmender Andeutung seines endzeitlichen Ge-

[205] Römerbrief 390, Staat I 10, 11; in Anschluß an Schlier: Hauser 28f.
[206] Duchrow (Anm. 495) in Verbindung mit 158f, 160, 161.
[207] Delling 58; vgl. auch ThWB VIII 30 mit Verweis auf Röm 2,14; 1,32; Phil 4,8, »wo das allgemein als sittliche Geltende von den Christen gefordert wird; Paulus nimmt offenbar einen bestimmten Konsensus im ethischen Urteil als vorgegeben an«. Ähnlich Blank 174f.
[208] Delling 59.
[209] Schrage, Staat 59.
[210] Wilckens, Römer 13 243 i.V.m. 209.
[211] So Wilckens, Römer 13 210f, 218; Delling 58: »Gott bedient sich der Staatsgewalt, um dem Guten zur Anerkennung zu verhelfen«; Schrage, Staat 58 (Anm. 125); Schlier, Römerbrief 389, 390f. Das Loben hingegen scheint bei Schlier allein irdische Qualität zu besitzen; Duchrow 155 (Anm. 520), 162.

richts in Anspruch, zu dessen »gegenwärtig wirksamen Organ (er die ἐ-ξουσία) ... verordnet hat«[212].

Was den Umfang der Legitimation für den Staat angeht, sprechen die Autoren der eschatologisch-realistischen Auslegung mit Selbstverständlichkeit von der »Diener«-Aufgabe[213], also von einer dem Staat dauerhaft übertragenen Position, die nicht reine Werkzeuglichkeit (Willenlosigkeit) ist, sondern das Moment dienenden Mitdenkens und Mithandelns enthält. Der Rang dieses Mittuns wird näher gekennzeichnet durch die Umschreibung der Staatsorgane als *leitourgoi theou*, »Beamte Gottes« (V 6), eine Bezeichnung, die über das Dienersein hinaus auf eine gewährte Amtsgewalt, auf ein Stück selbständigen Sachwaltens zielt[214]. Weitergehende Befugnisse klingen an, wenn vom Staat als Gottes »Helfer«[215] oder »Wächter über Gut und Böse«[216] die Rede ist oder von seiner Strafgewalt, die er aufgrund eines ihm »verliehenen göttlichen Rechtes«[217] ausübt. Hier handelt es sich um ein hohes Maß selbständigen Wirkens, sei es rechtlich (verliehenes Recht) begründet und eingeschränkt oder moralisch-innerlich verpflichtend (Helfer). Kommt somit der Diener-Stellung ein nicht geringes Maß selbständig auszuübender Sachkompetenz zu, die durch Gottes Verleihung legitimiert ist, wird andererseits eine deutliche Grenze gezogen gegenüber der Machtfülle, die einem Stellvertreter zukäme. Eine solche Vollmacht würde weit über das hinausgehen, was mit der Aufgabe eines Dieners oder Beamten oder Helfers oder eines besonderen Rechtsbeliehenen gemeint sein kann[218].

Damit sind zugleich die Grenzen staatlichen Dienens umrissen. Sie ergeben sich gewissermaßen als »Negativ« zum »Positiv« der umschriebenen Befugnisse einer relativ selbständigen Diener-Stellung. Einer besonderen »Grenzbetrachtung« bedarf es daher kaum, anders als bei der naturrechtlich-ord-

---

[212] Wilckens, Römer 13 219 (s. auch 211, 217), Römerbrief 38f; Duchrow 155 (Anm. 520), 162; Bornkamm, Christus 169f; Schlier, Römerbrief 389.
Delling 65 sieht im »*krima*« (V 2) nicht einmal staatliches Richten, sondern allein den Hinweis auf das eschatologische Gericht Gottes.
[213] Z.B. Wilckens, Römer 13 217, 218, 219; Schlier, Römerbrief 390, Staat II 204; Schrage, Staat 57; Delling 58, 67f. Auf das Dienen als Aufgabe des Staates, freilich ohne nähere Konkretisierung, stellt auch Schelkle, Theologie NT 331, 334, ab.
[214] Wilckens, Römer 13 221, Römerbrief 29, 37f, vgl. auch 35, 39; Schlier, Römerbrief 392, 393, Staat II 204; Schrage, Staat 57; vgl. auch Michel 319.
[215] Schnackenburg 167.
[216] Wilckens, Römer 13 230; vgl. Delling, ThWB VIII 29 f; Hauser 27 spricht von der Staatsgewalt als »Hüterin« des Gesetzes Gottes.
[217] Schlier, Römerbrief 390.
[218] Implizit wird die »Stellvertreter-Würde« allgemein abgelehnt; ausdrücklich z.B.: Delling 59; Schrage, Staat 58.

nungstheologischen Auslegung, bei der durch Zubilligung einer Stellvertreterwürde und darin göttlicher Dignität des Staates die Herausstellung des Unterscheidenden zum Göttlichen hin notwendig wurde. Wo von der eschatologisch-realistischen Auslegung auf Grenzen des Staates aufmerksam gemacht wird, geschieht dies durch den Hinweis, daß seine Autorität nicht aus der Natur, aus faktischem Dasein, aus vernünftigem menschlichen Willen (gesellschaftliche Vereinbarung), aus gewachsenem geschichtlichen Anspruch oder aus dem Charisma politischer Funktionsträger herrührt, sondern allein kraft des Willens Gottes besteht[219]. Ihn hat die staatliche Gewalt in der Gesinnung und Begrenzung jener beschriebenen »Diener-Beamter-Helfer«-Stellung zu respektieren. In diesem Sinn ist auch hier der Grund staatlicher Autorität zugleich ihre Grenze.

Für die eschatologisch-realistische Auslegung steht der Staat in einem klaren Gegenüber zum gesellschaftlichen Ganzen, dessen Gestaltung und Erhaltung er durch »ordnende Macht und Übung des Rechtes«[220] zu dienen berufen ist. Und dieses verbindliche Walten zu Gerechtigkeit und Frieden unter den Menschen macht gerade jenes grundlegende Element des Staatlichen aus, das ihm gegenüber »Jedermann« gegeben ist und das die Gesellschaft als sich gegenüber-gesetzte Kompetenz erfährt. In solcher Setzung des Staates gegenüber dem Ganzen drückt sich Bewahrung und Schutz vor der zerstörerischen Bedrohung einer sich selbst überlassenen Welt aus[221]. Besteht insoweit Parallelität zur Sicht der naturrechtlich-ordnungstheologischen Interpretation, ist die eschatologisch-realistische Auslegung andererseits weit davon entfernt, den Staat in der Nähe heilsgeschichtlicher Funktion für den Menschen zu sehen[222], eine Vorstellung, die bei angenommener Konnexität der Aufgaben des Staates und der Kirche im Heilsplan Gottes leicht assoziiert werden kann. Eine in diesem Sinn vorgestellte Partnerschaft zwischen Staat und Kirche kennt die eschatologisch-realistische Auslegung nicht. Für sie gibt es keine »gemeinsamen« Aufgaben gegenüber der Welt, etwa im Sinn einer »Gesamt-Verwaltung« des Wohls und Heils des Menschen bei Teilung der Zuständigkeit in bestimmte Sphären, wohl aber die Identität des »Gegenstandes«: den Menschen, gegenüber dem ein je selbständiger Auftrag zu erfüllen ist, seitens des Staates allgemein die Erhaltung der Lebensbedingungen, wie sie Gott in seiner Schöp-

---

[219] Vgl. z.B. Schlier, Staat I 10; Schrage, Staat 56f; Schnackenburg 166.
[220] Goppelt, Kaisersteuer 216.
[221] Z.B. Schrage, Einzelgebote 224, 226; Schlier, Staat II 203; Schnackenburg 167; v. Campenhausen 107; Duchrow 160f.
[222] Duchrow 162; Schlier, Staat II 205.

fung vorgesehen hat und wie sie im Gemeinwohl gewährt wird, seitens der Kirche die Verkündigung der Botschaft, das Leben in Liebe zu allen Menschen, die Überwindung des Bösen durch das Tun des Guten. Dabei ergibt sich allerdings für die Christen eine Berührung mit dem, was staatlich das »Gute« ist: dem Gemeinwohl, insofern sie nämlich als »Jedermann« in ihrem Tun und Unterlassen dem für alle Geltenden zu entsprechen haben. Dies können sie verantwortlich jedoch nur, wenn sie immer auch als Christen nach dem inneren Gehalt des Gemeinwohls fragen, der ihrer dem Christsein entsprechenden Verantwortung für die Welt gerecht werden muß[223]. Das Gemeinwohl bleibt daher stets Gegenstand der Auseinandersetzung der Christen mit Staat und Gesellschaft.

d. Der Staat als »Instrument« für den Auftrag der Kirche in der Welt

Die christokratisch-politische Interpretation ist, anders als die übrigen Auslegungsrichtungen, nicht an der Frage interessiert, wie der Staat im allgemeinen zum Phänomen von Gut und Böse steht, ob ihm mehr aufbauend Förderung und Erwirkung des Guten oder eher ausgrenzend Abwehr des Bösen obliegt. Ihr Denken ist allein darauf gerichtet, was er für die Kirche und ihren Weltauftrag bedeute. Sein Gutes ist das für sie Gute und darin das für die Welt Gute. Darum kann es in Röm 13,3.4, ähnlich wie »hypo theou« (13,1) nicht einen allgemeinen Gottesbegriff meinte, nicht um ein allgemeines, neutrales Gutes gehen, um bürgerlich-gute Ordnung als solche, sondern nur um das »gute Werk des Glaubens« und um die, die es tun: die Christen, die Kirche (= »die Guten«). Sein Gutes ist es, im vergehenden Äon Zeit und Raum zu schaffen für das Wirksamwerden der Gnade Gottes in Kirche und Welt: »Zeit für die Verkündigung, Zeit zur Buße, Zeit zum Glauben«[224]. Einzige und eigentliche Aufgabe des Staates ist daher, ganz im Sinne der oben (116ff) erwähnten Gleichung, Setzung »wahren Rechts«, d.h. eines der Rechtfertigungsbotschaft dienenden und entsprechenden allgemeingültigen menschlichen Rechts, und das wiederum heißt: Gewährung von Freiheit und Rechtsschutz für die Kirche als die die Belange des Rechtfertigungsgeschehens in der Welt wahrnehmende Institution. In dieser Aufgabe »erschöpft sich das, was von der göttlichen Rechtfertigung aus zu der Frage ... des menschlichen Rechts zu sagen ist«[225].

---

[223] Vgl. Wilckens, Römer 13 245.
[224] Barth, Christengemeinde 10, vgl. auch KD II/2 806.
[225] Barth, Rechtfertigung 45f.
In gewisser Differenz hierzu Cullmann, der den Staat über seine Abwehrfunktion hinaus nicht aktiv-direkt für die Umsetzung von Rechtfertigung in irdisches Recht in Anspruch nimmt. Ihm geht es wesentlich darum, daß der Kirche in einem gesicherten, aber (inhaltlich)

Das vom Staat zu erwirkende Gute, der Einsatz von Recht und Macht für den Auftrag der Kirche, hält sich somit ganz im Rahmen des Instrumentalen, und dieses bleibt auch dort bestimmend, wo der Staat in »relativer Selbständigkeit« zu walten, wo er am ehesten ein Eigenes seines Auftrags wahrzunehmen hätte: im Vorgang des Raumschaffens und der Bereitstellung selbst, d.h. im ordnenden Tun gegenüber dem Chaos einer Welt, in der Gottes Gnadenwirken noch nicht — oder nicht mehr — Gehorsam findet. Im Raum des nicht erneuerten Denkens (12,2) gilt es der zerstörenden Kraft menschlichen Nach-oben-Strebens zu wehren, gilt es zwischen Gut und Böse, und zwar eines sich am Rechtfertigungsgeschehen erweisenden Gut und Böse, zu unterscheiden und das Böse durch eine Ordnung des Schwertes, des Zwangs und der Furcht in die Schranken zu weisen. Im strafenden und vergeltenden Tun, das jenen geordneten, für die Verkündigung benötigten Raum schafft, gelangt der Staat zur tiefsten, göttlichen Bedeutung seiner selbst: er bezeugt Gottes Zorngericht und erfüllt darin seinen möglichen, ihm aufgetragenen »Gottesdienst«[226], einen Gottesdienst freilich, der gegenüber einer übermütig andrängenden Welt gnadenlose Gestalt annimmt. »Wo es sich nur darum handelt, für die Verkündigung und die Erkenntnis der Gnade Zeit und Freiheit zu schaffen ..., da muß die Gnade selbst die Gestalt einer gnadenlosen Ordnung annehmen und aufrechterhalten«[227].

Darin liegt eine tiefe Herabsetzung des Staates, der, wiewohl zum Reich Christi gehörend, noch in der von Christus schon überwundenen Gestalt der Vergeltung zu wirken hat. Diesen grundsätzlichen Negativbefund können auch »positive« Umschreibungen seines Auftrags wie »Exponent des Reiches Christi«, »Werkzeug der Gnade Gottes«, »Instrument Gottes« und ähnliche, seine Dienstbarkeit für das Reich Gottes betonende Formulierungen[228] nicht überspielen, ebensowenig wie dadurch das Widersprüchliche von Zugehörigkeit zum Reich Christi und gleichzeitig Unterworfen-

staatsfreien Raum möglichst umfassende Wirkungsbedingungen gegeben sind. Vgl. einerseits oben 83ff, 113f, andererseits oben 87, unten 151 Anm. 48, 152 Anm. 52, 154f Anm. 66 und 70.
[226] Barth, KE Römerbrief 193f, KD II/2 805ff, Christengemeinde 10, 19;
vgl. auch Steck 301.
[227] Barth, KD II/2 806; vgl. auch KE Römerbrief 192: Durch die Existenz des Staates ist dafür gesorgt, »daß auch sein Zorn und seine Rache Kap. 12,19 allen Menschen gegenüber zur Bezeugung komme«. Vgl. auch G. Bauer 121f.
[228] Barth, Christengemeinde 9f, 10, 22, Rechtfertigung 36; G. Bauer 122; Meinhold 31, 32, 33, 36; Marsch 404; Cullmann, Staat 38, 40 (der Staat ist »göttliche Institution«).
Gelegentlich wird dabei das Instrumentale schon in der abwertenden Begrifflichkeit vom »Faktischen« und vom »Unbewußten« staatlichen Dienens umschrieben, z.B. Barth, KE Römerbrief 194: Gott hat in den Vertretern der staatlichen Ordnung, »gleichgültig ob sie es glauben oder nicht, faktisch seine Diener«; Cullmann, Staat 42: »Denn wenn er Rache übt, so tut

heit unter einen Vergeltung übenden Gott verdeckt wird. Denn das, worin dem Staat — vorübergehend noch — eine positive Bestimmung belassen ist, hat das zutiefst Fragwürdige und Verdächtige einer bereits überwundenen, der Verlorenheit anheimgegebenen Weise der Welt voraus, kann erst durch ein »Trotzdem« zu solch überholter Gestalt einer — auch nur relativen — Legitimation zugeführt werden, die in ihrer Bedingtheit noch einmal durch Eigenmächtigkeiten zwielichtiger Engelwesen (oben 89ff) gefährdet ist. Alle positive Qualifizierung des Staates als »göttliches Instrument« steht daher zuerst und zuletzt unter dem Wort vom »Provisorium«, unter der Voraussetzung von Mittelbarkeit (Ausführungsorgan himmlischer Mächte) und unter der Bedingung letztlichen (= eschatologischen) Unwissens[229].

Seine so näher qualifizierte »relative Selbständigkeit« übt der Staat ganz in werkzeuglicher Bindung an die Kirche aus. Das Erwirken äußerer Ordnung und relativen Friedens geschieht nicht um ihrer selbst, um des bloßen menschlichen Wohlseins willen, so daß die Kirche lediglich im Rahmen einer gegebenen selbstzwecklichen menschlichen Ordnung handeln könnte, vielmehr sind sie orientiert an der alle Menschen betreffenden Funktion

---

er dies als Diener Gottes ... Auch wenn er es selber nicht weiß, so steht er unbewußt doch in Gottes Diensten«; vgl. auch Staat 63, 65. Zur Faktizität des Staates vgl. auch Wolf 41, 53.

[229] Bei Barth verhält es sich nicht grundsätzlich anders, auch wenn er, mehr als die übrigen Autoren, Notwendigkeit und Gewinn »rechten« staatlichen Wirkens für den Auftrag der Kirche herausstellt — unter selbstverständlicher Geltung jener negativen, den Staat destruierenden Voraussetzung.

Barth kommt mit diesem abwertenden, entmündigenden Bild des Staates über die im Römerbrief 1922 (459ff) getroffenen Bestimmungen wesentlich nicht hinaus. Dort hatte der Staat keine andere Aufgabe, als den »Angriff auf den Menschen, auf sein Sinnen nach den Höhen (12,16), auf seinen prometheischen Übermut« zu demonstrieren (461), und der Christ hatte sich dem im »Nicht-Handeln« (= »die große negative Möglichkeit«, 461) zu unterziehen, damit nicht durch sein Handeln gegen den irdischen Ordnungen das Bestehende legitimiert oder revolutioniert werde. Verweigerung und Revolution wären Ablösung einer vergänglichen Ordnung durch die andere, »Kampf des Bösen mit dem Bösen« (465). Der verantwortlich handelnde Christ wird darauf achten, daß die bestehende Ordnung »als solche« lediglich nicht zerbreche (460f), auf daß Gott sich als »Sieger über das Unrecht des Bestehenden« erweise (465), als relativierendes Maß aller menschlichen Obrigkeit, als »ihr Anfang und Ende, ihre Rechtfertigung und ihr Gericht, ihr Ja und ihr Nein« (468). Daher gilt: »Es gibt keine energischere Unterhöhlung des Bestehenden als das hier empfohlene sang- und klang- und illusionslose Geltenlassen des Bestehenden« (467), daher gibt es, trotz aller noch so gelungenen Versuche irdischer Ordnung, kein anderes Gutes als die »inkommensurable Überlegenheit Gottes« (472).

Schon hier also hat der Staat — in der Ohnmacht menschlichen Handelns — keinen anderen Zweck, als in völliger Instrumentalität auf Gott hinzuweisen. Ein Unterschied allerdings ist deutlich: im Römerbrief bleibt sich der Staat, wesentlich auf Abwehr beschränkt, in seiner Werkzeuglichkeit weitgehend selbst überlassen, während er in »Rechtfertigung und Recht« über das Abwehrhandeln hinaus aktiven Dienst für die Kirche zu tun hat. Und der Christ ist

der Kirche selbst. Staatliches Raumgeben ist nicht einfach Gewährenlassen der Kirche unter vorhandenen Bedingungen, sondern aktives Geben der von ihr je benötigten Freiheit[230]. Es trägt somit das Merkmal dynamischen Sich-Anpassens an die Erfordernisse kirchlich vermittelten Rechtfertigungsgeschehens.

Im werkzeuglichen Schutz vor einer eigenmächtigen Welt und in der Gestaltung seines Rechts nach den Bedürfnissen der Rechtfertigungsfreiheit einschließlich ihrer institutionell-kirchlichen Dimension »garantiert« der Staat die Existenz der Kirche. Das ist ihre »allen Ernstes« an den Staat gerichtete Erwartung[231]. Dazu gehört auch die Sorge des Staates für sich selbst in Form institutioneller Selbstwahrung. Nur wenn der Staat nicht zu wenig Staat ist, wenn er sich nicht seiner legitimen relativen Gewalt begibt, positiv gewendet: nur wenn er sich als Schwert- und Furchtordnung treu bleibt, wird er seiner unchristlichem Chaos wehrenden Aufgabe gerecht werden. Dazu gerade ist ihm seine Gewalt von Gott gegeben, darin ist er Gestalt der gnädigen Geduld Gottes[232].

Damit ist zugleich eine Grenze des Staates bezeichnet: die Unterschreitung seines Auftrags, die, im Zurückweichen vor der Eigenmacht der Welt, nötige und mögliche Freiheit für die Kirche vergibt. Die andere Grenze liegt im Überschreiten seiner Bestimmung als Werkzeug, worin er sich, von Christus und Kirche unabhängig, einen Bereich eigenständigen Gestaltens schafft und — mehr sein wollend als gesicherter Raum für das Wirken der Kirche — ihr zustehende und beanspruchte Freiheit vorenthält. Dann ist der Staat widergöttlich. Einen geschöpflich verantworteten Raum selbständigen Handelns zwischen willenloser Verfügbarkeit für Christus-Kirche und Dämonie gibt es nicht. Der Staat ist entweder »Diener Gottes«, »Instrument Gottes«, »Analogon« der himmlischen Stadt, »wahrer Staat«, einfach »Staat als Staat«, oder er ist »Instrument des Teufels«, »das Tier« aus dem Abgrund (Offb 13), »Entartung und Zerfall«, »unrechter Staat«, »Anarchie« u.ä.[233] Aber gerade hier, wo der Staat seine »durch die Existenz von

---

dort gegenüber dem Staat Nicht-Handelnder, während er hier den Staat zum »Annex« und »Außenposten« seines eigenen Weltauftrags macht. In jedem Falle aber ist der Staat eines geschöpflich-selbständigen Eigenseins beraubt, steht er so oder so, willig oder unwillig, zur Verfügung Gottes.
Vgl. zur Kritik: Hauser, Autorität und Macht, Heidelberg 1949, 62-68.
[230] Barth, Rechtfertigung 28f, 45f.
[231] Barth, Rechtfertigung 29, 36, 39; zum Stichwort »wechselseitige Garantie« siehe auch Rechtfertigung 29, 39, 45.
[232] Barth, Rechtfertigung 18, KD II/2 806.
[233] Die Einordnung des Staates in eines der beiden Extreme gehört (ebenso wie sein Unwissen, vgl. oben Anm. 138) zum Charakteristischsten der christokratisch-politischen Interpretation. Aus der großen Zahl der Belege hier einige Beispiele:

Kirche und Evangelium gesetzten Grenzen überschreitet«[234], wo er sich seiner Werkzeuglichkeit zu entwinden sucht, wird das Instrumentelle seines Daseins erst in seiner ganzen Totalität sichtbar. Er muß widerwillig und unverhofft auch dann noch Gottes Plan mit der Welt dienen, ist, wenn auch in dämonischer Verfremdung, »trotzdem«, »erst recht«, »so oder so« Werkzeug der göttlichen Rechtfertigung[235].

Der Staat ist

entweder:	oder:	Barth Christengemeinde
»rechter Staat«	»unrechter Staat«	16
»Ordnung«	»Willkür«	16
»Herrschaft«	»Tyrannei«	16
»Freiheit«	»Anarchie«	16
gemäß »Röm 13«	gemäß »Offb 13«	16

		Barth Rechtfertigung
»göttlicher Auftrag«, »Recht«	»Unrecht«	36
»Schutz der Predigt«	»Unterdrückung der Predigt«	37
»Staat sein«, »Recht schaffen«	»Staat gegen den Staat«	39
»Rechtsstaat«	»Pilatusstaat«	45

		Cullmann Königsherrschaft
»von Gott verordnet«	»dämonisch«	26
»Diener Gottes«	»das Tier«, »Selbstvergöttlichung«	26
Teil des Regnum Christi	»dämonisch«	33
»Staat, welcher Staat bleibt«	»Selbstvergöttlichung«	34

		Cullmann Staat
»Existenz des Staates«	»totalitärer Staat«	37
»Provisorium«	»totalitärer Staat«	40
»Staat als Institution«	»Gottgleichheit«	47
»Institution des Staates«	»satanische Macht«	52
»Diener Gottes«	»Instrument des Teufels«	63

»Rechtsstaat«	»Kaiserverehrung«	Steck 306
»faktisch«	»absolut«	Schlette 33f
»Gottes Diener« durch die Herrschaft Christi relativiert	»dämonischer Natur«	Meinhold 37
	»totalitäre und zugleich anarchistische menschliche Souveränität«	Wolf 58

[234] Steck 306.
[235] Z.B. Barth, Rechtfertigung 11, 12, 14, 30f. Zum Dienenmüssen des Staates, ob er will oder nicht, vgl. auch Bartsch Römer XIII 406.

Im Gegenüber zur Welt handelt der Staat, seiner autoritativen Funktion als Schwert-, Zwangs- und Furchtordnung entsprechend, aus der Sicht (einer kirchlich vermittelten und also »verkirchlichten« Sicht) der Erneuerung des Denkens (Röm 12,1—2). Nach dem Maßstab dieses Denkens, orientiert am Bilde der himmlischen Polis, ordnet er die menschliche Wirklichkeit, scheidet, urteilt und verurteilt er. Umgekehrt sieht sich die Welt einem Staat gegenüber, der sie — weltliches Ausführungsorgan einer überweltlichen Heilswirklichkeit — in eine kirchenförmige Gestalt zu bringen sucht. Im Vorgang solchen staatlichen Ordnens begegnet der Welt der Anspruch der Kirche, in dem die Identität des Staates nahezu ununterscheidbar eingeschlossen ist. Da der Staat die Ordnung des Zusammenlebens aller Menschen ist, es keinen staatsfreien, ordnungsfreien Raum geben kann, gibt es auch keinen kirchenfreien Raum, ist die ganze Welt des Menschen — staatlich vermittelt — Ort kirchlich wirksamen Handelns. So ist es im Staat die Kirche, die einer unfügsamen Welt ordnend gegenübertritt.

e. Zusammenfassung

Fassen wir die Positionen kurz zusammen, so zeigt sich, daß für die naturrechtlich-ordnungstheologische Auslegung der Staat einen umfassenden Auftrag zur Gestaltung von Gottes Schöpfung zum Guten (Gemeinwohl) hin hat. Der ihm zur Erfüllung des Auftrags verliehene Rang gleicht dem eines mit »Generalvollmacht« ausgestatteten Stellvertreters, der mit Wirkung für und gegen die Beteiligten — Gott im »Innenverhältnis« und die Menschen im »Außenverhältnis« — verbindliche Akte setzen kann. Grenze ist dabei letztlich allein die Gottheit Gottes, die er nicht für sich beanspruchen darf. In seinem Tun steht er »Jedermann« (Einzelnen, Gruppen, Gesellschaft) ordnend gegenüber; seine Kompetenzen sind ihm gerade gegeben, damit er sie gegenüber »Jedermann« anwendet. Im Heilsplan Gottes erfüllt er Seite an Seite mit der Kirche seine bestimmte, auf das irdische Wohl gerichtete Aufgabe.

Für die konkret-charismatische Auslegung liegt der Auftrag des Staates in der Abwehr von Bestrebungen, die Grundgegebenheiten der weltlichen Wirklichkeit wie Über- und Unterordnung nicht respektieren und durch ihre Infragestellung die Entfaltung des Lebens unter den Bedingungen irdischer Möglichkeiten bedrohen. Die Befugnis des Staates ist in ihrer Tragweite und inhaltlichen Kompetenz nicht fest umrissen, sie tendiert jeweils zum Minimum dessen, was in konkreter Situation als nötig erscheint, um den Abwehrauftrag zu erfüllen. Der Staat, der je nur als einzelne Instanz oder als einzelner Funktionsträger handelt, steht den Betroffenen in Gleichordnung gegenüber. Das Gute obliegt der Entfaltung durch alle

Menschen; der Christ nimmt durch seinen »Dienst an der Welt« — das letztlich für ihn Gute — daran teil und steht so, zu »Jedermann« gehörend, in beständiger Auseinandersetzung mit Staat und Gesellschaft.

Für die eschatologisch-realistische Auslegung stellt sich der Auftrag des Staates als Wirken für das Gute, das elementar Leben Ermöglichende (Gemeinwohl) dar. Der Staat hat dabei — Selbständigkeit einschließend — einen fest umschriebenen Rang als Diener, Beamter und Helfer Gottes, nicht aber als sein Stellvertreter. In seinem Handeln steht er der Welt als ordnende, mit verbindlicher Autorität ausgestattete Macht gegenüber. Er bleibt dabei aber stets an seinen Rang als Diener, d.h. an die treuhänderische Wahrnehmung seines Auftrags gebunden. In der Sorge um das Gemeinwohl begegnet ihm als »Jedermann« auch der Christ, der dem Auftrag des Staates gerade als Christ immer nur in dessen Hinordnung auf den Dienst am Gemeinwohl respektieren und entsprechen kann.

Die christokratisch-politische Interpretation sieht den Auftrag des Staates allein unter der Rücksicht seines Nutzens für die Kirche. Für ihre alle Menschen und alle menschliche Lebenswirklichkeit betreffende Verkündigung bedarf sie, gegenüber der Eigenmacht einer sich dem Gnadenanruf Gottes verschließenden Welt (= Chaos), des Freiraums und des Schutzes des Staates. Seine Aufgabe ist es, als Schwert-, Zwangs- und Furchtordnung, dem menschlichen Widerstehen christlich erneuerten Denkens zu wehren und dem von der Kirche verkündeten »wahren Recht« (= Rechtfertigung) in der Gestalt irdischen Rechts zu entsprechen. Das ist sein für die Kirche und alle Menschen Gutes. In werkzeuglicher Verfügbarkeit seines Rechts und seiner Institution erfüllt er seinen Gottesdienst. Dabei hat er zwei Grenzen zu wahren: daß er nicht zuwenig Staat sei und so dem Übermut der Welt, zum Nachteil des Verkündigungsauftrags, ungebührlichen Raum lasse — dies geschieht durch institutionelle Selbstwahrung — und daß er nicht über seine Werkzeuglichkeit hinausgehe, sich einen Eigenraum schaffe und so der Kirche den ihr gebührenden Raum vorenthalte. Sein »Gegenüber« zur Welt stellt sich dar als ordnend autoritatives Eingreifen in der verkirchlichten Sicht christlich erneuerten Denkens. Da kein menschliches Zusammenleben ohne staatliche Ordnung besteht, gibt es auch keine Sphäre menschlicher Wirklichkeit, die dem Anspruch der Kirche verschlossen wäre.

Konkret-charismatische und eschatologisch-realistische Auslegung stimmen darin überein, daß der Christ an der Auseinandersetzung um das Gute und damit um die Grenzen des staatlichen Auftrags beteiligt ist, und der Staat hier nicht (naturrechtlich-ordnungstheologisch) in irdisch unbegrenzter Vollmacht allein handeln kann. Erhebliche Unterschiede ergeben sich aus der Bewertung des Ranges des Staates (»Diener« oder nur »Schranke«)

und aus der Vorstellung vom Inhalt des Guten: hier »Gottesdienst im Alltag der Welt« (mit spezifisch christlichem Inhalt), dort das (allgemeinmenschliche) Gemeinwohl in einem christlich verstandenen Lebenszusammenhang. Daraus ergeben sich zugleich Nähe und Abstand zur christokratisch-politischen Interpretation, die an die Stelle einer Stellvertreterwürde des Staates die Allkompetenz der Kirche setzt und so zu einer kirchlichpolitischen Mischform kommt (eine Art Theokratie). Zur eschatologischrealistischen wie auch zur naturrechtlich-ordnungstheologischen Auslegung hin heißt dies wesentlich Distanz, insofern dem Staat ein inhaltlicher Eigenbereich bestritten ist, zur konkret-charismatischen Auslegung hin bedeutet es grundsätzlich Nähe, insoweit das weltgestaltende Handeln entscheidend von den Christen, der Kirche ausgeht. Im einen vollzieht sich das Handeln der Kirche im freien Kräftespiel des »Jedermann« (konkretcharismatisch), im anderen unter aktiver Zuhilfenahme des Staates gegenüber »Jedermann« (christokratisch-politisch); darin liegt bei aller Nähe doch auch ein erheblicher Unterschied zwischen den »Charismatikern« und den »Christokraten«.

IV. AUSSAGEN ÜBER DAS VERHÄLTNIS DER CHRISTEN ZUM STAAT

Die Ausführungen über Inhalt, Umfang und Rang staatlicher Gewalt sind zu ergänzen seitens des zum Gehorsam verpflichteten Einzelnen. Vieles von dem, was dabei »Jedermann« zukommt, wurde bereits im Rahmen der vorangegangenen Erörterungen direkt oder indirekt angesprochen. Gleichwohl ist es sinnvoll und von den unterschiedlichen Gesichtspunkten des Textes her erforderlich, das dem Staat gemäß Röm 13,1—7 entsprechende Verhalten des Christen im Ganzen darzustellen. Welches ist der Grund seines Gehorsams? Wo liegen die Grenzen? Was bedeutet die gewissensmäßige Bindung der Gehorsamspflicht? Und was bedeutet dieses Gebundensein an eine irdische Macht angesichts des Anbruchs des neuen Äon (»eschatologischer Vorbehalt«)?

1. UMFASSENDER GEHORSAM DES EINZELNEN ALS KOMPLEMENT DER EINSETZUNG DES STAATES ZUM »STELLVERTRETER« GOTTES

Die naturrechtlich-ordnungstheologische Interpretation legt dem Staat, wie wir gesehen haben, für den Bereich des Irdisch-Weltlichen gottähnliche Dignität bei. Von da her neigt sie zur Annahme einer dem hohen Auftrag entsprechenden Legalität allen staatlichen Handelns. Ihre Tendenz läßt sich etwa folgendermaßen umschreiben: weil der Staat von Gott eingesetzt ist und hierin gerade dem Guten dienen soll, entspricht sein Handeln selbst diesem Maßstab, den er urteilend und richtend an »Jedermann« anzulegen hat (Vollmachterteilung = Vollmachterfüllung). Man weiß zwar um den Mißbrauch staatlicher Macht, sieht aber in den gleichwohl vom Apostel so uneingeschränkt gesprochenen Worten in Röm 13 den Hinweis darauf, daß es um das Ganze staatlichen Handelns, um seine grundsätzliche Dimension, nicht aber um einzelne Akte geht. Der Staat hört, bei allem Mißbrauch seiner Macht, nicht auf, Gottes Ordnung zu sein, solange er noch »im allgemeinen Ordnung und Schutz« gewährt[1]. Und selbst in seiner Ungerechtigkeit kann er noch Gottes Ordnung sein, insoweit Gott »auch unwürdige und verbrecherische Menschen als Mittel für die Durchführung

---

[1] H.W. Schmidt 220. Siehe auch: Stratmann 75f; Böld 63; Althaus 133; Schlatter 353f; Zahn 558; Nygren 305f; Sickenberger 280; Schelkle, Römerbrief 197; Weithaas 440; Hick 49, 52, 53.

seiner Absicht« gebraucht[2]. In diesem »Gesetzt-sein« liegt der Grund für den Gehorsam des Einzelnen. Gehorsam ist zu leisten nicht aufgrund von Einsicht in den Sinn solcher Ordnung oder wegen bestimmter Ergebnisse staatlichen Handelns, sondern allein um seines Eingesetztseins von Gott willen[3]. Das Moment des Gesetztseins der »übergeordneten Gewalten« und das damit gegebene Grundverhältnis von Über- und Unterordnung ist für die naturrechtlich-ordnungstheologische Auslegung so dominierend, daß sie in ihrer Begründung der Gehorsamspflicht einen Bezug auf den Auftrag und damit auf die entscheidende inhaltliche Dimension, derentwegen der Staat gesetzt ist, sein Dienersein zum Guten, nicht in Betracht zieht[4].

Das gilt auch hinsichtlich jenes anderen Moments, das die Gehorsamspflicht inhaltlich begrenzen könnte: das Wissen darum, daß der eigentliche Staat im Himmel (Phil 3,20) und der Christ in der irdischen Polis nur Beisasse, nicht Vollbürger, Fremder, nicht Einheimischer ist (1 Petr 1,1; 2,11; Hebr 11,13). Dieser »eschatologische Vorbehalt« findet wohl hier und da Erwähnung, steht aber auffällig isoliert und unvermittelt neben den Bemühungen, die Autorität des Staates in ihrer Voll-Macht zur Gestaltung alles Irdischen zu begründen. Das himmlische Politeuma scheint eine andere Welt, die mit der diesseitigen nichts gemein hat und nur zu einer um so stärkeren Abgrenzung des Hier vom Dort gereicht[5].

Das Gesetztsein von Gott ist aber nicht nur der Grund für die Überordnung des Staates und die Gehorsamspflicht des »Jedermann«, es bindet den Einzelnen auch gewissensmäßig an diese Gegebenheit. Die Setzung »erzeugt« so auch das innere Korrelat zum äußeren Verhältnis der Über- und Unterordnung. Gewissen bedeutet in diesem Zusammenhang einfach Wissen um diese so gegebene und von Gott eingesetzte Ordnung und eine ihr

---

[2] Nygren 304; s. auch Althaus 133.
[3] Huby-Lyonnet 434, 436; Gutjahr 416; Schlatter 351f; Zahn 556f; H.W. Schmidt 219; Brunner, Römerbrief 90; Althaus 131; Kürzinger 48; Nygren 304; Zsifkovits 68, 94 4; Pieper 39; Prümm 166f; Dehn, Leben 70; Grosche 180.
[4] Nur selten klingt dieser Gedanke einmal an, und auch dann nur beiläufig: Gutjahr 421; Zahn 559; Brunner, Römerbrief 91.
[5] Stratmann 78; Althaus 134; Nygren 304f; Schelkle, Römerbrief 199; Heiler 232; Pieper 21ff; Hick 24, 27.
[6] Sickenberger 280 »Bewußtsein, daß hier eine von Gott gewollte sittliche Ordnung eingehalten werden muß«; Zahn 559 »Bewußtsein um die verpflichtende Kraft«; Kühl 433 »Innere Zustimmung« im Bewußtsein, »daß die Obrigkeit nach Gottes Willen da ist und in Gottes Sinn handelt«; Huby-Lyonnet 438 »Der Obrigkeit zu gehorchen ist eine gute Tat, die der gewünschten Ordnung Gottes entspricht«; Gutjahr 421 »Die tätige Anerkennung einer Gott gewollten und Gott geordneten Institution ..., um die sittliche Forderung zu erfüllen, die das eigene Gewissen erhebt«; Pieper 39 »Einsicht ..., daß die von Gott gewollte sittliche Ordnung eingehalten werden muß«; Gaugler 137 »Einsicht«; Grosche 180 »sittliche Pflicht«.
Ein Teil der Ausleger versteht den Begriff — ohne nähere Erläuterung — einfach als innere

entsprechende innere Einstellung[6]. So ergibt sich aus dem Gesetztsein ein geschlossener Kreis vom Anspruch des Staates bis zu der ins Innerste des Menschen gehenden Verpflichtung, »die alle Christenfreiheit transzendiert«[7]. Die Schwelle zu berechtigtem Widerstand liegt damit fast unübersteigbar hoch. Sofern überhaupt von einer Grenze des Gehorsams gesprochen wird — viele Ausleger sehen hiervon ab[8] —, bezieht sie sich auf jene äußerste Versuchung, der der Staat erliegen kann, indem er sich selbst an Gottes Stelle setzt: die »Anbetung der Machthaber«[9] oder »direkt gottwidrige Anordnungen«[10] der Staatsgewalt, bei der gerade noch »passive Resistenz« als erlaubt erscheint, während aktiv zu widerstehen »weder der einzelne Christ noch die Kirche das Recht hat«[11]. Und wenn auch einzelne Stimmen betonen, »eine frag- und kritiklose Untertanengesinnung« sei nicht gerechtfertigt[12], so steht doch auch ein solches Wort isoliert in einem Interpretationssystem, das sonst nur die unbedingte Verpflichtung des Einzelnen gegenüber dem Staat herausstellt und keine Vermittlungsebene anbietet, wo sich konkret Fragen und Kritik innerhalb des Systems artikulieren könnten. So bleibt auch jene letzte Grenze, auf die gemäß Apg 5,29 hingewiesen wird: »Man soll Gott mehr gehorchen als dem Menschen«, reichlich theoretisch. Nachdem das Gewissen im Mitwissen um die gottgesetzte Qualität des Staates gebunden ist, wird nicht ersichtlich, wo noch ein Spielraum für eine dem Staat widersprechende Entscheidung geblieben sein sollte.

Die Anerkennung der Gegebenheit von Über- und Unterordnung und der Gehorsamspflicht bringt der Einzelne im Zahlen von Steuer und Zoll zum Ausdruck und in der Haltung von »Ehrfurcht« oder »ehrfurchtsvoller Scheu« gegenüber den Machthabern (Röm 13,6.7).

Verpflichtung: H.W. Schmidt 221 »Der Staat ist nicht nur aus Furcht vor Strafe, sondern auch innerlich, gewissensmäßig zu bejahen«; Böld 64 »Innere Notwendigkeit, die alle Christenfreiheit transzendiert«; ähnlich: Nygren 306; Bardenhewer 184; Weithaas 440; Brunner, Römerbrief 91; Althaus 132; Kürzinger 48; Koch-Mehrin 384; Prümm 167.
Schelkle, Römerbrief 197, und Zsifkovits 95 sehen das Gewissen gemäß Röm 2,15 als »Anwalt des göttlichen Gebotes im Herzen des einzelnen«.
[7] Böld 64.
[8] Z.B. Zahn 557f; Kühl 432f; H.W. Schmidt 219; Gaugusch 540.
Gelegentlich findet sich sogar ein Hinweis auf die Unbegrenztheit des Gehorsams: Nach Böld 66f, ist die Gehorsamspflicht »hinsichtlich ihres Umfangs als unbegrenzt, hinsichtlich ihrer Dauer als unbefristet und unverbrüchlich vorgestellt«.
Vgl. auch Nygren 305f, mit Hinweis auf das Leiden Christi.
[9] Schlatter 354f; vgl. auch Heiler 232; Pieper 41 »wahnsinnige Selbstüberschätzung«, »Kaiserkult«.
[10] Stratmann 76, vgl. auch Prümm 166, 167.
[11] Gaugusch 540.
[12] So Althaus 134.

2. Berücksichtigung der Gegebenheiten des alten Äon im Rahmen des eschatologisch bestimmten charismatischen Diensthandelns an der Welt

Während der Schwerpunkt für die Verhältnisbestimmung zwischen Staat und »Jedermann« bei der naturrechtlich-ordnungstheologischen Interpretation im Bereich der Aussage über den Staat (dem »Wesen« des Staates), textlich im Bereich der Begründung der Gehorsamsforderung VV 1bff liegt und sich von dort her das vom Einzelnen zu Fordernde ergibt, bestimmt sich dieses Verhältnis bei der konkret-charismatischen Auslegung gerade umgekehrt vom Einzelnen, d.h. für den Christen von der Berufung zur Nachfolge her. »Derjenige, der Mensch und gehorsam ward, ruft die Seinigen in seine Nachfolge, auch wenn sie zum Gehorsam gegenüber den irdischen Gewalten gerufen werden«[13]. Die Aussagen über den Staat finden nur so weit Berücksichtigung, als sie »mit mehr oder weniger Eindringlichkeit der Forderung (dienen), die sich aus der Situation ergibt«[14]. Das von Paulus zum Staat Gesagte ist angesichts des Anbruchs des neuen Äon in Christus (Eschaton) wegen seines traditionellen und situativen Charakters in seinem Aussagewert erheblich reduziert, und christliche Gemeinde würde »reaktionär handeln«, wenn sie die apostolischen Begründungen auch bei Veränderung der gesellschaftlichen Verhältnisse einfach festhielte[15]. Es geht demnach im wesentlichen darum, daß die Glieder des Leibes Christi als Charismatiker angesprochen sind, »als solche, die mit ihrem spezifischen Anteil an der allen gegebenen Charis zugleich ihren spezifischen Dienst empfingen und mit diesem Dienst die ihnen geschenkte Gabe zu bewähren haben. Die Paränese Röm 12ff spricht deshalb durchweg von den Aufgaben und Möglichkeiten der Begnadeten«[16]. Dies aber nicht nur im behütetumsorgten Innenraum der Gemeinde, nicht auf einer »Insel der Seligen«, sondern im aktiven Einsatz für die Welt, die im Engagement der Christen

---

[13] Käsemann, Römer 13 375; vgl. auch Bartsch, Staat 381, 389f.

[14] Käsemann, Römerbrief 345.

[15] Käsemann, Grundsätzliches 215ff (216).
Vgl. auch Michel 395, nach dem es entscheidend nicht auf die Würde des Staates ankommt, sondern »auf die übergeordnete Tatsache, daß der Christ zur eschatologischen Verwandlung des Sinnes aufgerufen wurde« ... »dieser eschatologische Aufruf prägt den ganzen Zusammenhang«.

[16] Käsemann, Römer 13 374. Grundsätzliches 206: »Gnade und Dienst lassen sich nicht auseinanderreißen. Es gibt keine andere Möglichkeit, Gnade zu gewähren und zu realisieren, als indem man sie dienend bewährt«.
Siehe auch Friedrich 160: »Wie die Gesamtparänese beider Kapitel (12 und 13), so soll auch 13,1—7 illustrieren und konkretisieren, wie der in Röm 12,1—2 von Paulus geforderte leibhaftige ›Gottesdienst im Alltag der Welt‹ (Käsemann) und die Prüfung des Gotteswillens kraft des in Christus erneuerten kritischen Verstandes konkret aussehen«.

von der »eschatologischen Verwandlung des Sinnes«[17] ergriffen wird. »Der neue Äon hängt nicht in der Luft, er greift auf dieser unserer Erde Platz, in welche Christus hinabgestiegen ist ... gerade der Geist (zwingt) in den Alltag der Welt als Stätte unseres Gottesdienstes hinein«[18]. Die Wirklichkeit dieses Dienens steht in einem doppelten Bezug: in der festen und unlösbaren Bindung an Christus und in der damit gegebenen Verantwortung gegenüber dem Bruder und den »jeweiligen Umständen«[19]. Zu den Weltumständen, die es zu beachten und verantwortlich einzuschätzen gilt, gehört die Gegebenheit von Über- und Unterordnung und darin die Vorfindlichkeit staatlicher Autorität. Paulus will, »daß solcher Realität Rechnung getragen wird«[20].

Staatliche Autorität darf daher nicht einfach übergangen werden, erfährt aber ihre Begrenzung vom eschatologischen Auftrag der Christen her, in dessen Horizont sie noch allein Berechtigung hat. Die dem Christen geschenkte Charis ist Grund, Inhalt und Grenze seines spezifischen Dienstes, auch und gerade gegenüber den »Weltumständen«. Inhaltlich besteht das den Christen Aufgetragene in der Freiheit, den Menschen zu dienen: gerade im Handeln des Christen »wird die Menschwerdung des Menschen eine Rolle spielen... Der Christ wird zum menschlichen Handeln befreit und entsandt«[21]. Dieses Ziel kann näherhin als Friedens- und Liebeszeugnis, als Überwindung des Übels durch Wohltun angesichts des nahe bevorstehenden Gerichtstages beschrieben werden[22]. So wird die Welt »regnum Christi«, auch wenn sie gefallene Schöpfung ist[23].

Vgl. auch Michel 400: »Es kommt ihm (Paulus) lediglich auf die Erfüllung ganz konkreter Aufgaben an, die in den Bereich der Glaubenden gehören.«

[17] Michel 395.

[18] Käsemann, Grundsätzliches 218; so auch Schneemelcher 13.

Vgl. auch Grundsätzliches 205, wo Käsemann dieses Ergebnis vom »Gesamtverständnis der paulinischen Paränese« her vorbereitet: »Werden Einzelforderungen aber etwa im Liebesgebot oder mit dem Gehorsamsanspruch zusammengefaßt, so heißt das nichts anderes, als daß jeweils der ganze Mensch Gott und dem Nächsten verpflichtet ist«. Und: »Macht sie (die Gnade) neutestamentlich ihren Anspruch in einer Unzahl von Einzelforderungen geltend, so besagt das, daß sie uns in all unseren Verhältnissen und mit unserem ganzen Vermögen, also uns mit unserer Welt und unsere Welt mit uns in ihren Dienst nimmt«.

Vgl. auch Grundsätzliches 221, wo Käsemann von der möglichen Beschränkung auf das Innerlich-Verborgene her redet: »Wir selber dürfen eben nicht in jene tiefste Verborgenheit hineintauchen, die für ihn als Herrn der Welt heute noch kennzeichnend ist.«

Vgl. auch Friedrich 160f, nach dem der Auftrag des Christen »missionarisches Tatzeugnis im politischen Alltag« ist.

[19] Friedrich 164; vgl. auch Bartsch, Staat 389f.

[20] Käsemann, Grundsätzliches 214f; vgl. auch Friedrich 161f, 162.

[21] Käsemann, Römer 13 375; vgl. auch Wolf 21; Schneemelcher 14.

[22] Friedrich 160f, z.B. 161: »Da Gottes Gericht nicht fern ist, sollen die Christen von Rom auch in ihrem politischen Verhalten versuchen, im Maße des ihnen Möglichen mit allen Menschen Frieden zu halten (12,18) und das Übel durch Wohltun zu überwinden (12,21)«.

[23] Käsemann, Römer 13 376: »Aber die Welt wird Regnum Christi, indem und soweit die

Hilfe im Erkennen und Handeln erfährt der einzelne Christ durch sein Gewissen. Die »*syneidesis*« (V 5) ist nicht »vorschreibende Instanz«, die den Einzelnen an ein unverrückbar Gesetztes bindet und meint so auch nicht eine transzendente Norm, die sich im Unterscheidungsvermögen zwischen Gut und Böse spiegelt (Röm 2,15); sie geht nicht auf Anerkennung einer göttlichen Weltordnung oder auf Zustimmung zum göttlichen Auftrag der Behörden. Vielmehr »handelt (es) sich um jedermann Einsichtiges, das darum verpflichtet«[24]. Gewissen ist das Vermögen »von Kritik und Selbstkritik«, das »sich auf den Menschen und sein eigenes Tun reflektierend zurückbezieht«[25], »kraft dessen er vor allem als Christ sein Verhalten in der Gemeinde und in der Welt einrichtet«[26]. Es kommt demnach auf rationale Einsichtigkeit des Urteilens und Handelns an, mit dem sich der Christ im Rahmen der das Leben in der Welt betreffenden »Umstände« auch in das politische Gefüge einordnet. Im Letzten heißt Gehorsam um des Gewissens willen: »charismatische Möglichkeit« und »charismatische Pflicht«, »in der Freiheit zu gehorchen«[27]. Deshalb endet christlicher Gehorsam dort, wo er nicht mehr »die Freiheit der Kinder Gottes atmet«, wo nicht mehr christlich gedient werden kann, wo der Christ genötigt wäre, »seine konkrete christliche Aufgabe preiszugeben«[28]. Und dies nicht nur hinsichtlich des Vollzugs eines einzelnen Aktes des Dienens, sondern auch der Möglichkeit sinnvoller Einordnung dieses Dienens in das Ganze des politisch-gesellschaftlichen Daseins. Christlicher Gehorsam gegenüber dem Staat kommt auch dann an eine Grenze, wenn — selbst unter demokratischen Gegebenheiten — das Dienen »in Einzelbereichen zwar noch möglich, im Ganzen einer Gemeinschaft jedoch sinnlos gemacht wird«[29]. Mit solcher

---

Freien, dem Worte Christi gehorsam, dienend in sie hineingehen und ihr mit der eigenen Unterordnung mehr als bloß Ordnung, nämlich Frieden bringen«.

[24] Käsemann, Römer 13 346.

[25] Käsemann, Grundsätzliches 219.
Grundsätzliches 220: »Jedoch wird niemand der eigenen Entscheidung, des Gebrauchs der eigenen Augen und des eigenen Verstandes entnommen«.
Vgl. Michel 394f, nach dem sich der ganz Abschnitt »ausdrücklich an das kritische Urteilsvermögen (wendet). Vorausgesetzt ist die rationale Einsichtigkeit des göttlichen Handelns und der Ordnung Gottes«. Vgl. auch Lohse, 90f, 100.

[26] Friedrich 164. Die Verfasser sehen dabei als Bezugspunkt des Gewissens »die in 12,2 geforderte Prüfung des Willens Gottes, und in demselben Urteilsvermögen sollen sie (die Christen) sich nunmehr in das politische Gefüge der Umwelt einordnen«. Oder: »Sie sollen sich unterordnen aus verantwortlicher Einsicht in die Gesamtumstände, in den Gott sie in Christus zur Bewährung ruft«. Oder: Die Christen sollen den Weg der Loyalität ... »aus kritischer Einsicht heraus gehen, und zwar so, daß sie nicht aus der Welt, die sie noch zu bestehen haben, auswandern oder militant ausbrechen, sondern sich reflektierend und verantwortungsbewußt in sie einordnen«.

[27] Käsemann, Römer 13 374.

[28] Käsemann, Grundsätzliches 220.   [29] Käsemann, Grundsätzliches 222.

Abgrenzung wird nicht nur ein aktuelles gottwidriges Handeln des Staates oder eine konkret der christlichen Auffassung widersprechende Gestaltung, sondern die politisch-gesellschaftliche Gesamtform des Gemeinwesens unter den Vorbehalt christlicher Einsicht und gegebenenfalls der Verweigerung und des Widerstandes gestellt. Letztlich folgt aus dieser Auffassung, daß das Gesamt staatlich-gesellschaftlicher Gestaltungen christlich-charismatisch gerechtfertigt sein muß, um Unterordnung und Gehorsam des Christen auch in dem Einzelfall, der an sich christlicher Anschauung nicht zuwiderläuft, zu begründen. So wird jene äußerste Grenzbestimmung christlichen Verhaltens in Apg 5,29 zum »kritischen Vorbehalt«[30] für das Handeln christlicher Gemeinde im »normalen« Alltag, damit aber zum operativen Mittel eschatologischer Veränderung im Jetzt.

Im Zahlen der Steuer, eine jener selbstverständlichen Alltagspflichten, anerkennt der Christ die Faktizität der politischen Gewalt, mehr nicht. In ihm liegt nicht etwa die Bestätigung der politischen Machthaber als göttlich gesetzter und beauftragter Gewalt; es ist lediglich illustrativer Hinweis auf die so und nicht anders gegebenen Weltumstände[31]. Weil es sich so verhält, ist denen, die staatlicherseits solchen Gegebenheiten entsprechen, »Respekt«[32] zu zollen.

3. Das dem Diener-Auftrag des Staates entsprechende Handeln des Einzelnen

Die eschatologisch-realistische Auslegung knüpft mit der Gehorsamspflicht des Einzelnen beim Staat an, jedoch nicht an seinem Gesetztsein als solchem, sondern wesentlich an seiner Aufgabe als Diener Gottes. Die Herkunft des Staates »von Gott« als Grund des Gehorsams bleibt zwar nicht außer acht, gewissermaßen als Ur-Datum jener Grundbeziehung der Über- und Unterordnung, der eigentliche Schwerpunkt liegt jedoch auf jener »zweiten« Begründungsebene, wo es um die Funktion staatlicher Tätigkeit geht. In ihrer Aufgabe, dem Guten zu dienen und auf dieses Ziel hin lobend und strafend zu wirken, nicht aber bloßer gegebener Über- und Un-

---

[30] Michel 395, der das Wort in Apg 5,29 anders übersetzt: »Man muß Gott gehorchen, nicht den Menschen«.
[31] Käsemann, Römerbrief 346; Friedrich 164f.
[32] So die Bewertung von »*fobos*« und »*time*« bei Friedrich 165; Bornkamm, Paulus 217, 220. Käsemann unterläßt an dieser Stelle eine Interpretation der Begriffe ganz, vgl. Römerbrief 346.

terordnung wegen, ist die Forderung des Gehorsams begründet[33/34]. Inhalt

[33] Z.B. Wilckens, Römer 13 210: »Der Skopos richtet sich keineswegs auf den Gehorsam als solchen, vielmehr wird deshalb Gehorsam gegen sie gefordert, weil sie durch Gottes Anordnung die Aufgabe innehaben, das gute Wort zu belobigen und das Böse zu ahnden«.
Oder 211: »In dieser ihrer Funktion, die Gott ihnen übertragen hat, ist die Forderung des Gehorsams und der Unterwerfung begründet«.
Delling 60: »Die Staatsgewalt ist Gottes Werkzeug dir zum (Tun des) Guten«, Gottes Werkzeug »im Strafamt zum Zorn für den, der das Schlechte tut; deshalb ist es notwendig, sich unterzuordnen; darum zahlt ihr ja auch Steuern«.
Oder: ThWB VIII 44: »sachlich begründet ist das Sich-Unterordnen im Auftrag der regierenden Gewalt«.
Duchrow 163: »Grund für die Notwendigkeit der Unterordnung ist im Blick auf die Gerechtigkeit im politischen Gemeinwesen zunächst die im Dienst Gottes stehende gerichtliche Strafe für Übeltäter«.
Vgl. auch Schrage, Einzelgebote 224, Staat 59f; Schnackenburg 166; Ridderbos 223; v.Campenhausen 107.
Bei Hauser zeigt sich an dieser Stelle, daß er, trotz Berücksichtigung neuerer exegetischer Erkenntnisse i.S. der eschatologisch-realistischen Auslegung auch in naturrechtlich-ordnungstheologischen Bahnen denkt. Er sieht den Gehorsam, der dem Bürger gegenüber der Obrigkeit »vor allem« aufgegeben ist, in seiner Unbedingtheit als Entsprechung zu »der gottgesetzten Würde des Staates«, Kaiser 27.
[34] Schlier, Römerbrief 388, 389, sieht Einsetzung und Auftrag der Staatsgewalt als gleichwertige Gründe für die Unterordnung des Einzelnen unter die politischen Machthaber.

An dieser Stelle mag ein Rückblick angebracht sein auf Schliers langdauernde, einen Zeitraum von nahezu fünfzig Jahren umfassende Auseinandersetzung mit dem Staat im Neuen Testament. Wie nicht anders zu erwarten, ist die Position Schliers in diesem Zeitabschnitt nicht unverändert geblieben. Von der ersten Äußerung zu diesem Thema 1932 »Die Beurteilung des Staates im Neuen Testament« (Staat I) zu seinem Aufsatz von 1959 »Der Staat nach dem Neuen Testament« (Staat II) und zum Römerbrief 1977 hat es eine Entwicklung gegeben, die freilich, und das ist vielleicht überraschend, die Grundaussage der in dieser Arbeit aufgezeigten Linie im wesentlichen durchhält.
Zunächst zeigt Schlier gewisse Anklänge an eine ordnungstheologische Sicht. Der Staat ist Anordnung Gottes und deshalb »(ist) der geforderte Gehorsam gegen die Anordnungen des wirklichen (= tatsächlich bestehenden) Staates Gehorsam gegen die Anordnungen Gottes« (Staat I 10). Die Gleichsetzung der einzelnen staatlichen Akte mit dem Willen und Wirken Gottes — sie verrät eine gewisse legalistische Tendenz — ist später aufgegeben. Es geht dann nur noch um die Einsetzung der Staatsgewalt bzw. der sie repräsentierenden Machthaber von Gott, nicht aber um die Erstreckung göttlicher Dignität auf die einzelnen Akte ihres Tuns (Staat II 204, Römerbrief 388, 389). Die Erfahrung mißbräuchlicher Verwendung der von Gott gegebenen Gewalt läßt Schlier zu einer zurückhaltenderen Einschätzung ihres konkreten Handelns gelangen. Das zeigt sich auch an der Begründung für den Gehorsam des Einzelnen. Lag sie zunächst einfach in der Einsetzung der Staatsgewalt (»Daß Gott jede staatliche Gewalt einsetzt, hat zur Folge, daß sich derjenige, der ihr nicht Gehorsam leistet und sich ihr widersetzt, Gott widersetzt«, Staat I 10), sind es dann Einsetzung und Dienerauftrag »dir zum Guten« (Staat II 204, Römerbrief 389, 390), die die Bindung des Einzelnen bewirken. War die konkrete Amtsausübung der Obrigkeit für die Leistung des Gehorsams zunächst unbeachtlich (Staat I 8f), erkannten die Christen »auch im unrechten Gebrauch der Gewalt durch den Staat das Recht zur Gewalt noch an, da sie wissen, daß Gottes Ordnung durch irgendeinen menschlich-boshaften Gebrauch nicht vernichtet werden kann und daß sich noch im Mißbrauch der Ordnung diese als solche verrät« (Staat I 12), geschieht die Anerkennung der staatlichen Machthaber nun distanzierter »angesichts einer gewiß oft und oft unfähigen und ungerechten, ja unmenschlichen Obrigkeit, die außerdem schon anfängt, die Christen um ihres

146

und Grenze des Gehorsams bemessen sich von da her nach dem, was der Staat in seinem »Diener«-Auftrag in redlichem Walten an den Ordnungen Gottes vom Einzelnen beansprucht.

Solcher Gehorsam ist gerade vom Christen als Zeichen seiner »Weltfremdheit« und Distanz gemäß Röm 12,1—2 gefordert. Die Nicht-Konformität mit der Welt als Ausdruck der eschatologischen Erwartung erweist sich gerade darin, daß der Christ die bestehende, von Gott bereitete Welt in ihrem Dasein ernst nimmt und sie nicht, dem Schema der alten Welt verhaftet, aus eigenem Gutdünken und vor der Zeit, die allein Gott heraufführt, zu überwinden sucht. Der in Christus gesetzte Anbruch des neuen Äon hebt die alte Welt, die die Schöpfung Gottes bleibt, nicht auf, macht sie vielmehr als solche neu sichtbar. So ist sie der »Stoff«, an dem sich der Christ zu bewähren hat. Der Christ nimmt den Ruf dort an, wo ihn das Evangelium trifft: in der Alltagswirklichkeit mit ihren Ordnungen und Verpflichtungen. In ihr bringt sich der Christ als Gott wohlgefälliges Opfer dar[35]. Gerade als Charismatiker wird er sich hier gebunden wissen: in

Namens willen zu verfolgen« (Staat II 205) oder lediglich noch in Kenntnisnahme dessen, daß ein auftragsgemäßes Handeln der Staatsgewalt »weithin mit der Erfahrung nicht übereinstimmt« (Römerbrief 389).

Die in der ursprünglichen Beurteilung Schliers anklingende Nähe zu ordnungstheologischen Vorstellungen ist aber gleichzeitig relativiert durch eine ganz auf den Willen Gottes abstellende, die Staatsgewalt sich nicht selbst überlassende Betrachtungsweise. Schliers Standort liegt abseits von Vorstellungen, die dem Staat »Stellvertreter«-Ambitionen zuerkennen. So gilt das Dienersein des Staates unabdingbar nach beiden Seiten: nicht nur in Richtung eines Gehorsamsanspruchs gegenüber dem Einzelnen, sondern ebenso hinsichtlich der Verpflichtung aller Staatsgewalt Gott gegenüber (Staat I 10). »Der Staat muß wissen, daß er immer nur die Funktion des Dieners ausübt« und daß sein Amt nicht in sich selbst gründet (Staat I 10). Und die Grenze staatlicher Legitimation ist nicht erst mit der Selbstvergöttlichung irdischer Macht erreicht, vielmehr erweist sich der Staat als donum dei »gerade in der Beschränkung und Begrenzung auch seiner Aufgabe« (Staat I 11). Schlier geht es bei aller Bindung des Einzelnen an die für ihn unverfügbare Autorität des Staates stets um die Treue zu Gottes Willen, die die gegebene Ordnung nicht eigenmächtig und vor der Zeit ändert und so die Bedingungen des Lebens nicht aus der Hand Gottes empfängt, sondern sich selbst nach eigenem Gutdünken schafft. Es ist die eschatologische Grundhaltung, in der der Christ auf die Stadt wartet, die Gott bauen wird (Staat I 8, 9, 12f). Daher gilt bei Schlier durchgehend, aller Betrachtung des irdischen Staates voraus, der »Obersatz« Röm 12,1—2 mit seiner Mahnung zum erneuerten Denken und der »eschatologische Vorbehalt« Phil 3,20f und Hebr 11—13 mit seinem Hinweis auf die himmlische Polis als einziger und wirklicher Heimat des Christen (Staat I 3ff, 7; Staat II 204, 205; Römerbrief 386).

Schließlich bleibt sich Schlier auch darin gleich, daß er in Röm 13,1—7 nicht eine Theorie oder Lehre erblickt, sondern eine, wenn auch grundsätzliche Einzelmahnung (Staat I 1 Anm. 1, 8f Anm. 5; Staat II 203, 204; Römerbrief 389, 393). Der Beurteilung Käsemanns (Römer 13 323), Schlier sei es letztlich um die Frage nach dem Wesen des Staates, nicht aber um das christliche Verhalten zu den irdischen Gewalten gegangen, kann daher nicht zugestimmt werden.

[35] Ridderbos 224; Schlier, Römerbrief 386, Staat I 8, Staat II 204; Duchrow 171; Schrage, Einzelgebote 224; Staat 62; Wilckens, Römerbrief 40; Römer 13 228ff; Neugebauer 163ff;

seiner Nicht-Überhebung (12,3.16) und seiner Beschränkung auf das ihm Zukommende wird er sich im Blick auf die von Gott gestifteten und bevollmächtigten politischen Gewalten, die Gottes Lob und Zorn zur Wirkung zu bringen haben, deren Anspruch unterziehen[36]. Die eschatologische Gegebenheit christlicher Existenz führt, anders als bei der konkret-charismatischen Auslegung, nicht zur »eschatologischen Belanglosigkeit« des Staates, sondern zu erhöhter Dringlichkeit der sich aus dem vergehenden, aber von Gott noch in Geltung gelassenen alten Äon ergebenden Forderungen[37]. Weil die Staatsgewalt hierin Gottes Dienerin ist, ist in der Pflicht zum Gehorsam auch das Gewissen betroffen; Furcht vor der strafenden Gewalt des Staates allein genügt für den Christen als Motiv der Unterordnung nicht[38]. Auch hinsichtlich der Gewissensbindung wird somit auf das Inhaltliche des Auftrages des Staates abgestellt. Die »syneidesis« wird, auf den allgemeinsten Nenner gebracht, als (Mit-)Wissen und Entscheidung des Herzens am Maßstab von Gut und Böse verstanden, das der in der staatlichen Überordnung begegnenden Anordnung Gottes entspricht, wie sie in der Dieneraufgabe des Staates sich ausdrückt[39]. Schlier sieht dieses Wissen als »das vermittelnde Zeugnis des ins Herz geschriebenen Gesetzes der Heiden und damit der Menschen überhaupt«, das in seiner Zustimmung zur Unterordnung unter die politischen Gewalthaber »etwas vom νόμος τοῦ θεοῦ erkennt«[40]. Für Wilckens ist es nach Röm 2,15f »die Instanz im Innern des Menschen, die im Widerstreit der einander verteidigenden und anklagenden Gedanken das entscheidende Zeugnis gibt und so das gegenwärtig wirksame Kriterium des zukünftigen Gottesgerichtes ist... Es ist der im Herzen wirksame, eschatologisch orientierte Maßstab für Gut und Böse«[41].

Aus dieser um den Auftrag des Staates wissenden Bindung ergibt sich die Grenze des vom Einzelnen zu leistenden Gehorsams. Für den Christen wird dabei seine Liebe, aus der heraus er die bestehende Ordnung in Chri-

---

Goppelt, Kaisersteuer 218; Delling 65; v.Campenhausen 112; Blank 174, 185.

Vgl. auch Michel 396: »Unter der Voraussetzung der eschatologischen Umwandlung (12,1—2) kommt Paulus zur erneuten Geltendmachung der schöpfungsmäßigen Anordnung Gottes.«

[36] Wilckens, Römer 13 230; Duchrow 137, 157.

[37] Schlier, Römerbrief 386, 389; Delling 65; Wilckens, Römerbrief 40. Neugebauer 161 spricht in diesem Zusammenhang von der »eschatologischen Warnung« an die christliche Gemeinde; vgl. auch Bornkamm, Paulus 218.

[38] Schlier, Römerbrief 391.

[39] Schlier, Römerbrief 391; Wilckens, Römerbrief 36, Römer 13 215f, 219; Schrage, Staat 60; Duchrow 163f, 164, 166ff.

[40] Schlier, Römerbrief 391. Schlier bezieht sich auf Röm 2,9, meint aber offenkundig 2,12ff.

[41] Wilckens, Römer 13 219, Römerbrief 36. Vgl. auch Duchrow 169ff, für den das Gewissen etwas von dem erneuerten »nous« aus Röm 12,2 zu tun hat.

stus bejaht, zur Markierung jener Grenze, jenseits derer er zur Wahrung eben jener Ordnung als Gottesordnung Anordnungen des Staates auch zu widerstehen hat. Äußerste Grenze ist das Verlangen des Staates, in dem er sich absolut setzt und als letzte Quelle der Macht zu verstehen gibt[42]. Aber mehr noch: bereits »unkritische Servilität« entspricht nicht der Verantwortung des Christen. »Als göttliche Ordnung ist die Obrigkeit sowohl hinsichtlich ihrer eigenen Funktion als auch der Gehorsamspflicht der Kritik derer unterworfen, die in der Unterwerfung unter ihre Autorität Gottesdienst, christliche ›Liturgie‹ im Alltagsleben sehen«[43]. Wo die Grenzen im einzelnen liegen, bleibt offen. Aus der beschriebenen Position aber darf gefolgert werden — die eschatologisch-realistische Auslegung expliziert dies nicht weiter —, daß Kritik und Widerspruch nicht leichtfertig und voreilig angemeldet werden, daß der Staat vielmehr angesichts der gerade ihm obliegenden Unterscheidung von Gut und Böse im politischen Ganzen und daraus zu ziehender Konsequenzen ernst genommen werden muß. Kritik wird daher auf diese besondere Funktion des Staates und die in der Wirklichkeit gegebenen Ermessens- und Entscheidungsspielräume Rücksicht zu nehmen haben. Insbesondere wird sie nicht die Vorstellung des Einzelnen oder einer bestimmten Gruppe überbetonen, sondern die recht verstandene Staatlichkeit des Staates zur Förderung des Gemeinwohls im Auge behalten. Letztlich gilt auch hier als Entscheidungskriterium das Wort in Apg 5,29.

Das Zahlen von Steuer und Zoll und der Erweis von »Ehre«, »Ehrerbietung« oder »Ehrfurcht« ist wiederum nicht Ausdruck bloßen Untergeordnetseins, sondern geschieht in Anerkennung der Diener-Aufgabe des Staates[44].

4. DER GEHORSAM DES CHRISTEN ALS TUN DESSEN, WAS DEM AUFTRAG DER KIRCHE ZUKOMMT

Die christokratisch-politische Auslegung kennt konsequenterweise nicht das Problem eines christlichen Befremdens über den weltlichen Klang in

[42] Schlier, Staat I 10, 14; Schrage, Staat 59, 60.
[43] Ridderbos 226.
[44] Betrifft »Steuer« und »Zoll«:
Schlier, Römerbrief 391; Schrage, Staat 60 (mit Bezug auf das »Mitwissen«); Delling 60; Wilckens, Römer 13 220, Römerbrief 37f, 39; anders Duchrow 168f.

Betrifft »Furcht« und »Ehre«:
Schlier, Römerbrief 392, Staat I 13; Schrage, Einzelgebote 225; Wilckens, Römer 13 222f (223), Römerbrief 38, 39; Schnackenburg 166, 168.

Röm 13,1—7 und auch nicht die Frage nach dem Zusammenhang von paränetischer Einzelforderung und ihrer Begründung und der damit angezielten Bestimmung eines Vorrangs des Staates oder des Einzelnen in ihrem wechselseitigen Verhältnis. Solche Unterscheidung setzt die Anerkennung eines wie auch immer zu definierenden Eigenseins der Schöpfung und so eines Gegenübers von Staatlichem und Christlichem voraus. Für die christokratisch-politische Interpretation in ihrer Sicht der Einheit der Herrschaft Christi über Kirche und Staat kann es nur darum gehen, daß dem umfassenden Herrschaftsanspruch Christi seitens des Menschen gehorsam-entsprechend geantwortet werde: in der Einheit eines ungeteilt christlichen Lebensvollzugs im Kirchlichen wie im Politischen. Der Christ scheidet nicht zwischen christlicher und bürgerlicher Verantwortung — das wäre »dualistische Mythologie«, schizophrene »Doppelexistenz« —, sondern vollzieht die eine Verantwortlichkeit in der andern jeweils mit[45].

[45] Barth, KD II/2 817f, KE Römerbrief 195.
Für Cullmann ergibt sich das Einheitsmoment christlicher Lebensgestaltung aus der stets präsenten eschatologischen Weltbetrachtung Jesu und der Seinen, vgl. Königsherrschaft 5ff, 41ff; Staat 1f, 37—39, 63; Näheres Cullmann, Heil als Geschichte, Tübingen 1965, 166, 267.

Vgl. auch Wolf 39ff: Die Herrschaft des Auferstandenen stellt den Christen, der in seinem Leben Zeuge dieser Herrschaft sein soll, »vor die Frage seines konkreten Verhaltens zur jeweiligen staatlichen Wirklichkeit« (54). Hierbei gilt einerseits: die politischen Ordnungen sind »keinesfalls göttlich sanktionierte Ordnungen, die unabhängig von und vor dem Gebot seines Herrn Anspruch auf seinen Gehorsam haben; andererseits ist der Eintritt in den Bereich des Politischen für den Christen kein Austritt aus dem Befehlsbereich des Evangeliums, des christlichen Zeugnisses« (55).
Wolf stimmt damit im Ansatz wesentlich mit Barth und Cullmann überein. Er lehnt allerdings jegliche »ontologische« Interpretation von Röm 13 und jede lehrhafte Aussage über den Staat ab (ob naturrechtlich-ordnungstheologisch oder christokratisch, vgl. oben Anm. 108 zu III.) und kommt so zu einer »entmythologisierten« (54) Form christokratisch-politischer Interpretation. Danach wirkt sich die Herrschaft Christi über den Staat nicht seinshaft (mittels angelologischer Zwischenwesen, 38, 41) aus, sondern unmittelbar durch eine aufgrund seines Sieges gemäß Eph 1,10; 1,20f; Kol 2,15 (40f, 44, 54) gegebene Zweckbestimmung des Staates (41, 58ff), der als solcher, jeglichen Stiftungs- und Einsetzungscharakters bar, »nackte Faktizität ist« (41, vgl. auch 39, 40, 53). Der Herrschaftsanspruch Christi trifft auf das Faktum Staat, »weil Christus den Kosmos rechtfertigt und damit auch den Staat zum Dienst der Liebe im politischen Bereich befreit« (40).
(Die Frage des Woher der Faktizität des Staates und ihres Verhältnisses zur Schöpfung wird freilich nicht gestellt [und nicht beantwortet], ebensowenig wie die Frage des Verhältnisses zwischen dem Staat und dem durch Christi Sieg gerechtfertigten Kosmos. Die Ablösung von »Ontologie« und Angelologie ist wohl doch nicht ganz gelungen.)
Die Vermittlung dieses Befreiungsaktes geschieht durch die Christen, durch ihre Verkündigung (56). Daher ist der in Röm 13 geforderte Gehorsam weder passiv (55) noch bedingungslos (40, 41), sondern enthält den Imperativ eines politischen »Du sollst!« (55). Es besteht eine »politische Mitverantwortung« für »die Nöte dieser Welt« im Sinne eines »Tatzeugnisses« der Verkündigung der ganzen Wirklichkeit Christi (56f).
Demgegenüber hat der Staat keine »Selbstzwecklichkeit«, sondern ist stets durch das Zeugnis der Herrschaft Gottes in Christus relativiert (53f, 58).

Als der in die »taxis« Christi hereingeholten Ordnungsform des »Jedermann« wird sich der Christ dem Staat innerhalb der ihm in dieser »taxis« zugewiesenen Funktion selbstverständlich unterordnen. Er entspricht damit einfach der Bestimmung, die Gott dem Staat und ihm, dem Christen, in ihrer Zuordnung für die Dauer dieses Äons gegeben hat. Konkret heißt dies, daß er den Staat in allem, was er für das Reich Christi tut, unterstützt[46]. Das ist zuerst das Erstreiten und Bewahren des für den speziellen Auftrag der Kirche — Verkündigung und Sakramentenverwaltung — erforderlichen Freiraums gegenüber einer sich dem christlichen Anspruch (Röm 12,1—2) verweigernden Welt[47]. Der Christ tut hier das Seine, indem er das raumschaffende Wirken des Staates auch in seiner Gnadenlosigkeit als Gestalt der Gnade Gottes, als Gottesdienst des Staates begreift und die dem göttlichen Auftrag entsprechende Ehre und Anerkennung gewährt[48]. Dazu gehört auch die Erhaltung der Existenz des Staates als sol-

So stehen am Anfang christlicher Staatsbeurteilung nicht metaphysische Prinzipien, nicht eine Verpflichtung des Christen aus der Gegebenheit einer Stiftung (53f, 57), sondern persönlich-verantwortliche »Annahme« des Staates als seine je zu ermittelnde Zweck-Dienlichkeit für die Verwirklichung eines glaubhaften Zeugnisses der Herrschaft des Auferstandenen (53f). Sachlich übereinstimmend: Wolf, Sozialethik 243—289.
Die anti-dogmatische Spitze Wolfs läßt nicht übersehen, daß er selbst, trotz aller Kritik und Ablehnung gegenüber lehrmäßigen Entwürfen, ein System errichtet: die Herrschaft Christi gegenüber einem zwar ontologisch verworfenen, aber in seiner Faktizität unklar bleibenden Staat, dessen Eigensinn dogmatisch durch einen primatartigen Verkündigungs- und Weltdienst der Christen ausgeschlossen wird. Es handelt sich um eine konkret-charismatische (d.h. stark vom Einzelnen her geprägte) Variante des christokratisch-politischen Erklärungsmodells.
[46] Cullmann, Königsherrschaft 42, vgl. auch 33.
[47] Barth, Rechtfertigung 36, 39; Cullmann, Königsherrschaft 41.
[48] Barth, KD II/2 807f, KE Römerbrief 194, Christengemeinde 10; G. Bauer 122; Steck 304, 301.
Cullmann läßt die »Anerkennung« der Existenz des Staates im Sinne eines Nichtbekämpfens (z.B. Staat 43f) und — rein sachlich — das »Wissen« darum, daß der in Gottes Ordnung verbleibende Staat zwischen Gut und Böse unterscheiden kann (z.B. Staat 42, 49f, 65), genügen. Darüber hinausgehende Momente einer Anerkennung wie Respekt, Ehre u.ä. fehlen. Der Christ kann den Staat nur in einem »Trotzdem« hinnehmen.
Hier exemplifiziert sich ein Unterschied zu Barth. Cullmann — ähnlich Schlette, Marsch und Meinhold — sieht den Staat wesentlich als noch geduldete Abwehrmacht, der im übrigen keine Bedeutung zukommt und die in jedem über das Abwehrhandeln hinausgehenden Mehr Gegenmacht zu Christus-Kirche wird, während Barth — ähnlich G. Bauer und Steck — Recht und Institution des Staates für das Handeln der Kirche gewissermaßen okkupiert und den so benutzten Staat als »rechten Staat« die Rolle eines positiven Ergänzungsinstituts zur Kirche gibt. Beide Positionen liegen in der politischen Anwendung aber doch wieder eng beisammen, weil jede Abweichung des Staates von der ihm zugewiesenen Aufgabenstellung gleichermaßen als totalisierende Grenzüberschreitung gewertet wird, die den energischen Widerstand des Christen herausfordert, und zwar — auch darin besteht volle Übereinstimmung — aus seiner eschatologischen Zukunftsperspektive (himmlische Polis) heraus.
Der aufgezeigte Unterschied gibt eher Aufschluß über das zugrundegelegte Verständnis von Kirche. Bei Cullmann steht die Kirche in einem durch staatliches Handeln gesichert-offenen,

cher, denn er weiß, daß die Kirche um ihrer eigenen Sendung willen jenes anti-chaotischen Dienstes bedarf. So gibt sie dem Staat Steuern und Zölle, Furcht und Ehre und alles zur Erhaltung seiner Institutionalität als solcher Notwendige[49]. Dann aber besteht das Tun des Staates für das Reich Christi, über die institutionelle Selbstbewahrung und das Raumschaffen für die Kirche hinaus, in der aktiven Einbeziehung seines Rechts in eine der Rechtfertigung entsprechende und dienende menschliche Wirklichkeit. Auch darin wird die Kirche den Staat unterstützen. Sie ist nicht indifferent gegenüber einer christlichen oder unchristlichen Verwirklichung des Staates, nimmt die staatlich-gesellschaftlichen Abläufe nicht einfach hin — das wäre falsche Untertanengesinnung —, sondern ihre Unterordnung stellt sich als Einordnung in die Aufgabenrelation Kirche — Staat dar[50]. Das heißt, da die Kirche als Wissende den Staat besser versteht als er sich selbst[51], Wahrnehmung »politischer Pflichten«: Mitgestalten und Mitverantworten der durchaus »profanen Aufgabe« der Aufrichtung weltlichen Rechts[52]. Genauer noch: zuerst und eigentlich nicht Mit-Verantworten, sondern Verantworten, indem sie sich betend für den Bereich aller Menschen — auch staatsbürgerlich — verantwortlich macht, dann den Staat in die Mitverantwortung vor Gott stellen, Verantwortung für den Staat übernehmen und ein »prophetisches Wächteramt« über ihn ausüben (Unterordnen = Einordnen = Überordnen)[53]. Die Kirche, ganz zukünftige Polis, entflieht nicht aus der irdischen Polis. Sie ist in ihrer irdischen Fremdlingschaft für den Staat »mithaftbar«,

aber inhaltlich vom Staat nicht beanspruchten Raum, während Barth den Staat direkt (werkzeuglich) an die Kirche bindet und ihn als »verkirchlichten« Staat aktiv für die Belange der Kirche streiten läßt.

[49] Barth, KE Römerbrief 194, Christengemeinde 13; Cullmann, Staat 37, 38, Königsherrschaft 27.

[50] Barth, Christengemeinde 11, 12; G. Bauer 120; vgl. auch Wolf 56, 58.

[51] Barth, KG II/2 808, Rechtfertigung 39.

[52] Barth, Christengemeinde 20, siehe auch 12f, KD II/2 808.

Cullmann vollzieht eine solche »aktive Indienstnahme« des Staates für den Auftrag der Kirche nicht mit — das gäbe dem Staat, der nur Vergeltungsordnung ist, eine zu positive Wertung —, sondern beläßt ihn wesentlich in der Abwehraufgabe, während der positiv-inhaltlich zu gestaltende Raum menschlicher Gemeinschaft der Kirche im freien Spiel der (gesellschaftlichen) Kräfte zur Verfügung steht.

Im ganzen bleibt Cullmann wesentlich allgemeiner als Barth; über Konkretionen kirchlichpolitischen Handelns läßt er kaum etwas hören. So heißt es nur ganz allgemein, daß christlich-verantwortliche Haltung sich zu allen Fragen menschlichen Lebens äußert, den Staat kritisch betrachtet und entsprechend handelt (z.B. Königsherrschaft 42, Staat 24). Die Ablehnung einer aktiven Einbeziehung des Staates für den kirchlichen Auftrag kommt besonders klar in Sätzen zum Ausdruck, wie: »nur die prinzipielle Ablehnung des Staates wird verworfen« (Staat 43) und »Überall da, wo der Christ den Staat übergehen kann, ohne ihn damit in seiner Existenz zu bedrohen, soll er dies tun« (Staat 45).

[53] Barth, Christengemeinde 13, 14f, 25, Rechtfertigung 8, KD II/2 797ff, 806f, KE Römerbrief 193, 194; Cullmann, Staat 65, 66; Marsch 402.

aber im ganzen Ernst der neutestamentlichen Weisung: indem sie im Raum aller Menschen politisch mitwirkend und mithandelnd das Irdisch-Menschliche dennoch nicht zu dem Ihrigen macht, sondern es nach dem Bild ihrer eigenen Zukunftserwartung voraus-gestaltet[54].

In diesem allseitigen Umgestalten beteiligt sich die Kirche prinzipiell kritisch an den Fragen um das am meisten sachgemäße System des politischen Wesens, scheidet sie die Geister, unterscheidet rechte und schlechte staatliche Ordnung[55] und prüft in ihrem Unterscheiden, Urteilen, Wählen und Wollen das von Fall zu Fall Erforderliche[56], »das dann wohl auch politischen Kampf bedeuten kann und muß«[57]. Barth zieht diese in Röm 13 aufgewiesene Linie — »in einer sinnvollen Verlängerung der dort gegebenen Antworten«[58] — ins politische Tagesgeschehen aus, wo sich die politische Pflicht des Christen konkret zu bewähren hat an Fragen wie Eidesleistung und Militärdienst, wie Richtigkeit von Gesetzen, wie Rechtsstaatlichkeit und soziale Gerechtigkeit, wie Freiheit und Gleichheit, wie Geheimpoli-

---

[54] Barth, KE Römerbrief 189, Rechtfertigung 44, Christengemeinde 15, 19f, 21; G. Bauer 120, 122; Cullmann, Staat 37, 66. Vgl. auch Wolf 56: Das christliche Ermessen, »d.h. die vernunftgemäße Entscheidung des Christen in Dingen seiner politischen Existenz (kann) nicht getrennt werden vom Glaubensurteil«.

[55] Z.B. Barth, Christengemeinde 14f. »Indem die Christengemeinde sich für die Bürgergemeinde mitverantwortlich macht, beteiligt sie sich — von Gottes Offenbarung und von ihrem Glauben her — an dem menschlichen Fragen nach der besten Gestalt, nach dem sachgemäßesten System des politischen Wesens; oder 16 »Die Christengemeinde unterordnet sich der Bürgergemeinde, indem sie — messend an dem Maßstab ihrer Erkenntnis des Herrn, der der Herr über Alles ist — unterscheidet ... zwischen dem rechten und dem unrechten Staat, d.h. zwischen der jeweils als besser oder schlechter sich darstellenden politischen Gestalt und Wirklichkeit ...« (so auch KD II/2 807f). Vgl. auch Christengemeinde 12,19 (»sich beteiligen«), 13 (»tätiges Eintreten«), 17 (»praktische Entscheidungen«); Rechtfertigung 19; KE Römerbrief 192, 194.
Vgl. ferner Cullmann, Staat 24, 37; Königsherrschaft 42; Marsch 407; Steck 307f; G. Bauer 121, 122.

[56] Z.B. Barth, Christengemeinde 16 »von Fall zu Fall, von Situation zu Situation unterscheiden ... wählen ... wollen ... sich einsetzen ... sich entgegensetzen ...«, vgl. hierzu auch Christengemeinde 22, 24, 25, 36, Rechtfertigung 43; vgl. auch Rechtfertigung 19: es geht »dauernd um Entscheidungen«.
S. auch Wolf 59: Die positive Mitarbeit des Christen »erfolgt im Hantieren mit der jeweils gegebenen staatlichen Wirklichkeit«.

[57] Barth, Rechtfertigung 43.

[58] Barth, Rechtfertigung 40ff, 43, Christengemeinde 25ff.
Wolf wendet sich zwar gegen »unerlaubt« direkte ethische Schlüsse aus dem NT, wie die Ableitung des Rechts aus der Rechtfertigung und des Staates aus der Herrschaft Christi (50), sieht sich aber dadurch nicht gehindert, hinsichtlich der »Richtung, die die Gemeinde für das politische Handeln weist« mit der »vom Glauben erhellten Vernunft vom Wort Gottes, gerade auch von Röm 13 her mit dem Anspruch auf Allgemeingültigkeit Aussagen (zu) machen
1. über den Zweck des Staates und damit über Ziel und Grenzen des Politischen; und
2. im Rahmen dessen über konkrete Einzelaufgaben, über Zwecke des Staates.« (58)
Daraus stellt Wolf dann konkrete Mitwirkungsforderungen, vgl. dazu Anm. 59, 60, 61.

tik, Nationales und Internationales, wie christliche Parteigründung und Äquidistanz von Kirche und Parteien[59]. Auch geeignete Mittel werden genannt: Eingaben, Proklamationen, Stellungnahmen und — mit mehr oder weniger kirchlicher Autorität — christliche Journalistik und Schriftstellerei[60]. Selbst die konkrete Staatsform ist aus der Tendenz der Linie von Röm 13 herauszulesen: sie hat die Gestalt der Demokratie, wie sie in den freien Völkern, »wenn nicht verwirklicht, so doch mehr oder weniger ehrlich und deutlich gemeint und angestrebt ist«. Es gibt eine »Affinität« zwischen Christengemeinde und demokratisch verfaßter Bürgergemeinde[61].

In ihrem christlich-politischen Unterscheiden, Wählen und Sich-Einsetzen steht die Kirche in Treue zu ihrem ureigenen Auftrag, ist auch ihr politisches Handeln »Bekenntnis« zu der einen Herrschaft Christi[62]. Das ist ihr »politischer Gottesdienst«, den sie dem Staat und allen Menschen als Teil des ihr aufgetragenen »vernünftigen Gottesdienstes« (12,2) leistet[63]. Es ist das »Gebet« für die weltliche Ordnung, das sie, in priesterlicher Funktion, politisch wirksam als »verantwortliches Eintreten der Christen für den Staat« einbringt[64]. Indem die Kirche so betet und ganz den ihr gebührenden Raum ausfüllt, Kirche und nichts als Kirche ist, leistet sie ihren schuldigen Dienst für den Staat, damit er Staat und nichts als Staat sei. Darin »garantiert« die Kirche das politische Wesen, darin achtet sie das »Gut ihrer eigenen Hoffnung«[65].

Das tut sie nicht aus Furcht vor der richtenden Gewalt des Staates — sie ist ja in die Gnadenordnung einbezogen —, sondern um des Gewissens willen, »um der Erkenntnis Gottes und seiner Herrschaft willen, weil er (der Christ) weiß und will, daß Gott durch die Begründung und Aufrechterhaltung auch dieser Ordnung gepriesen wird«[66]. Ähnlich (weil nur formal be-

[59] Barth, Rechtfertigung 41f; Christengemeinde 25ff; vgl. zum Militärdienst auch Wolf 57 (Befürwortung der »Kriegsdienstverweigerung«).
[60] Barth, Christengemeinde 40; siehe auch Wolf 60: Stellungnahme zum »Wohlfahrtsstaat«, Erwägen der »Notwendigkeiten und Möglichkeiten der Gestaltung mitmenschlichen Zusammenlebens in der Massendemokratie«.
[61] Barth, Christengemeinde 35f (36), vgl. auch Rechtfertigung 43, 44.
Wolf 59 läßt die Frage besonderer Affinität von Demokratie und Christsein offen, fordert aber, daß die Kirche »die Verwirklichung der nie fertigen Demokratie zu unterstützen« hat.
[62] Barth, Christengemeinde 25, KD II/2 808.
[63] Barth, KD II/2 807, 808; KE Römerbrief 192; Rechtfertigung 3; G. Bauer 122, 123; Steck 300, 301; Marsch 403, 408.
[64] Barth, Rechtfertigung 43: »Kann ein ernsthaftes Gebet auf die Länge ohne die entsprechende Arbeit bleiben? Kann man Gott um etwas bitten, das man nicht in den Grenzen seiner Möglichkeiten herbeizuführen im selben Augenblick entschlossen und bereit ist?«; vgl. auch 34f.
Zum »politischen« Gebet siehe weiter: Cullmann, Staat 61; Steck 307.
[65] Barth, Rechtfertigung 24, 29, 39.
[66] Barth, KE Römerbrief 194; vgl. auch Rechtfertigung 21, Christengemeinde 13; G. Bauer

stimmt) wie bei der naturrechtlich-ordnungstheologischen Auslegung ist demnach das Gewissen ein Wissen und Mitwissen um das, was Gott so und nicht anders gefügt hat und ein solchem Wissen gemäßes sich Ein- und Unterordnen.

Überschreitet der Staat seine Grenzen, beansprucht er mehr zu sein als nur Staat, nämlich Gott, und das ist immer schon gegeben mit der Verweigerung des von der Kirche erwarteten Raumschaffens und Rechtgebens (nicht zu reden von der aktiven Bekämpfung der Kirche), wird sie das Ihre gleichwohl nicht versäumen, wird dem Staat auch dann noch das Seine geben: das Notwendige zu seiner Existenz, finanzielle Mittel, Achtung und Ehre[67], weil »auch der schlechteste und verkehrteste irdische Staat darin seine unverlierbare Bestimmung hat, dereinst zur Herrlichkeit des himmlischen Jerusalem beizutragen«[68], wesentlicher aber noch wird sie den unabdingbaren Fortgang ihrer Verkündigung, ihres Mahnens und Erinnerns und gegebenenfalls des aktiven Entgegentretens sicherstellen[69]. Dabei wird sie nicht selbst zur Gewalt greifen, unter Umständen aber — als ultima ratio zur Wiederherstellung rechter Obrigkeit — gewaltsame Konfliktlösungen »gutheißen«, »unterstützen« und »sogar anregen«[70]. Sie wird keinesfalls diesen ihren schuldigen Dienst dem Staat gegenüber aufgeben und durch Schweigen oder Fügsamkeit mit einem entarteten Staat kollaborieren, sie wird besser Leid, Verfolgung und sogar das Martyrium auf sich nehmen

121; Steck 305f; KD II/2 797 wird Gewissen beschrieben als »den gnädigen Willen Gottes in der gnadenlosen Ordnung zu erkennen«.

Wolf 59 sieht das Gewissen eher in konkret-charismatischer Sicht: Die Unterordnung des Christen soll »aus Einsicht erfolgen, im Gebrauch einer zwar relativen, aber kraft des Glaubens von der Bindung an selbstbezogene Interessen freien Vernünftigkeit«.

Für Cullmann scheint sich, in der Linie der auf Abwehr beschränkten Konzeption des Staates nicht ganz unverständlich, eine Stellungnahme zur »Gewissensfrage« zu erübrigen. Die Institutionalität des Staates als solche, deren sich Gott ohnehin nach seinem Gefallen bedient, macht wohl eine Bemühung des Gewissens nicht eigens erforderlich, ebensowenig wie sie Anlaß für die Anerkennung einer besonderen Würde des Staates sein kann.

[67] Barth, Rechtfertigung 12, 40; Cullmann, Staat 37f, 43, 47.
[68] Barth, Rechtfertigung 24, 25; Cullmann, Staat 43.
[69] Barth, Rechtfertigung 36, 37f; Cullmann, Königsherrschaft 42, Staat 37, 39, 66.
[70] Barth, Christengemeinde 33.
Ob Cullmann einer solchen Form von Gewaltanwendung mit ihren weitreichenden Implikationen — wo liegt der inhaltliche Unterschied zwischen Anregen und Gutheißen von Gewalt und ihrer aktiven Ausübung? — zustimmen würde, darf bezweifelt werden. Er spricht zwar von »unerbittlichem Widerstand« (Königsherrschaft 27), dessen christliche Form — Verkündigung (Staat 37, 39, 66) — auch die politische Tat einschließt (Königsherrschaft 42, Staat 24), legt dabei das Gewicht aber stark auf den Wortcharakter dieses Tuns und schließt im übrigen die Anwendung von Gewalt ausdrücklich aus (Staat 24, 37f, 39). Cullmann bleibt sich konsequent (ebenso wie Barth in seiner Weise): der Staat, der (als rechter Staat) nicht als Handlanger der Kirche benutzt wird, wird (als schlechter Staat) auch nicht direkten Pressionen ausgesetzt.

und so den Staat zurückrufen[71], jedenfalls aber Gott mehr gehorchen als den Menschen (Apg 5,29), weil jede menschliche Autorität nur Geltung haben kann, soweit sie der Ordnung Gottes entspricht[72].

5. ZUSAMMENFASSUNG

Für die naturrechtlich-ordnungstheologische Interpretation bestimmt sich die Gehorsamsverpflichtung des Einzelnen ganz vom Staat her, und zwar aus dessen Gesetztsein als solchem, nicht aber aus dem Inhalt seines Auftrages. Da dem Staat in seinem Gesetztsein zugleich die gesamte »Auslegungskompetenz« über das irdisch Gute und Böse zukommt, hat der Einzelne den Konkretisierungen des Staates einfach zu entsprechen. Die Grenze solcher Unterordnung liegt dort, wo der Staat beansprucht, Herr seiner selbst zu sein und sich so an Gottes Stelle setzt. Das Gewissen erkennt als Wissen um diesen Sachverhalt zustimmend Über- und Unterordnung an. Steuer und Ehrerweise erbringt der Einzelne als Zeichen dieser Anerkennung.

Die konkret-charismatische Auslegung sieht das Verhältnis der Christen zum Staat von der Aufgabe des Christen in der Welt her. Nach Anbruch des neuen Äon in Christus (Eschaton) ist sein Gehorsam charismatischer Gehorsam, der in Abwägung der jeweiligen Gesamtumstände, zu denen als ein von Gott gesetztes Element der Staat gehört, das gegenüber Christus zu Verantwortende tut. Konkret inhaltlich geht es dabei um die »Menschwerdung des Menschen«. Der Gehorsam endet dort, wo nicht mehr in christlicher Freiheit gedient werden kann. Die eschatologische Bestimmtheit christlichen Handelns relativiert so die staatliche Gewalt; der »eschatologische Vorbehalt« wirkt im Sinne einer Reduzierung bzw. des Gleich-Gültigwerdens staatlicher Kompetenz. Das Gewissen ist kritisch-rationales Urteilen, mit dem der Christ seinen Dienst in Gemeinde und Welt einrichtet. Ehre und Steuerzahlung gegenüber dem Staat sind nichts anderes als Respektieren der Faktizität politischer Gewalt.

Die eschatologisch-realistische Auslegung entwickelt die Gehorsamsfrage zwar vom Staat her, betont hierbei aber nicht die bloße Gegebenheit der von Gott angeordneten Über- und Unterordnung, sondern legt den Schwerpunkt der Begründung auf die dem Staat zugewiesene Aufgabe, dem Menschen zum Guten zu dienen. Gerade der Christ ist zur Anerkennung solcher Ordnung fähig, weil der alte Äon durch Christus nicht aufgeho-

[71] Zum Nicht-Schweigen siehe Barth, Rechtfertigung 16, 38; zum Martyrium sieht Barth, Rechtfertigung 30; Cullmann, Königsherrschaft 42f.
[72] Barth, KD II/2 808; Steck 306; Cullmann, Königsherrschaft 27, 34.

ben, sondern als Schöpfung Gottes neu sichtbar gemacht wird. Zeichen der Nichtkonformität mit der Welt ist es, menschlich-eigenmächtige Änderungen der Ordnung Gottes zu unterlassen und das eschatologisch Erwartete nicht selbst herbeiführen zu wollen. Die eschatologische Existenz des Christen bedeutet daher nicht Relativierung des Bestehenden, sondern führt zu erhöhter Dringlichkeit seiner Forderungen. Der »eschatologische Vorbehalt« wirkt im Sinne einer Bestätigung und Verstärkung der schöpfungsmäßigen Gegebenheiten. Das Gewissen, an das der Gehorsam gebunden ist, ist das Mit-Wissen des Herzens um diese Gegebenheit und sein einverständliches Entsprechen. Die Grenze des Gehorsams liegt letztlich darin, ob und wie der Auftrag des Staates als Wahrer des für den Menschen Guten erfüllt wird. Der Christ wird dabei den besonderen, von Gott verliehen Status der politischen Gewalt und die ihr damit gegebene Handlungs- und Entscheidungsfreiheit sorgfältig zu bedenken haben.

Für die christokratisch-politische Interpretation ist allein entscheidend, daß der Mensch dem umfassenden Herrschaftsanspruch Christi über Kirche und Staat gerecht werde. Die Kirche unterstützt daher den in die Ordnung Christi einbezogenen Staat in allem, was dieser für das Reich Christi tut. Sie erkennt die anti-chaotische, einen notwendigen äußeren Raum der Ordnung und des Friedens schaffende Existenz des Staates an, einschließlich sich daraus ergebender praktischer Konsequenzen, wie finanzielle und idelle Unterstützung, vor allem aber nimmt sie den vom Staat erwirkten Raum für ihre Verkündigung in all ihren Dimensionen (innerkirchlich wie weltgestaltend-politisch; »politischer Gottesdienst«, »Gebet«) in Anspruch. Indem sie das Ihre tut, sorgt sie am besten auch für das Seine. Sie initiiert, begleitet, überwacht den immerwährenden, dynamisch an ihrer Botschaft ausgerichteten Prozeß der Anpassung staatlicher Rechtsordnung an die irdischen Gestaltungserfordernisse des Rechtfertigungsgeschehens (»Verkirchlichung« des Staates). Ein rechter Staat und eine rechte Kirche garantieren sich so gegenseitig. Der Christ ist hierbei mit seinem Gewissen beteiligt: in der Erkenntnis, daß Gott die Zuordnung von Kirche und Staat in der Herrschaft Christi so und nicht anders gefügt hat. Verläßt der Staat seine christokratisch-kirchliche Bindung, widerspricht ihm die Kirche und ruft ihn zurück, wobei auch gewaltsame Konfliktlösungen nicht grundsätzlich ausgeschlossen sind. In jedem Fall aber wird die Kirche dem Staat das ihm Geschuldete nicht verweigern: die Sicherung seiner Existenz als solcher und den Fortgang ihrer das Politische einschließenden Verkündigung.

Gemeinsam ist allen Auslegungsrichtungen der Rückgriff auf Apg 5,29 »Man muß Gott mehr gehorchen als den Menschen« als letztes Kriterium für die Entscheidung des Christen über seinen Gehorsam, eine freilich sehr formale Größe, die, wie die Darlegungen gezeigt haben, sehr unterschiedlicher Auslegung fähig ist.

V. DER TEXT — PROBLEM HERGEBRACHTER VORVERSTÄNDNISSE

1. Zusammenfassende Würdigung der verschiedenen Positionen

Die vielfältigen Fragen und Aspekte, die in den vorausgehenden Abschnitten zur Sprache kamen und die es nicht leicht machen, den Grundduktus der einzelnen Interpretationsweise und seine spezielle Problematik zu überblicken, lassen es als sinnvoll erscheinen, sich die entscheidenden Punkte und daran anknüpfende Optionen noch einmal zusammenhängend vor Augen zu stellen. Es geht dabei nicht um Wiederholungen von Einzelfragen, sondern um den Versuch einer Bündelung auf jene Positionen hin, an denen es zur Entscheidung und zur Unterscheidung kommt. Das kann, will man die Standpunkte nicht nebeneinander stehen lassen und damit auf ein Gesamtverständnis des Textes verzichten, nur in Gestalt der Würdigung der verschiedenen Möglichkeiten und durch eine begründete Standortbestimmung gewagt werden.

a. Zur naturrechtlich-ordnungstheologischen Interpretation: Verständnis des Textes unter Voraussetzung einer vorgegebenen Ordnung

Vom Ausgangspunkt der naturrechtlich-ordnungstheologischen Auslegung her, die ihren Überlegungen — in Gestalt des Naturrechts bzw. einer prä- oder postlapsarisch gegebenen Ordnung — ein auf einer Seinsordnung beruhendes Vorverständnis des Staates zugrundelegt, ergeben sich mehrere Anfragen an die Sachgerechtigkeit ihres Verständnisses von Röm 13,1—7. Als eigentliches Problem erscheint, daß diese Auslegung ihre »erstinstanzlichen« Erkenntnisse zuwenig vom Text selbst bezieht, sondern dessen Aussagen in eine bereits anderweitig gewonnene Erkenntnis einordnet. So besteht die Gefahr, daß von jenem außerhalb des Textes gedachten und lehrmäßig entfalteten System her der Text vereinnahmt und zum illustrativen Beispiel für dessen Richtigkeit oder zu einer lediglich ergänzenden Deutung herabgemindert wird.

Eine solche Verwechslung der Erkenntnisstufen liegt freilich nahe, weil der Text selbst grundsätzliche und allgemeine Aussagen enthält und so Element einer Gesamtkonzeption sein könnte, die aus weiteren Beispielen und daraus zu ziehenden systematischen Schlußfolgerungen zu entwickeln wäre[1]. Eine solche Verwendung des Textes setzt jedoch voraus, daß zu-

---

[1] Dazu Schlier, Biblische und dogmatische Theologie, in: Ders., Besinnung auf das Neue Testament, Freiburg-Basel-Wien ²1964, 25—34.

nächst der Text aus sich und dem zugehörigen Kontext, d.h. ohne systematische Präferenzen, verstanden wird. Erst im Lichte seines »Selbst«-Verständnisses kann er gegebenenfalls Eignung für weitergehende Schlußfolgerungen gewinnen. Aber auch dann, wenn er mittels eines solcherart zustandegekommenen »Systems« reinterpretiert wird, darf dies nicht zum Nachteil seines unmittelbaren Aussagewertes führen. Andernfalls läge eine Spannung vor, die auf eine nicht vollständig aufgehobene Differenz zwischen Text und systematischer Gesamtschau hinweist. Es entspräche aber weder dem Anliegen systematischen Denkens noch der Redlichkeit gegenüber dem Text, eine gegebene Spannung durch Angleichung des Textes an die systematischen Erwartungen zu harmonisieren. In einem solchen Fall bliebe nur die Möglichkeit, durch weiteres Bemühen Annäherungen zu erzielen.

Die erwähnte Gefahr zeigt sich bei der naturrechtlich-ordnungstheologischen Auslegung zunächst in weitgehendem Verzicht auf die Berücksichtigung des Kontextes. Dieser findet nur insoweit Anklang, als er in einem formalen Sinn den Standort des Textes selbst plausibel macht, im übrigen aber werden seine für das Verständnis des Textes wichtigen inhaltlichen Implikationen weitgehend außer acht gelassen. So bleibt die Divergenz zwischen persönlich gehaltener Ansprache des Apostels an die Christen im Kontext und den prinzipiellen Äußerungen in Röm 13,1—7 inhaltlich unvermittelt stehen mit der Folge, daß der — durchaus richtig erkannte — generelle Skopos des Textes als ungeschmälerte Anwendung eines vorausliegenden systematischen Wissens vom Wesen des Staates erscheint. Die »Fremdheit« des Textes im Kontext wird hier geradezu Grundlage dafür, seine Übereinstimmung mit dem systematischen Gebäude zu gewährleisten. Die Abstinenz von inhaltlichen Bezugnahmen zwischen Kontext und Text (Gutes tun und Böses meiden; ein jeweils den weltlichen Gegebenheiten angemessenes Tun der Liebe; eschatologische »Weltfremdheit« des Christen als Dringlichkeitsmoment für das Inhaltliche) schlägt sich nieder in der Einschätzung des Textes selbst, bei der inhaltliche Momente, wie die Aufgabe des Staates in ihrer Qualität als Dienersein, nicht hinreichend erkannt werden. Daher kann es zu Vorstellungen einer Stellvertretervollmacht kommen, die den Einzelnen mit fast absolutem Anspruch bindet. Mag ein solches Ergebnis mit bestimmten systematischen Voraussetzungen übereinstimmen, so entspricht es der textlichen Gegebenheit zu wenig, daß der Christ *nicht nur* als »Jedermann« angesprochen ist, der den für alle geltenden Gesetzen zu entsprechen hat, sondern dies gerade unter der Rücksicht seines Christseins verantworten muß. Paulus wendet sich nicht an eine anonyme Allgemeinheit in ihrer Eigengesetzlichkeit, sondern an Christen, die er auf ihre Verpflichtung gegenüber der Allgemeinheit aufmerksam macht. »Jedermann« als Christ ist aber aus demselben Grunde, aus dem er den Staat als Ordnung anerkennt, auch zu einer der ganzen Schöpfung Gottes entsprechenden Haltung verpflichtet, zu der mehr gehört als die in ihrem Auftrag notwendige Staatlichkeit des Staates. Wie der Christ seine spezifische Verantwortung in der allgemeinen Verantwortung wahrnehmen könnte, wird angesichts des umfassenden staatlichen Geltungsanspruchs nicht sichtbar.

Die Überbetonung der »Rolle« des Staates führt auch bei der Beurteilung des Verhältnisses zur Kirche zu sachlich unzutreffenden Ergebnissen. Röm 13,1—7 spricht, was dieses Verhältnis angeht, von nichts anderem als der den Christen im Rahmen der allgemeinen Verpflichtung obliegenden Verantwortung und läßt die Annahme einer Partnerschaft in der Art einer »kongenialen« Verwaltungsgemeinschaft über den Menschen mit geteilten Zuständigkeitsbereichen nicht zu. Hier zeigt sich in besonders krasser Weise, wie weit entfernt vom Text die Spekulation ihren Ausgangspunkt genommen hat.

Richtiges hat die naturrechtlich-ordnungstheologische Auslegung hinsichtlich des Verhältnisses von Staat und Gesellschaft (wie wir es heute nennen) gesehen, insofern sie zu einer klaren Gegenüberstellung kommt. Es ist nicht zu verkennen, daß nach unserem Text der Staat in seiner von Gott gesetzten Bestimmung darauf gerichtet ist, gegenüber »Jedermann«, d.h. aber gerade auch gegenüber der Gesellschaft als ganzer und ihrer verschiedenen Gruppen, zum Guten zu wirken und wegen dieser Allgemeinbestimmung von »Jedermann« Unterordnung zu beanspruchen.

b. Zur konkret-charismatischen Interpretation: Verständnis des Textes unter Voraussetzung einer situationsethisch-pneumatischen Konzeption

Die konkret-charismatische Auslegung wirkt wie das Gegenteil zur naturrechtlich-ordnungstheologischen Interpretation. Sie bestreitet nicht nur deren Verständnis von Röm 13,1—7, sondern sucht es als mit dem Text schlechterdings unvereinbar zu erweisen. Sie geht dabei zunächst von der richtigen Überlegung aus, daß es im Verhältnis des Christen zum Staat nicht um Unterordnung unter jedwede Setzung gehen kann, sondern daß sich christlicher Gehorsam sachlich gebunden weiß. Über diesen, dem Text entsprechenden Ansatz hinaus versucht sie dann jedoch, *ihr* Verständnis paulinischer Theologie zur Grundlage aller weiteren Textinterpretation zu machen, den Text demnach auch von einem vorgegebenen allgemeinen Rahmen her — Käsemann nennt ihn »Gesamtverständnis paulinischer Paränese«[2] — zu verstehen. Verglichen mit der naturrechtlich-ordnungstheologischen Auslegung wird hier im Grunde der systematische Rahmen lediglich ausgetauscht, während die Problematik des Denkens aus einer vorgefaßten Konzeption bleibt. Das oben (159f) zum Verhältnis von Textinterpretation und Systembildung Gesagte gilt daher auch hier. Wo dort das Naturrecht oder eine »Ordnungstheologie« als Bezugssystem steht, findet sich hier ein »Gesamtverständnis«, von dem her die Grenzen des Verständnisses des Einzeltextes Röm 13,1—7 bestimmt werden.

Äußerer textlicher Anknüpfungspunkt für die Durchführung der erforderlichen interpretatorischen Operationen ist der Eigencharakter des Textabschnittes. Von der konkret-charismatischen Auslegung zur »Fremdkörperproblematik« ausgeweitet, hindert er es, kontextliche Verbindungen herzustellen. Dabei wird aber schon vorausgesetzt, daß es ein »Gesamtverständnis« gibt, an dem sich textlich-kontextliche Verstehensmöglichkeiten ermessen lassen. Der Abschnitt Röm 13,1—7 gehört anscheinend nicht zu den Textstellen, aus denen das Gesamtverständnis gewonnen wird, sondern steht diesem von vornherein gegenüber. Der Eigencharakter von Röm 13,1—7 als solcher kann dafür kaum ausschlaggebender Grund sein, denn es ließe sich mit nicht geringerer »Logik« behaupten, daß diese Stelle in ihrer Ausdrücklichkeit und apodiktischen Schärfe auch und gerade als Unikum besonderes Gewicht im Rahmen der paränetischen Einzelstücke verdiene, zumal ihr Thema — Weltverhältnis der Christen im Rahmen der alle Menschen betreffenden Staatlichkeit — wichtig genug ist. Daraus erhellt, daß es sich bei der Gegenüberstellung um eine Voraussetzung, nicht aber um eine inhaltlich-textliche Notwendigkeit handelt. Diese Voraussetzung entspricht vielmehr der inneren Schlüssigkeit eines bestimmten systematischen Verständnisses, eben dem »Gesamtverständnis paulinischer Paränese«. Gekennzeichnet ist dieses durch die Merkmale: Eschaton, Situation/Kasuistik und Charisma. Das Eschaton ruft den Christen zu einem grundsätzlich veränderten Handeln auf, das jedoch inhaltlich nicht aus einem »Prinzip« oder einer »Linie« der im Neuen Testament aufscheinenden »Ethik« abgeleitet werden kann, weil sich eine solche »Ethik« jeweils nur in nebeneinanderstehenden Einzelforderungen ohne übergreifende Thematik zeigt (Kasuistik). In den so bestehenden offenen Raum des Handelns greift das Charisma als Dienst an der Welt unter Abwägung der jeweils zu berücksichtigenden Weltumstände konkretisierend ein (Situation). Die Freiheit von den Gegebenheiten des alten Äon mit seinen Ordnungen und Verpflichtungen gehört dabei wesentlich mit zum Begriff des Charisma im Sinne der konkret-charismatischen Auslegung. Das Inhaltli-

---

[2] Käsemann, Grundsätzliches 205f.

che des zu Tuenden ergibt sich aus der Ganzbeteiligung des Menschen angesichts des Eschaton.

Solcher Offenheit im Handeln des Einzelnen widerstrebt ein Text wie Röm 13,1—7, der in seinen allgemeinen und apodiktischen Formulierungen wenig Spielraum für eine persönlich-charismatische Verantwortung in dem beschriebenen Sinne läßt. Um diesen Widerspruch zwischen »Gesamtverständnis« und Einzeltext aufzulösen, muß die Auslegung versuchen, den Text im konkret-charismatischen Sinn zu interpretieren. Da der Text aber in sich eindeutig und klar erscheint, wird eine Modifikation zunächst über die textlichen Rahmenfragen gesucht. Das geschieht durch »Abkoppelung« der Einzelforderung von ihrer Begründung. Hierbei ist die konkret-charismatische Auslegung auf zahlreiche Vermutungen und Unterstellungen angewiesen, die sich bei näherem Zusehen als nicht stichhaltig oder als methodisch unzureichend erweisen, aber zu dem für die konkret-charismatische Auslegung wichtigen Ergebnis führen, der Apostel sei für seine Worte »nicht voll verantwortlich«. Als Beispiele seien hier summarisch genannt: die Gleichsetzung von Tradition mit Nichtchristlichkeit; die Behauptung, die persönliche Erfahrung des Apostels und die komplizierten politischen Verhältnisse seien nicht berücksichtigt; die Herstellung entlegener Analogien, z.B. 1 Kor 11,2ff und 1 Kor 14,33ff. Darüberhinaus belegen insbesondere die Forschungsergebnisse eschatologisch-realistisch denkender Autoren, daß der textlich-kontextliche Zusammenhang weder exakte Rückschlüsse auf eine bestimmte römische Situation zuläßt, noch die Annahme eines ausschließlich nichtchristlich geprägten Traditionsstromes rechtfertigt.

Das methodische Grundproblem liegt allerdings bereits in der Vorstellung von der Trennbarkeit der Forderung und ihrer Begründung. Es kann schlechterdings nicht überzeugen, daß die Begründung für eine Mahnung weniger Bedeutung haben soll als die Mahnung selbst, auf die sie sich bezieht, und die ein Autor gerade so und nicht anders gibt. Das gilt in noch gesteigertem Maße bei zunehmender Allgemeinheit und Nachdrücklichkeit der die Forderung begründenden Gedanken. Dort, wo Begründungen gegeben werden, ist zunächst davon auszugehen, daß das Gewollte bzw. Gesollte etwas mit der Begründung zu tun hat und daß die Plausibilität des einen gerade vom anderen her verständlich wird. Daher ist grundsätzlich — ausgenommen sind konkret nachzuweisende Abweichungen — von der Einheit der Mahnung und ihrer Begründung auszugehen; beide interpretieren sich gegenseitig. Begründungen sind als konstitutiv für das zu Begründende anzusehen und müssen unter veränderten Zeitverhältnissen gegebenenfalls neu verständlich gemacht werden. Ein Verzicht auf sie wegen aktueller Verständnisschwierigkeiten müßte in letzter Konsequenz die Mahnung selbst treffen. Ihr Woraufhin wäre nicht mehr klar. Dadurch würde sie selbst faktisch obsolet. Gerade dies, so hat es den Anschein, ist das Ziel der konkret-charismatischen Auslegung. Was bei ihrer Interpretation von der Forderung noch übrig bleibt, hat — entgegen dem Wortlaut in Röm 13,1—7 — kaum noch jenes Eigengewicht, das dem Staat als gestaltender Macht zukommt, sondern ist vollständig abhängig vom »Prinzip« charismatischen Diensthandelns.

Die methodischen und sachlichen Schwierigkeiten der konkret-charismatischen Auslegung setzen sich fort bei der unmittelbaren Textinterpretation. So in der Konstruktion einer Divergenz zwischen dem Staat als solchen und seinen Funktionsträgern als Einzelpersonen. Daß der Staat jeweils nur durch konkrete Organe und Funktionsträger handelt, bedarf keiner Erörterung. Das, was deren Befugnis ausmacht, ist aber gerade jenes Gemeinwesen als Ganzes, das durch sie handelt und an dem sie im Rahmen ihrer Funktion öffentlich teilhaben. Die Annahme einer sich einfach als »zwischenmenschliche Relation« darstellenden Beziehung zwischen dem einzelnen »Funktionsträger« und dem »Bürger« liegt neben dem Text und widerspricht auch jeglicher lebensmäßiger Erfahrung, die im römischen Staate in dieser Hinsicht nicht wesentlich anders, wenn auch autoritätsbezogener war als heute. Die innerweltliche Legitimation, einschließlich bestimmter Mitwirkungsformen des Bürgers für die Ausübung staatlicher Gewalt, und eine Reihe von konkreten Aufgaben haben sich wohl geändert, nicht aber die »Rolle« des Staates als hoheitliches Gegenüber zu »Jedermann«, sei er Einzelner, eine Gruppe oder die Gesellschaft.

Ebensowenig entspricht die Behauptung von einem »argumentativen Stil« der Begründung den textlichen Gegebenheiten. Der Text nennt zwar Gründe für die Forderung, hat aber nichts Abwägendes, nichts Erwägendes an sich, das die Geltung der Forderung zur Diskussion stellen würde. Ebenso autoritativ wie die Forderung selbst werden die sie begründenden »Argumente« angefügt mit keinem ersichtlich anderen Ziel als die Forderung einzuschärfen und in ihrer ganzen Bedeutung herauszustellen. Das Autoritative der Worte war es gerade, das Käsemann dazu bestimmte, Röm 13,1—7 als »Fremdkörper« in einem ansonsten christlich-brüderlichen Aussagezusammenhang zu bezeichnen.

Als letztes Beispiel sei auf die Umdeutung des »von Gott eingesetzt« in »von Gott in Dienst genommen« verwiesen. Hierin wird das Moment des Stabilen, Kontinuierlichen, Bestimmten ersetzt durch ein je sich erneuerndes und veränderndes Ad-hoc, das schon wegen seiner Variabilität stetiger Überprüfung und kritischer Begleitung bedarf und so jeglicher Vergewisserungsqualität entbehrt. Solcher Motivaustausch ist weder mit dem Passus »von Gott eingesetzt« noch mit dem Auftrag des Staates in Einklang zu bringen, der selbst in der äußersten Reduktion, auf den ihn die konkret-charismatische Auslegung beschränkt (Abwehr von weltfremden Schwärmertum), doch ein beständiges Moment seines Daseins und seines Tuns hat.

Die Behauptung mangelnder Einsetzung des Staates muß aber dazu führen, daß der Staat selbst sich weniger an sein Gebundensein erinnert und so in seiner Faktizität mehr Eigengewicht gewinnt als dies Röm 13 entsprechen würde. Das wäre das Gegenteil dessen, was die konkret-charismatische Auslegung eigentlich will und könnte im Einzelfall weniger Schutz vor dem Staat bieten als es selbst bei extrem naturrechtlich-ordnungstheologischer Auslegung der Fall wäre. Wenn die Christen den Staat nicht mehr in einem solchen festen Gesetztsein und in einer solchen Gebundenheit sehen — dies ist eine praktische, aber unausweichliche Folge dieser Sicht —, verlieren sie selbst die Möglichkeit, den Staat nicht nur in seinem von Gott gegründeten, sondern auch durch Gott gebundenen Auftrag zu verhaften. Die von der konkret-charismatischen Auslegung intendierte Offenheit und Unbestimmtheit der zwischen Staat und »Jedermann« ablaufenden Vollzüge führt zu einem Verschwimmen nicht nur der Konturen zur Gesellschaft hin, sondern auch der »Rollen« von Staat und Kirche: »Jedermann« und also auch die Kirche ist in einem unablässigem Prozeß sich ändernder Weltumstände und ihnen entsprechender Reaktionen am Staat beteiligt. In der Offenheit dieser Verhältnisse wird sich letztlich jene Kraft mit größerem Erfolg durchsetzen, die jeweils die stärkste — sachlich ungebundene — Macht verkörpert, jene Macht, die nur eine »Verantwortung« sich selbst gegenüber kennt.

c. Zur eschatologisch-realistischen Interpretation: Versuch eines Verständnisses des Textes aus sich selbst ohne systematische Voraussetzungen

Die eschatologisch-realistische Auslegung unterscheidet sich von den beiden anderen Interpretationsweisen dadurch, daß sie auf eine systematische Vorentscheidung verzichtet und versucht, die in Röm 13,1—7 enthaltenen Aussagen allein aus dem textlich-kontextlichen Zusammenhang mit seinen durchaus vielgestaltigen Motiven zu erschließen. Damit ist nicht gesagt, daß sie außerhalb der Interpretationsgeschichte stünde und unbeeinflußt von allgemeinem theologischen Denken wäre — solches ist aufgrund der geschichtlichen Verfaßtheit des Menschen apriori ausgeschlossen —, aber ein bestimmter systematischer Ort, von dem her sie den Text entfaltet, ist kaum oder nicht erkennbar. Ausgehend von der Einheit des Textes (Zusammenhang von Forderung und Begründung), erkennt sie sowohl den grundsätzlichen Charakter seiner Aussagen als auch deren sachlichen Bezug auf das gemeine Beste hin. Das inhaltlich-sachliche Moment kann sie darüber hinaus aus dem Kontext aufweisen, der einerseits den Text Röm 13,1—7 in eine übergeordnete Motivverbindung — letztlich die christliche Liebe — einbindet, ihm andererseits aber seinen besonderen Charakter beläßt, ja bestätigt. Christliche Liebe wird immer so gegeben, wie das vom jeweiligen Gegenüber gefordert ist: unter Mitchristen anders als in der Welt und hier wiederum gegenüber dem Staat in bestimmter Weise, die von seinem — als Staatlichkeit besonders gesetzten und begrenzten — Auftrag gegenüber dieser Welt abhängt. Die Berücksichtigung des Kontextes stellt die Aussagen von Röm 13,1—7 zutreffend auch in den eschatologischen Zusammenhang gemäß 13,11ff und in die von dort her gegebene Dringlichkeit ihrer Geltung im noch bestehenden Äon. Sie vermeidet damit jede »eschatologische Überheblichkeit«, in der der Christ die Welt und den Staat in ihrer Vergänglichkeit und Relativität sieht, dabei aber vergißt, daß er selbst, solange er irdischer Mensch ist, denselben Bedingungen unterliegt und insoweit in selber Weise fehlen und irren kann. Daraus erwächst die selbstkritische Bescheidenheit, mit der der Christ dem Staat im Wirken zum Guten folgt, aber auch die Verwirklichung und die Grenzen des Auftrags des Staates zum Guten mißt und gegebenenfalls zu einer Ablehnung der staatlichen Gehorsamsforderung kommt. Wo die Grenzen im einzelnen liegen, bleibt offen — auch der Text zeigt nicht mehr als die Grundrelation von Einsetzung, Auftrag und Gehorsam. Daß die inhaltliche Seite dieser Relation in einer ihrem Gewicht entsprechenden Weise hervorgehoben wird, ist das Verdienst der eschatologisch-realistischen Auslegung. Von ihr her wird das Verhältnis von Staat, »Jedermann« und Kirche sichtbar: als Gegenüber, insofern dem Staat für den Bereich des irdisch-menschlichen Zusammenlebens niemandem sonst zustehende Kompetenz gegeben ist, und als gemeinsames Gebundensein an das Gute, worauf in seiner besonderen Weise des Erkennens und Verstehens auch der Christ verpflichtet ist, an den sich Paulus, bei allem Verweis auf das für »Jedermann« Gültige, ausdrücklich in unserem Textabschnitt wendet. Das Entscheidende für dieses Verhältnis ist nicht die Anerkennung irgendeines menschlichen Handelns als solchen durch den Staat, sondern die Anerkennung des *guten* Tuns, dem der Staat selbst verpflichtet ist.

d. Zur christokratisch-politischen Interpretation: Negierung des Selbstverständnisses des Textes durch einen theokratischen Totalitätsanspruch

Die christokratisch-politische Interpretation steht, streng genommen, außerhalb einer unmittelbaren Vergleichbarkeit zu den übrigen Auslegungsrichtungen. Während jene ein geschöpfliches Eigenrecht des Staates grundsätzlich anerkennen oder doch, wie die konkret-charismatische Auslegung, wenigstens zur Kenntnis nehmen — für Käsemann war es gerade ein Kernproblem, daß Röm 13 Elemente einer Begründung geschöpflicher Ordnung enthält —, wird von der christokratisch-politischen Interpretation jeder Selbststand des Geschöpflichen bei der Erkenntnis des Gotteswillens und seiner für den Menschen maßgebenden Ordnungen mit normativer Bestimmtheit ausgeschlossen. Unter der allumfassenden Herrschaft Christi ist Geschöpflichkeit legitim nur noch als (willenlose) Instrumentalität für Christus und seine irdische Vermittlungsgestalt (Kirche) zulässig oder sie entartet zur Erscheinung des Dämonischen.

Dieses Denkschema[3], das seine monistische Sicht kaum vermittelt den Schrifttexten, die es zur Konsolidierung seiner Prämissen heranzieht, einträgt und so Röm 13 nicht interpretiert, sondern okkupiert — man hat in diesem Zusammenhang auch von »Vergewaltigung« gesprochen —, erweist sich bei der konkreten Anwendung auf die menschlich-staatliche Sphäre als außerordentlich rigide. Der Staat, seines ursprünglichen Legitimationsgrundes beraubt, nicht geschöpflichem Auftrag, sondern eschatologischer Veränderung verpflichtet, wahrt nicht mehr ein allen Menschen anvertrautes Gutes und darin die im Geschöpflich-Allgemeinen sich bewegenden Interessen des Einzelnen, sondern propagiert, unter Zurückdrängung dieses Raumes, ein spezifisch christlich Gutes — »das gute Werk des Glaubens« — mit erhöhtem, vom Letzten her erhobenen Anspruch. Die ihm zur Abwehr chaotisch-eigenmächtiger Gefährdung des allgemein-menschlichen Daseins verliehenen exekutiven Machtmittel (Furcht, Zwang, Schwert, Gericht) werden nun zur Verbreitung und Durchsetzung eschatologischer Gegenwartsverhältnisse eingesetzt. Das vom Staat ursprünglich zu Schützende wird durch den Staat absorbiert von einem theokratisch alle menschliche Wirklichkeit erfassenden Totalitätsdenken. Das übertrifft bei weitem die Härten des naturrechtlich-ordnungstheologischen Stellvertreter-Modells, das immerhin in Gestalt zweier Pflichtenkreise noch eine Art Gewal-

---

[3] Zur Denkform K. Barths: Barth, KD I/2 817ff; H.U. v. Balthasar, Karl Barth. Darstellung und Deutung seiner Theologie, Einsiedeln ⁴1976, 201ff; G. Hillerdal, Gehorsam gegen Gott und Menschen. Luthers Lehre von der Obrigkeit und die moderne evangelische Staatsethik, Göttingen 1954, 231ff, (238f), 244ff; R. Hauser, Autorität und Macht, Heidelberg 1949, 68—83.

tenteilung kannte, die prinzipiell, wenn auch in geschichtlicher Relativität, geschöpflich-menschlichen Freiraum eröffnet. An die Stelle überhöhter geschöpflicher Stellvertretermacht des Staates ist bei den »Christokraten« die ins Absolute gesteigerte Geltung einer das Letzte und Endgültige selbst — in werkzeuglicher Verwendung staatlicher Hoheitsattribute — repräsentierenden Kirche getreten.

Abgesehen davon, daß nichts von alledem in Wortlaut und Sinn von Röm 13 eine Anknüpfung findet, kann die christokratisch-politische Interpretation ihren systematisch-einförmigen Ansatz selbst nicht durchhalten. Sie muß die ignorierte Geschöpflichkeit angesichts ihrer geschichtlichen Evidenz wenigstens noch im Negativ zur Sprache bringen. So wenn sie die geschöpfliche Ent-Eignung des Staates hin zur Werkzeuglichkeit für Christus mit angelologischen Konstruktionen erkauft, die von vornherein die Dämonisierung als Form rückfällig-geschöpflicher Selbstmächtigkeit einschließt, oder wenn sie das Vergeltungshandeln des Staates, gerade in ihrer Theorie eine überwundene Gestalt des alten Äon, zur Gestalt der Gnade Gottes werden läßt, die — noch der geschöpflichen Sphäre verhaftet — als gnadenlose Gestalt der Gnade, nur noch in sprachlich-paradoxer Verfremdung den Anschein von Stimmigkeit wahrend, verkündet wird. Stillschweigende Kenntnisnahme der Geltung des Geschöpflichen ist auch zu verzeichnen in der selbstverständlichen Einteilung der einen Herrschaft Christi in eine primär und eine sekundär christologische Sphäre bzw. in einen inneren und in einen äußeren Herrschaftskreis.

Im Bereich des christlichen Selbstverständnisses führt der Irrtum über die Wirklichkeit des Geschöpflichen zum Phänomen eschatologischen Besserwissens auch in den irdischen Belangen. Während die Kirche den Staat, der, wie alles Menschliche, vor das Eschaton gestellt, versagen muß, dämonischunwissend in Eigenmacht zurückfallen sieht, bleibt sie, in ihrer innerweltlich-unzulänglichen Dimension von Staat und »Jedermann« durchaus nicht unterschieden, auf eschatologischer Höhe, von der herab sie mit »ultimativem« Anspruch in die Angelegenheiten der Welt eingreift. Darin liegt ein fataler Ansatz, weil sich hier christliches Weltgestalten der Vergleichsebene allen menschlichen Irrens und Versagens entzieht und gerade im Entzug seinen Überlegenheitsanspruch konstituiert, der auf der allein konvergenten Ebene geschöpflichen Daseins nicht begründbar ist. Kurz: die Leugnung des Geschöpflichen führt nach der Seite des Staates hin, der sich irdisch-»normal« verhält, zu Dämonie, seitens der Kirche, die irdisch-politisch nicht qualifizierter handelt, zu einem realen Selbstverständnis himmlischer Größe.

Solche Selbsttäuschung birgt schwerwiegende Gefahren für den Einzelnen wie für »Jedermann«, insoweit menschlich Vorläufiges, und das heißt im

Ernstfall geschichtlich Unrichtiges, im Gewand end-gültiger Richtigkeit sich gegen geschichtlich Richtiges durchsetzt, das nur deshalb übergangen werden kann, weil es menschliche Vorläufigkeit nicht leugnet und sich für sein irdisches Tun nicht einer übermenschlichen Scheinlegitimation versichert.

e. Vergleichende Betrachtungen zum christokratisch-politischen und zum konkret-charismatischen Interpretationstyp

Im Moment der »eschatologischen Überheblichkeit« zeigt sich, über die im Zuge der Erörterungen bereits erkennbar gewordenen Verbindungen hinaus, ein tieferer Zusammenhang des christokratisch-politischen und des konkret-charismatischen Interpretationsmodells, der vor allem in der praktischen Konkretion des jeweiligen theoretischen Ansatzes deutlich wird. Wie die christokratisch-politische Interpretation geht konkret-charismatisches Denken vom eschatologisch bestimmten Weltauftrag des Christen aus. Wie dort ist der Einheitspunkt aller das menschliche Leben betreffenden Überlegungen letztlich das Gekommensein der eschatologischen Stunde, aus dem die konkreten Rechte und Pflichten der Christen zur Verwirklichung des Eschaton im menschlichen Alltag folgen, ein Vorgang, der auch sprachlich ähnlich als »politischer Gottesdienst« (Barth) oder »Gottesdienst im Alltag der Welt« (Käsemann) oder »missionarisches Tatzeugnis im politischen Alltag der Welt« (Friedrich) umschrieben wird.

Dabei erwarten beide Sichtweisen das Eschaton nicht als gegebene Zukunft, sondern sehen es als je zu aktualisierendes Potential im politisch-gesellschaftlichen Leben. Ein über den prozeßhaften Vollzug hinausgehender »Ort« des Eschaton ist nicht erkennbar. Beide Theorien drängen — vom Anspruch der Alleingeltung des Eschaton her konsequent — das Geschöpfliche zurück, wenn bei den »Charismatikern« auch nicht durch definitiven Ausschluß, sondern eher in der Art faktischen Bagatellisierens der in der Welt anzutreffenden Ordnungen.

In beiden Denkmodellen begegnet man dem Staat grundsätzlich kritisch, nimmt ihn aber auch ungezwungen für die christliche Sache in Dienst, wo dies nötig erscheint; dabei vertritt auch hier die konkret-charismatische Interpretation die mildere Version, indem sie solche Indienstnahme nicht auch zum institutionellen staatlichen Selbstverständnis erklärt. Dennoch: die Grenzen sind fließend, zumal auch in christokratisch-politischer Sicht der Staat nicht notwendig um seinen Dienst für die Kirche wissen muß. Beide Verstehensweisen haben eine mehr oder weniger ausgreifende Interferenz des staatlichen, gesellschaftlichen und kirchlichen Bereichs zur Folge. Ist für den Christen allein die reale eschatologische Erwartung für sein

Welthandeln entscheidend, müssen notwendig alle anderen in der Welt vorfindlichen Faktoren zu bloßen »Weltumständen« werden, die je nach Benötigung vom Christlichen her gebraucht oder nicht gebraucht, verstärkt oder abgeschwächt, ausgetauscht oder kombiniert, isoliert oder kumuliert werden. Eine klare Scheidung bestimmter Ordnungen ist hier weder möglich noch erforderlich.

Beide Auffassungen sind sich schließlich darin einig, daß der Staat nur so weit Geltung beanspruchen und mit dem Gehorsam der Christen rechnen kann, wie er nicht ihren pneumatischen Weltdienst behindert und etwa mit Eigenem dazwischentritt. In einem solchen Falle ist, wenn nicht Abwehr des Dämonischen, so jedenfalls energischer Widerstand geboten. Auftrag und Grenze des Staates bemessen sich in beiden Systemen nach dem vom Eschaton her Erforderlichen.

Die vergleichende Betrachtung der die Auseinandersetzung um Röm 13,1—7 bewegenden Motive macht deutlich, daß die konkret-charismatische Interpretation das Anliegen der »Christokraten« wirkungsgeschichtlich weiterführt. Sie holt, auf der gemeinsamen Grundlage christlichen Daseinsverständnisses als eschatologischer Weltveränderung, deren durch keinerlei Vermittlung, seien es text- und literarkritische Fragen, Überlegungen zum Kontext, Berücksichtigung traditionsgeschichtlicher Gegebenheiten und Erörterung entstehungsgeschichtlicher Faktoren, zum Schriftgemäßen hin überbrücktes Konzept in den Raum allgemein geltender exegetischer Kategorien und macht es damit, unter veränderten zeitgeschichtlichen und theologischen Voraussetzungen, diskutabel.

Der Unterschied zwischen beiden, in der theoretischen Grundlegung bedeutsamer als in der konkretisierenden Anwendung, liegt letztlich nur darin, daß die konkret-charismatische Verstehensweise jede ontologische Grundorientierung und alle Institutionalisierungen eschatologischer Dimensionen ablehnt, ihr konkretes geschichtliches Ziel aber durch ein im Einzelfall nicht weniger stringentes, sich die Weltumstände dienstbar machendes Ad-hoc-Handeln erreicht. Der Einzelfall, die konkrete, je zu verändernde Situation, ist hier wie dort der ausschlaggebende Transformationspunkt für das weltwirksam werdende Eschaton. Darin liegt das beiden Theorien eignende einseitig prozeßhafte Staatsverständnis begründet.

2. LEITSÄTZE ZUM EXEGETISCH-SYSTEMATISCHEN VERSTÄNDNIS VON RÖM 13,1—7

Die Aporien der Auslegung sind überdeutlich geworden, die Verstehensvoraussetzungen der einzelnen Interpretationstypen aufgehellt. Jetzt bleibt die Aufgabe, den Text unter Berücksichtigung der entscheidenden exegetisch-theologischen Erkenntnisse nochmals zu bedenken. Das würde im Grunde eine neue Auslegung erfordern. Diese Aufgabe kann hier nicht geleistet werden. Da aber die Untersuchungen zu einer kritisch zusammenfassenden Auswertung drängen, sollen im Folgenden kurz jene Gesichtspunkte festgehalten werden, die, quer durch die Typen der Auslegung, für das Verständnis von Röm 13,1—7 Geltung besitzen.

Das geschieht in zwei Schritten: einmal unter Berücksichtigung der speziell exegetischen Anliegen, d.h. der textlichen Gegebenheiten einschließlich der zum »Rahmen« des Textes gehörenden Fragen, zum andern in der Anwendung systematischer Überlegungen, die über das unmittelbar Textgebundene der Aussagen hinaus weitere Folgerungen ziehen, ohne dabei jedoch die deutlich gewordenen Konturen des Skopos zu überschreiten.

Grundlegend neue Erkenntnisse, die nicht hier oder dort schon einmal bedacht und formuliert worden wären, sind dabei freilich kaum zu erwarten. Die ordnende Zusammenschau und Bewertung der in der vorfindlichen Auseinandersetzung um das Verständnis von Röm 13 liegenden Streitpunkte, um die es in dieser Arbeit ging, vermag aber am Ende das »Dickicht des Urwaldes« vielleicht doch ein wenig zu lichten und den Blick wieder stärker auf die Grundintentionen des Textes zu lenken. Das wäre dann gleichsam eine weitere Stufe der Läuterung und Klärung in dem langwährenden Ringen um das rechte Verständnis des Textes in unserer Zeit.

Die im Folgenden aufgeführten Gesichtspunkte sind ganz auf dem Hintergrund der vorausgegangenen Erörterungen zu sehen, sind deren Teil und abschließende Zusammenfassung. Sie tragen die wesentlichen Punkte der Auseinandersetzung in Kurzform zusammen und nehmen gleichzeitig noch einmal thesenartig Stellung. Dabei wird man die »Thesen« nur dann nicht mißverstehen, wenn man ihren inneren Zusammenhang untereinander und zu der vorausgehenden Untersuchung im Blick behält.

a. Exegetische Gesichtspunkte zur Auslegung von Röm 13,1—7

— (1) Der Text Röm 13,1—7 hat im Rahmen seines Kontextes eine Sonderstellung, insofern er nach einer Reihe von Einzelmahnungen zu generalisierenden Formulierungen übergeht und inhaltlich keine explizit christologische Begründung oder eine Motivation aus der Liebe enthält.

— (2) Das Anliegen des Textes ist ein primär paränetisches; dies wird jedoch — wegen des Eigencharakters der Stelle — erst aus dem Kontext voll erschließbar. Die Gehorsamsforderung, nicht die gegebene Begründung, ist das eigentliche Anliegen der Mahnung. Die Unterweisung zielt nicht auf den Staat als Gegenstand theoretischer Erkenntnis (keine Staatslehre), sondern gilt dem rechten Verhalten der Christen gegenüber der Wirklichkeit und der in ihr vorfindlichen Einrichtung des Staates. In den die Gehorsamsforderung stützenden Begründungen sind aber direkt oder indirekt Auskünfte über den Staat selbst mitgegeben. Die Paränese erschöpft sich daher nicht in bloßen Handlungsanweisungen, sondern erweist sich als Vermittlung von universaler Christusbotschaft und konkret-geschichtlicher Handlungssituation.

— (3) Ihrem Charakter nach sind die Aussagen des Textes bestimmt durch Grundsätzlichkeit, Inhaltlichkeit und Dringlichkeit. Das Moment des Grundsätzlichen (Absolutheit der Forderung, Anspruch auf Allgemeingeltung) erhellt aus dem Wortlaut selbst, das Inhaltliche (Nichtangleichung an die Welt, Unterordnen unter die staatliche Gewalt als konkreter Erweis christlicher Liebe) steht in Motivverbindung zum Kontext. Vom Kontext her erhalten die Textaussagen zugleich den Impuls der Dringlichkeit, insoweit das Eschaton (13,11—14) zu einem entsprechenden Wandel verpflichtet.

— (4) Eine besondere situative Gegebenheit, die für die Aussagen Röm 13,1—7 Anlaß gewesen sein mag und die eine konkret-historische Einschränkung der Geltung des Textes nahelegen würde, kann Text und Kontext nicht entnommen werden.

— (5) Der Staat ist von Gott eingesetzt (V 1—2). Rückschlüsse auf eine naturrechtliche oder ordnungstheologische Grundlegung des Staates können daraus nicht gezogen werden. Während aber weiterführende systematische Überlegungen in diese Richtung vom Text nicht einfach gehindert werden, verbietet das Moment der Einsetzung (= willentliche Bestallung durch Gott) die Annahme einer Begründung des Staates rein aus der geschichtlichen Faktizität, nur aus dem Willen des Menschen (gesellschaftlicher Vertrag), allein aus dem Charisma der Gewalthaber oder aus einem Ad-hoc-Handeln von Funktionsträgern, die sich Gott zur Durchsetzung seines Willens je dienstbar macht.

— (6) In seinem Eingesetztsein hat der Staat zum Guten des Menschen zu wirken; das schließt die Abwehr des Bösen ein. Darin ist er Diener Gottes (V 3—4). Einsetzung und Auftrag gehören zusammen. In dieser Gegebenheit liegt die Verpflichtung und Begrenzung des Staates auf das für das Leben des Ganzen Guten und Förderlichen: das Gemeinwohl.

— (7) Das Moment des Gesetztseins (V 1), das, formal und inhaltlich entfaltet, den ganzen Text prägt — der Staat ist »Anordnung« Gottes (V 2), Gottes »Diener« (V 4) und »Beamter«/»Beauftragter« (V 6), umgekehrt soll sich »Jedermann« dieser Bestimmung des Staates »unterordnen« bzw. nicht widerstehen (VV 1,2,5) —, entzieht den Staat einfacher Gleichordnung mit »Jedermann«, stellt ihn vielmehr gerade in dieser Eigenschaft »Jedermann« dienend-ordnend gegenüber (Unterscheidung von Gut und Böse; Erteilung von Lob und Strafe (VV 4,5).

— (8) Der Christ, der das erkennt, ist verpflichtet, diesen Gegebenheiten gewissensmäßig zu entsprechen. Eine Anpassung allein aus Angst vor Sanktionen genügt nicht (V 5).

— (9) Zur Frage der Überschreitung der dem Staat durch Setzung und Auftrag gezogenen Grenzen sagt Röm 13,1—7 unmittelbar nichts. So bleibt das Problem, wie der Christ angemessen auf ein Herausfallen des Staates aus der ihm zugewiesenen Aufgabe reagieren soll. Eine Antwort wird sich nur systematisch-schlußfolgernd aus dem Skopos der Stelle ableiten lassen.

b. Systematische Perspektiven der Exegese zu Röm 13,1—7

Bei der Ableitung systematischer Folgerungen aus dem exegetischen Befund ist zu berücksichtigen, daß sich der heutige Staat in vielem vom antiken Staat, auf den sich Paulus bezieht, unterscheidet. Andererseits scheint es Grundelemente zu geben, die sich durch alle geschichtlichen Wandlungen hindurch gleichgeblieben sind. Die neuzeitliche, demokratisch-pluralistische Staatsform ist jedenfalls darin antiken und mittelalterlichen Staatsbildungen gleich, daß sie nicht einfach Bürger und staatliche Institutionen ineinssetzt, nicht einfach das Gegenüber des Staates zum Bürger in »zwischenmenschliche Relationen« auflöst. Das ist eine soziologische Vorgabe, über die man nicht einfach theologisch hinweggehen kann. Mit dieser Feststellung soll Röm 13 nicht nachträglich noch in ein Ordnungssystem eingefügt werden. Aber das geschichtliche Faktum, von dem Paulus zumindest spricht, darf auch nicht bagatellisiert oder aus bestimmten situativen Absichten heraus übersehen werden. Eine Sicht, die den Text je nach augenblicklichem Bedürfnis — dazu gehört auch der gutmeinende Wille, der jeweiligen Zeit gerecht zu werden — für mehr oder weniger anwendbar erklärt und ihn so auf nicht mehr bestimmbare, letztlich nur subjektiv begründete Weise relativiert, würde dem Weltauftrag und dem Verbindlichkeitsanspruch der Schrift nicht gerecht werden.

Das bedeutet, daß nicht von vornherein eine Übereinstimmung zwischen dem Staat nach Röm 13 und dem modernen Staat ausgeschlossen werden kann. Dies umso weniger als auch der moderne Staat, wenngleich unter anderem Vorzeichen, weltlicher, der Tendenz nach nicht-christlicher, »säkularisierter« Staat ist. Insoweit ist die gegenwärtige Lage der in Röm 13 vorausgesetzten Situation wieder ähnlicher als in Zeiten des christlichen Mittelalters oder des Summepiskopats.

Die folgenden Überlegungen wollen eine möglichst textnahe Anregung geben und sehen es als Aufgabe weiterer systematischer und sozialethischer Überlegungen, die Konkretisierung und Aktualisierung fortzuführen. Die einzelnen »Thesen« geben jeweils einen Aspekt wieder, der nur aus dem Gesamt aller übrigen angemessen verstanden werden kann. Danach ist zu bedenken:

— (1) Auch der moderne Staat ist in den irdischen Belangen des Menschen »Jedermann«, d.h. den Einzelnen, den Gruppen, der Gesellschaft, der Kirche gegenübergesetzt. Die Gegenübersetzung ist institutionelle, d.h. inhaltliche und formale Kompetenz.

— (2) Inhaltliche Kompetenz bedeutet Wahrnehmung der dem Staat im Maße seiner legitimen Selbständigkeit zukommenden Erkenntnis- und Entscheidungsbefugnis hinsichtlich des für Leben und Zusammenleben des »Jedermann« Guten und Förderlichen: des Gemeinwohls. Eine darüber hinausgehende Zuständigkeit zur Entscheidung weltanschaulicher Fragen ist damit nicht gegeben. Staatliche Kompetenz als solche ist daher immer nur auf die Ermöglichung und Verwirklichung irdischer Gerechtigkeit und irdischen Rechts gerichtet, kann aber nicht die Sinn- und Heilsdimension des menschlichen Lebens selbst ergreifen.

— (3) Formale Kompetenz bedeutet — in Verbindung mit dem Moment des Entscheidens — allgemeine Gewährleistung des Gemeinwohls (der Staat als Träger der Gewährleistung).

— (4) Zur Wahrnehmung der so bestimmten Kompetenz gehören neben der die Lebensverhältnisse konzeptionell gestaltenden Tätigkeit und neben den Möglichkeiten allgemeiner Bewußtseinsbildung und Information zur Erreichung eines entsprechenden staatsbürgerlichen Selbstverständnisses die erforderliche Akte der Durchsetzung des Gemeinwohls und einer entsprechenden Organisation der staatlichen Gewalt. Insoweit sind die organisatorischen Strukturen selbst Inhalt des Gemeinwohls.

— (5) Da das Gemeinwohl nicht außerhalb der geschichtlichen Wirklichkeit steht, vielmehr an ihr in geschichtlich wandelbarer Form teilnimmt, ändert sich auch die Form staatlich-institutionellen Waltens. So ist die Staatsform wie auch deren Legitimation nicht an antike oder mittelalterliche Vorstellungen gebunden, sondern steht ebenso neuzeitlichen, demokratisch-pluralistischen Auffassungen offen.

— (6) Hieraus ergeben sich Grenzen staatlichen Waltens und Wandels. Beansprucht der Staat mehr als zur je ausreichenden Wahrung des Gemeinwohls erforderlich ist — sei es durch Erhebung weltanschaulicher Wahrheitsansprüche oder durch praktische Überdominanz im Rahmen seiner irdischen Gestaltungsaufgabe —, überschreitet er seinen Auftrag und mißt sich eine Verfügungsmacht zu, die ihm von Gott nicht gegeben ist. Das »Verbindlichkeitsverhältnis« zwischen ihm und »Jedermann« ist dann gestört. Das muß den Widerspruch des »Jedermann«, besonders aber der Christen hervorrufen. Je nach Ausmaß der Störung kann die Gehorsamsverpflichtung gemindert oder aufgehoben sein.

— (7) Aber auch nach der anderen Seite hin haben Staat und »Jedermann« jene Grenze zu beachten, die im Moment des Staatlichen selbst liegt: der Gegebenheit von institutioneller Gewähr. Wo diese für das Staatliche konstitutive Qualität verlorengeht oder doch in der politischen Wirklichkeit nicht mehr hinreichend erfahrbar wird, ist die Grenze des Notwendigen unterschritten. Hier wäre nicht mehr sicher, ob es der Staat ist, der etwas gemäß der gerade ihm zukommenden Aufgabe verlangt oder ob einfach gesellschaftliche Bestrebungen sich durchsetzen wollen, gegebenenfalls unter mißbräuchlicher Benutzung der dem Staat allein zukommenden, am Gemeinwohl orientierten institutionellen Formen. Auch in einem solchen Fall wäre »Jedermann«, besonders aber der Christ aus seiner spezifischen Verantwortung, zum Widerstand aufgerufen. Staat und »Jedermann« wären an das Unterscheidende des Staatlichen zu erinnern.

— (8) Für den einzelnen Christen und die Kirche, die ebenfalls zu »Jedermann« gehören, bedeutet dies: Achtung und Beachtung des dem Staat zukommenden Handlungsraumes wie auch seiner Grenzen, und zwar gleichermaßen hinsichtlich ihrer Überschreitung und ihrer Unterschreitung, gemessen an der zur Gewährleistung des Gemeinwohls erforderlichen institutionellen Kompetenz. Die Kirche ist — wie jeder — gegenüber dem Staat und »Jedermann« berechtigt und verpflichtet, auf die Einhaltung dieser Grenzen zu achten. Daraus ergibt sich nicht nur ein — in der oben genannten Weise zulässiges — Mitbedenken des Inhaltlichen, sondern auch des Formal-Strukturellen staatlichen Waltens.

Soll das Verhältnis der Kirche zum Staat in einem Bild ausgedrückt werden, so wird es kaum das des »Wächters« sein können. Ein »Wächteramt« kann leicht mißverstanden werden als Überlegenheit der Kirche in Belangen, in denen der Staat nicht weniger zuständig ist. Ebensowenig erscheint das Bild des »Partners« geeignet, weil hier eine, *die* Dimension der Kirche, ihr Charakter als eschatologische Heilsgemeinde, der stets auch ihre irdische Wirklichkeit bestimmt, außer Betracht bleibt und eine rein innerweltliche Gleichung aufgemacht wird. Am ehesten kann vielleicht das Bild vom »Nächsten« das Spezifische der Kirche auch gegenüber dem Staat zum Tragen bringen: ein Verhältnis, das den anderen aus den ihm gegebenen Voraussetzungen zu verstehen sucht, das ihm gegenüber auf Gutes bedacht ist (Röm 12,17) und, wenn irgend möglich, Frieden gibt (12,18), das ihm jedenfalls nichts Böses tut (13,10). Dieses Gute-Tun schließt fälliges Ermahnen, Korrigieren und Widerstehen nicht aus, sondern ein. Es soll ja den Anderen, um seiner selbst willen, dem Un-Guten entziehen. Und wenn der Staat durch sich selbst dem Unguten ausgesetzt ist, muß ihm dies deutlich zu verstehen gegeben werden. Das geschieht jedoch nicht in wie auch immer sich äußernden Formen prinzipieller Kritik, die dem Anderen immer schon das Böse unterstellt, sondern in der Weise einer das Ganze bedenkenden konstruktiven Kritik, die den Sinn von Staatlichkeit nicht übergeht. Dies aber schließt, wenn hier von extremen Erscheinungen (Offb 13!) abgesehen wird, immer auch das Moment der Zustimmung ein.

AUSGEWÄHLTE LITERATUR

Das Literaturverzeichnis enthält im wesentlichen nur solche Beiträge, die sich in engerem Sinn mit Röm 13,1—7 und anderen einschlägigen Schriftstellen befassen.

Die Zitation der einzelnen Beiträge erfolgt, wenn von einem Verfasser mehr als ein Titel aufgeführt ist, durch Bezugnahme auf das in Klammern gesetzte Titel-Stichwort, sonst durch einfache Nennung der Seitenzahl, ggfls. des Erscheinungsjahres, beim Autorennamen.

Affeldt, W., Die weltliche Gewalt in der Paulusexegese. Röm 13,1—7 in den Römerbriefkommentaren der lateinischen Kirche bis zum Ende des 13. Jahrhunderts, Göttingen 1969.

Aland, K., Das Verhältnis von Kirche und Staat nach dem Neuen Testament und den Aussagen des 2. Jahrhunderts, in: Ders., Neutestamentliche Entwürfe (Theologische Bücherei NT 63), München 1979, 26—123.

Althaus, P., Der Brief an die Römer, Göttingen [12]1976.

Asmussen, H., Der Römerbrief, Stuttgart 1952.

Bammel, E., Beiträge zur paulinischen Staatsauffassung, in: Theologische Literaturzeitung 85 (1960), 837—840.

Bardenhewer, O., Der Römerbrief des heiligen Paulus, Freiburg 1926.

Barnikol, E., Römer 13. Der nichtpaulinische Ursprung der absoluten Obrigkeitsbejahung von Röm 13,1—7, in: Studien zum Neuen Testament und zur Patristik 77 (FS E. Klostermann), Berlin 1961, 65—133.

Barth, K., Der Römerbrief. Zwölfter unveränderter Abdruck der neuen Bearbeitung von 1922, Zürich 1978 (Römerbrief).

— Volkskirche, Freikirche, Bekenntniskirche, in: Evangelische Theologie 3 (1936), 411—422 (Volkskirche).

— Rechtfertigung und Recht, in: Theologische Studien 1, Zollikon-Zürich [3]1948 (Rechtfertigung).

— Christengemeinde und Bürgergemeinde, in: Theologische Studien 20, Zollikon-Zürich 1946 (Christengemeinde).

— Kirchliche Dogmatik, Zollikon-Zürich [5]1960 (I/2), [4]1959 (II/2), [2]1961 (III/3), [3]1969 (III/4) (KD).

— Kurze Erklärung des Römerbriefs, München [3]1964 (KE Römerbrief).

Bartsch, H.-W., Auslegung von Röm XIII, 1—7, in: Kirche in der Zeit, XIII (1958), 403—407 (Römer XIII).

— Die neutestamentlichen Aussagen über den Staat. Zu Karl Barths Brief an einen Pfarrer in der DDR, in: Evangelische Theologie 19 (1959), 375—390 (Staat).

Bauer, G., Zur Auslegung und Anwendung von Römer 13,1—7 bei Karl Barth, in: E. Wolf, Ch. v. Kirschbaum, F. Frey (Hrsg.), Antwort (FS K. Barth), Zollikon-Zürich 1956, 114—123.

Bauer, W., »Jedermann sei untertan der Obrigkeit«, in: Ders., Aufsätze und kleine Schriften, hrsg. v. G. Strecker, Tübingen 1967, 263—284.

Bergmeier, R., Loyalität als Gegenstand paulinischer Paraklese. Eine religionsgeschichtliche Untersuchung zu Röm 13,1ff und Jos. B.J. 2, 140, in: Theokratia, Jahrbuch des Institutum Judaicum Delitzschianum I 1967—1969, Leiden 1970, 51—63.

Bieder, W., Ekklesia und Polis im Neuen Testament und in der Alten Kirche, Zürich 1941.

Blank, J., Die Glaubensgemeinde im heidnischen Staat. Zur Vorgeschichte von Röm 13,1—7, in: Ders., Schriftauslegung in Theorie und Praxis, München 1969, 174—186.

Böld, W., Obrigkeit von Gott? Studien zum staatstheologischen Aspekt des Neuen Testaments, Hamburg 1962.

Bornkamm, G., Paulus, Stuttgart ⁴1979 (Paulus).

— Christus und die Welt in der urchristlichen Botschaft, in: Ders., Das Ende des Gesetzes. Gesammelte Aufsätze I (Beiträge zur evangelischen Theologie), München 1952, 157—172 (Christus).

Brunner, E., Der Römerbrief (Bibelhilfe für die Gemeinde), Stuttgart 1948 (Römerbrief).

— Zur christologischen Begründung des Staates, in: Kirchenblatt für die reformierte Schweiz 99 (1943), 2—5, 18—23, 34—36 (Staat).

Campenhausen, H. v., Zur Auslegung von Röm 13, in: W. Baumgartner, O. Eissfeldt, K. Elliger, L. Rost (Hrsg.), Festschrift für Alfred Bertholet, Tübingen 1950, 97—113.

Conzelmann, H., (-Lindemann,A.) Arbeitsbuch zum Neuen Testament, Tübingen ⁴1979.

Cullmann, O., Königsherrschaft Christi und Kirche im Neuen Testament, in: Theologische Studien 10, Zollikon-Zürich ³1950 (Königsherrschaft).

— Der Staat im Neuen Testament, Tübingen ²1961 (Staat).

Dehn, G., Engel und Obrigkeit. Ein Beitrag zum Verständnis von Römer 13,1—7, in: E. Wolf (Hrsg.), Theologische Aufsätze (FS K. Barth), München 1936, 90—109 (Engel).

— Vom christlichen Leben. Auslegung des 12. und 13. Kapitels des Briefes an die Römer, Neukirchen 1974 (Leben).

Delling, G., Röm 13,1—7 innerhalb der Briefe des Neuen Testaments, Berlin 1962.

Dibelius, M., Rom und die Christen im ersten Jahrhundert, in: Ders., Botschaft und Geschichte II, Tübingen 1956, 177—228 (= Sitzungsberichte d. Heidelberger Akademie d. Wissensch. Phil-hist. Kl. 2/1941—2, Heidelberg 1942).

Dibelius, O., »Obrigkeit?«, in: M. Fischer, H. Gollwitzer (Hrsg.), Dokumente zu Fragen der Obrigkeit. Zur Auseinandersetzung um die Obrigkeitsschrift von Bischof D. Otto Dibelius, Darmstadt 1960, 21—31 (Obrigkeit I).

— Obrigkeit, Stuttgart-Berlin 1963 (Obrigkeit II).

Diem, H., »Evangelium und Gesetz« oder »Gesetz und Evangelium«? Bericht über eine Tagung der »Kirchlich-theologischen Sozietät in Württemberg« am 30. und 31. Juli 1936, in: Evangelische Theologie 3 (1936), 361—370.

Duchrow, U., Christenheit und Weltverantwortung. Traditionsgeschichte und systematische Struktur der Zweireichelehre, Stuttgart 1970, 137—180.

Eck, O., Urgemeinde und Imperium. Ein Beitrag zur Frage nach der Stellung des Urchristentums zum Staat (Beiträge zur Förderung christlicher Theologie 42/3), Gütersloh 1940, 74—104.

Eggenberger, Chr., Der Sinn der Argumentation in Röm 13,2—5, in: Kirchenblatt für die reformierte Schweiz 101 (1945), 242—245.

Eisenblätter, P., Die Struktur der Paränese in Röm 12—13. Diss. ev.-theol. München 1973/4.

Friedrich, J., (-Pöhlmann, W., -Stuhlmacher, P.,) Zur historischen Situation und Intention von Röm 13,1—7, in: Zeitschrift für Theologie und Kirche 73 (1976), 131—166 (Friedrich).

Gaugler, E., Der Christ und die staatlichen Gewalten nach dem Neuen Testament, in: Internationale kirchliche Zeitschrift (Neue Folge der Revue Internationale de Théologie) 40 (1950), 133—135.

Gaugusch, L., Die Staatslehre des Apostels Paulus nach Röm 13, in: Theologie und Glaube 26 (1934), 529—550.

Goppelt, L., Der Staat in der Sicht des Neuen Testaments, in: Ders., Christologie und Ethik, Göttingen 1968, 190—207 (Staat).

— Die Freiheit zur Kaisersteuer, in: ebd. 208—219 (Kaisersteuer).

— Theologie des Neuen Testaments II, Göttingen 1976 (Theologie NT).

Grosche, R., Kommentar zum Römerbrief, hrsg. v. F.J. Hungs, Werl 1975.

Gutjahr, F.S., Der Brief an die Römer, Graz-Wien 1923.

Hauser, R., Was des Kaisers ist. Frankfurt 1968.

Heiler, F., Das Urchristentum und die irdischen Gewalten, in: Eine heilige Kirche (Fortsetzung der »Hochkirche« und der »Religiösen Besinnung«) 16 (1934), 228—244.

Hengel, M., Christus und die Macht. Die Macht Christi und die Ohnmacht der Christen. Zur Problematik einer »Politischen Theologie« in der Geschichte der Kirche, Stuttgart 1974.

Hick, L., Die Staatsgewalt im Lichte des Neuen Testaments, Aachen 1948.

Huby, J., St. Paul, Epitre aux Romains (Nouvelle édition par S. Lyonnet), Paris 1957.

Käsemann, E., An die Römer, Tübingen ⁴1980 (Römerbrief).

— Römer 13,1—7 in unserer Generation, in: Zeitschrift für Theologie und Kirche 56 (1959), 316—376 (Römer 13).

— Grundsätzliches zur Interpretation von Römer 13, in: Ders., Exegetische Versuche und Besinnungen I, Göttingen ³1968, 204—222 (Grundsätzliches).

Kallas, J., Romans XIII, 1—7: An Interpolation, in: New Testament Studies 11 (1964/65), 365—374.

Keienburg, F., Geschichte der Auslegung von Römer 13,1—7, Gelsenkirchen 1956.

Kertelge, K., Der Brief an die Römer (Geistliche Schriftlesung 6), Düsseldorf 1971.

Kittel, G., Christus und Imperator. Das Urteil der ersten Christen über den Staat, Stuttgart 1939.

Koch-Mehrin, J., Die Stellung des Christen zum Staat nach Röm 13 und Apk 13, in: Evangelische Theologie 7 (1947/48), 378—401.

Kosnetter, J., Röm 13,1—7: Zeitbedingte Vorsichtsmaßregel oder grundsätzliche Einstellung?, in: Studiorum Paulinorum Congressus Internationalis Catholicus 1961 I, Rom 1963, 347-355.

Kühl, E., Der Brief des Paulus an die Römer, Leipzig 1913.

Kümmel, W.G., Das Urchristentum IV, in: Theologische Rundschau NF 17 (1948/49), 133—142.

Kürzinger, J., Die Briefe des Apostels Paulus. Der Brief an die Römer, in: K. Staab (Hrsg.), Das Neue Testament, Würzburg 1951.

Kuß, O., Paulus über die staatliche Gewalt, in: Theologie und Glaube 45 (1955), 321—334 (jetzt auch in: Ders., Auslegung und Verkündigung I, Regensburg 1963, 246—259).

Lagrange, M.-J., St. Paul, Epitre aux Romains, Paris 1931.

Lietzmann, H., An die Römer, Tübingen ⁴1933.

Lohse, E., Grundriß der neutestamentlichen Theologie, Stuttgart-Berlin-Köln-Mainz ²1979.

Marsch, W.D., Untertan der Obrigkeit? Eine Bibelstunde über Röm 13,1—7, in: Monatsschrift für Pastoraltheologie 47 (1958), 401—408.

Meinhold, P., Römer 13, Obrigkeit, Widerstand, Revolution, Krieg, Stuttgart 1960.

Merk, O., Handeln aus Glauben. Die Motivierungen der paulinischen Ethik, Marburg 1968.

Michel, O., Der Brief an die Römer, Göttingen ⁵1978.

Neufeldt, K.H., Das Gewissen. Ein Deutungsversuch im Anschluß an Röm 13, 1—7, in: Bibel und Leben 12 (1971), 32—45.

Neugebauer, F., Zur Auslegung von Röm 13,1—7, in: Kerygma und Dogma 8 (1962), 151—172.

Nieder, L., Die Motive der religiös-sittlichen Paränese in den paulinischen Gemeindebriefen. Ein Beitrag zur Paulinischen Ethik, München 1956.

Nygren, A., Der Römerbrief, Göttingen ⁴1965.

Pieper, K., Urkirche und Staat, Paderborn 1935.

Prümm, K., Die Botschaft des Römerbriefs, Freiburg-Basel-Rom-Wien 1960.

Przywara, E., (-Schütz, P., -Trott zu Solz, W.v., -Warnach, V.,) Christ und Obrigkeit, Ein Dialog, Nürnberg 1962, 7—27.

Rahner, H., Staat und Kirche im frühen Christentum. Dokumente aus acht Jahrhunderten und ihre Deutung, München 1961.

Ridderbos, H., Paulus. Ein Entwurf seiner Theologie, Wuppertal 1970.

Scharffenorth, G., Römer 13 in der Geschichte des politischen Denkens. Ein Beitrag zur Klärung der politischen Traditionen in Deutschland seit dem 15. Jahrhundert. Diss. phil. Heidelberg 1964.

Schelkle, K.H., Meditationen über den Römerbrief, Zürich-Köln 1961 (Römerbrief).

— Staat und Kirche in der patristischen Auslegung von Rm 13,1—7, in: Zeitschrift für die neutestamentliche Wissenschaft und die Kunde der älteren Kirche 44 (1952/53), 223—236 (Staat und Kirche).

— Theologie des Neuen Testaments III, Düsseldorf 1970 (Theologie NT).

Schiwy, G., Weg ins Neue Testament. Kommentar und Material, III Paulusbriefe, Würzburg 1968.

Schlatter, A., Gottes Gerechtigkeit. Ein Kommentar zum Römerbrief, Stuttgart ⁵1975.

Schlette, H.R., Die Aussagen des Neuen Testaments über den »Staat«, in: Ders., Anspruch der Freiheit, München 1963, 19—52.

Schlier, H., Der Römerbrief, Freiburg-Basel-Wien ²1979 (Römerbrief).

— Die Beurteilung des Staates im Neuen Testament, in: Ders., Die Zeit der Kirche, Freiburg-Basel-Wien ⁵1972, 1—16 (Staat I).

— Der Staat nach dem Neuen Testament, in: Ders., Besinnung auf das Neue Testament, Freiburg-Basel-Wien ²1964, 193—211 (Staat II).

— Mächte und Gewalten im Neuen Testament, in: Theologische Blätter 9 (1930), 289—297 (Mächte I).

– Mächte und Gewalten im Neuen Testament, in: K. Rahner, H. Schlier (Hrsg.), Quaestiones Disputatae 3, Freiburg 1958 (Mächte II)

– Mächte und Gewalten nach dem Neuen Testament, in: Ders., Besinnung auf das Neue Testament, Freiburg-Basel-Wien ²1964, 146—159 (Mächte III).

Schmidt, H.W., Der Brief des Paulus an die Römer, Berlin ³1972.

Schmidt, K.L., Das Gegenüber von Staat und Kirche in der Gemeinde des Neuen Testaments, in: Theologische Blätter 16 (1937), 1—16 (jetzt auch in: Ders., Neues Testament — Judentum — Kirche, hrsg. v. G. Sauter, München 1981, 167—191).

Schmithals, W., Der Römerbrief als historisches Problem, Gütersloh 1975.

Schnackenburg, R., Die sittliche Botschaft des Neuen Testaments, München 1954, 163—170.

Schneemelcher, W., Kirche und Staat im Neuen Testament, in: K. Aland, W. Schneemelcher (Hrsg.), Kirche und Staat (FS H. Kunst), Berlin 1967, 1—18.

Schrage, W., Die Christen und der Staat nach dem Neuen Testament, Gütersloh 1971 (Staat).

– Die konkreten Einzelgebote in der paulinischen Paränese, Gütersloh 1961 (Einzelgebote).

Schulze, W.A., Römer 13 und das Widerstandsrecht, in: Archiv für Rechts- und Staatsphilosophie 42 (1956), 555—566.

Schweitzer, W., Die Herrschaft Christi und der Staat im Neuen Testament, München 1949.

Sickenberger, J., Die Briefe des heiligen Paulus an die Korinther und Römer, Bonn ⁴1932.

Stauffer, E., Die Theologie des Neuen Testaments, Stuttgart-Berlin 1941 (Theologie NT).

– Theologische und säkulare Staatsideen in der Bibel, in: W.P. Fuchs (Hrsg.), Staat und Kirche im Wandel der Jahrhunderte, Stuttgart-Berlin-Köln-Mainz 1966, 9—20.

Steck, K.G., »Jedermann sei untertan der Obrigkeit«. Zur christlichen Lehre vom Staat, in: Die Wandlung. Eine Monatsschrift 1 (1945/46), 295—308.

Strack, H.L. (-Billerbeck, P.), Die Briefe des Neuen Testaments und die Offenbarung Johannis, erläutert aus Talmud und Midrasch, München 1926 (⁷1979).

Stratmann, F.M., Die Heiligen und der Staat II, Frankfurt 1949.

Strobel, A., Zum Verständnis von Röm 13, in: Zeitschrift für die neutestamentliche Wissenschaft und die Kunde der älteren Kirche 47 (1956), 67—93 (Römer 13).

— Furcht, wem Furcht gebührt. Zum profangriechischen Hintergrund von Röm 13,7, in: ebd. 55 (1964), 58—62 (Furcht).

Unnik, W.C. v., Lob und Strafe durch die Obrigkeit. Hellenistisches zu Röm 13,1—4, in: E.E. Ellis, E. Gräßer (Hrsg.), Jesus und Paulus (FS W.G. Kümmel), Göttingen 1975, 334—343..

Vögtle, A., Röm 13,11—14 und die »Nah-«Erwartung, in: J. Friedrich, W. Pöhlmann, P. Stuhlmacher (Hrsg.), Rechtfertigung (FS E. Käsemann), Göttingen 1976, 557—573.

Walker, R., Studie zu Röm 13,1—7, in: Theologische Existenz heute NF 132, München 1966.

Weithaas, A., Kirche und Staat in paulinischer Sicht, in: Theologie und Glaube 45 (1955), 433—441.

Wilckens, U., Der Brief an die Römer. Evangelisch-katholischer Kommentar zum Neuen Testament VI/3, Zürich-Köln-Neukirchen 1982 (Römerbrief).

— Römer 13,1—7, in: Ders., Rechtfertigung als Freiheit. Paulusstudien, Neukirchen 1974, 203—245 (Römer 13).

Wolf, E., Die Königsherrschaft Christi und der Staat, in: Theologische Existenz heute 64, München 1958, 20—61.

— Sozialethik. Theologische Grundfragen, hrsg. v. Th. Strohm, Göttingen 1975, 243—289 (Sozialethik).

Zahn, Th., Der Brief des Paulus an die Römer Leipzig ³1925.

Zsifkovits, V., Der Staatsgedanke nach Paulus in Röm 13,1—7, Wien 1964.

Jürgen Aretz / Rudolf Morsey / Anton Rauscher (Hg.)
Zeitgeschichte in Lebensbildern Band 1 — 6
Aus dem deutschen Katholizismus des 19. und 20. Jahrhunderts

Kassette mit 6 Leinenbänden. Zusammen ca. 1700 Seiten.

Über 100 Biographien katholischer Persönlichkeiten, die das gesellschaftliche und kirchliche Leben im 19. und in der ersten Hälfte des 20. Jahrhunderts geprägt haben.

Konrad Adenauer / Johannes Albers / Peter Altmeier / Karl Arnold / Franz von Baader / Julius Bachem / Adolf Kardinal Bertram / Theodor Blank / Wilhelm Böhler / Eugen Bolz / Franz Brandts / Heinrich Brauns / Heinrich von Brentano / Goetz A. Briefs / Heinrich Brüning / Franz Joseph Ritter von Buß / Viktor Cathrein / Alfred Delp / Friedrich Dessauer / Ignaz Döllinger / Julius Kardinal Döpfner / Hedwig Dransfeld / Hans Ehard / Wilhelm Elfes / Matthias Erzberger / Michael Kardinal von Faulhaber / Konstantin Fehrenbach / Clara Fey / Karl Forster / Clemens August Kardinal von Galen / Johannes von Geissel / Karolina Gerhardinger / Hans Globke / Elisabeth Gnauck-Kühne / Josef Gockeln / Joseph Görres / Conrad Gröber / Nikolaus Groß / Romano Guardini / Gustav Gundlach / Waldemar Gurian / Heinrich Held / Vitus Heller / Andreas Hermes / Georg Graf von Hertling / Ildefons Herwegen / Joseph Heß / Franz Hitze / Wilhelm Hohoff / Theodor Hürth / Alois Hundhammer / Joseph Edmund Jörg / Joseph Joos / Paul Jostock / Ludwig Kaas / Jakob Kaiser / Michael Keller / Wilhelm Emmanuel von Ketteler / Adolph Kolping / Georg Kardinal Kopp / Franz Xaver Kraus / Benedict Kreutz / Bernhard Letterhaus / Ernst Lieber / Heinrich Lübke / Wilhelm Marx / Joseph Mausbach / Johannes Messner / Ernst Michel / Friedrich Muckermann / Adam Müller / Otto Müller / Karl Muth / Agnes Neuhaus / Bernhard Otte / Franz von Papen / Heinrich Pesch / August Pieper / Felix Porsch / Konrad Kardinal von Preysing / Peter Reichensperger / Fritz Schäffer / Franziska Schervier / Hermann-Josef Schmitt / Benedikt Schmittmann / Maria Schmitz / Reinhold Schneider / Georg Schreiber / Laurentius Siemer / Carl Sonnenschein / Martin Spahn / Peter Spahn / Joannes Baptista Sproll / Adam Stegerwald / Edith Stein / Anton Storch / Adolf Süsterhenn / Christine Teusch / Karl Trimborn / Carl Ulitzka / Johannes Joseph van der Velden / Helene Weber / Eberhard Welty / Lorenz Werthmann / Heinrich Wienken / Ludwig Windthorst / Josef Wirth / Ludwig Wolker / Elisabeth Zillken.

Matthias-Grünewald-Verlag